D0707850

Marianne Fredriksson (Zweden, 1927) werd geboren in Göteborg. Eind jaren veertig begon ze als verslaggever bij een lokale krant. Vervolgens maakte ze carrière als journalist en hoofdredacteur van grote Zweedse tijdschriften. In Zweden was ze al een geliefd schrijfster met een groot publiek toen ze gelijktijdig in Duitsland en Nederland internationaal doorbrak met de roman *Anna, Hanna en Johanna*. In 1998 werd de roman door het Nederlandse lezerspubliek verkozen tot Boek van het Jaar. De opvolger *Simon* werd een jaar uitgeroepen tot Beste Vertaalde Roman van het Jaar. De Geus publiceerde daarna de romans *Volgens Maria Magdalena*, *Inge en Mira*, *Het zesde zintuig*, *Elisabeths dochter* en *De nachtwandelaar*.

Vervolgens verscheen de trilogie *De kinderen van het paradijs*, het vroege werk van Fredriksson, met daarin de romans *Het boek Eva*, *Het boek Kaïn* en *Norea, dochter van Eva*.

Ook het non-fictiewerk van de Zweedse schrijfster is door De Geus uitgegeven: de essaybundel *Als vrouwen wijs waren*, het managementboek *De elf samenzweerders* (geschreven met haar dochter Ann) en *Mijn leven in Zweden*, een geïllustreerd boek over de omgeving waarin Marianne Fredriksson woont en werkt.

Simon

Marianne Fredriksson

Simon

Uit het Zweeds vertaald door
Janny Middelbeek-Oortgiesen

DE GEUS

Elfde druk

Oorspronkelijke titel *Simon och ekarna*, verschenen bij
Wahlström & Widstrand, Stockholm 1985
Oorspronkelijke tekst © Marianne Fredriksson, 1985
Published by agreement with Bengt Nordin Agency,
Stockholm, Sweden
Eerste Nederlandstalige uitgave © Janny Middelbeek-Oortgiesen
en De Geus BV, Breda 1998
Deze editie © De Geus BV, Breda 2005
Omslagontwerp Mijke Wondergem
Omslagillustratie © Brad Wilson/G+J Fotoservice/Photonica,
bewerkt door Steve Martin
Foto auteur © Leo van Velzen
Druk Koninklijke Wöhrmann BV, Zutphen
ISBN 90 445 0668 4
NUR 311

Verspreiding in België via Libridis NV, Industriepark-Noord 5a,
9100 Sint-Niklaas

Voor Ann

1

'Gewoon een stomme eik', zei de jongen tegen de boom. 'Nauwelijks vijftien meter hoog, daar hoef je niet zo verwaand om te doen.'

'En je bent ook geen honderdduizend jaar.'

'Niet eens honderd', zei hij en hij moest denken aan zijn grootmoeder, die al bijna negentig was en gewoon een knorrig oud wijf.

Benoemd, gemeten en vergeleken verwijderde de boom zich van hem.

Maar de jongen kon nog horen hoe de grote kroon zong, weemoedig en verwijtend. Toen nam hij zijn toevlucht tot geweld; hij slingerde de ronde steen, die hij al zo lang in zijn broekzak had bewaard, recht tegen de stam.

'Nu zul je je mond wel houden', zei hij.

Op dat ogenblik verstomde de grote boom en de jongen, die begreep dat er iets essentieels was gebeurd, slikte de brok in zijn keel weg en wilde het verdriet niet voelen.

Die dag nam hij afscheid van zijn kindertijd. Omdat hij dat op een bepaald moment en op een bepaalde plaats deed, zou hij het zich altijd blijven herinneren. Nog jarenlang zou hij piekeren over wat hij op die dag, langgeleden in zijn kindertijd, achter zich had gelaten. Tegen zijn twintigste zou hij er een vermoeden van beginnen te krijgen, waarna hij zijn hele leven bezig zou blijven om te proberen het opnieuw te veroveren.

Maar nu stond hij op een heuvel bij de tuin van de Äppelgrens uit te kijken over de zee, waar de mist zich tussen de eilandjes ophoopte om langzaam naar de kust toe te rollen. In het land van zijn jeugd had de mist vele stemmen en op een dag als deze zongen de misthoorns van Vinga tot Älvsborg.

Achter hem lagen de rotsen en het weiland met het land dat er is, maar dat niet bestaat. Aan het eind van het weiland, waar de humuslaag dikker werd, lag het eikenbos waar de bomen door de jaren heen tegen hem hadden gepraat.

In de schaduw van die bomen had hij het mannetje met de vreemde ronde hoed ontmoet. Nee, dacht hij, zo was het niet. Hij had de man altijd al gekend, maar pas in de schaduw van de loofbomen had hij hem gezien.

Maar nu maakte dat niets meer uit.

'Het was toch allemaal maar onzin', zei de jongen hardop, terwijl hij onder het prikkeldraad van Äppelgrens omheining door kroop.

Hij zag juffrouw Edith niet, Edith Äppelgren, die op vroege voorjaarsdagen als deze altijd onkruid aan het wieden was in de kaarsrechte bloembedden. De misthoorns hadden haar naar binnen gejaagd; ze kon niet tegen mist.

De jongen begreep dat wel; de mist was het verdriet van de zee, net zo oneindig als de zee. Eigenlijk niet te verdragen...

'Flauwekul', zei hij toen, want hij wist wel beter en hij had net besloten dat hij de wereld ging bekijken zoals andere mensen dat deden. De mist was de warmte van de Golfstroom die omhoog steeg wanneer de lucht afkoelde.

Niets bijzonders.

Maar terwijl hij Äppelgrens gazon overstak en thuis de

keuken binnenglipte, lukte het hem niet goed om de droefenis in het langgerekte gehuil van de misthoorns over de havenmonding te negeren. Thuis kreeg hij warme chocolademelk.

Hij heette Simon Larsson, was elf jaar en klein van stuk en hij had een donkere huid. Hij had stug bruin, bijna zwart haar en ogen die zo donker waren dat het soms moeilijk was om de pupillen te onderscheiden.

Het eigenaardige van zijn uiterlijk was hem tot nu toe ontgaan, want tot die dag had hij nooit de neiging gehad te gaan vergelijken en daarom had hij ook weinig zorgen gekend. Hij dacht aan Edith Äppelgren en haar problemen met de mist. Maar meer nog dacht hij aan Aron, haar man. Simon had Aron altijd graag gemogen.

De jongen was een weglopertje geweest, het type kind dat net als een vrolijke jonge hond de verleidingen van de landweg volgt. De aanleiding kon een felgekleurd snoeppapiertje in de sloot buiten het hek zijn, gevolgd door een leeg tabaksblikje en iets verderop een fles en nog één, en bijvoorbeeld een rode bloem en weer wat verderop een witte steen en daarna misschien een glimp van een poes.

Op die manier raakte hij steeds verder van huis verwijderd en hij kon zich nog heel goed herinneren dat het tot hem doordrong dat hij verdwaald was. Dat begreep hij toen hij de grote, blauwe tram in de gaten kreeg, die schommelend uit de stad kwam. Hij schrok zich wezenloos, maar precies op het moment dat hij wilde gaan huilen was Aron er.

Aron boog zijn lange gestalte over de jongen heen en zijn stem kwam uit de hemel toen hij zei: 'Goeie genade, jong, ben je nou alweer weggelopen?'

Vervolgens hees hij de jongen op de bagagedrager van

zijn zwarte fiets en begon naar huis te lopen. Hij praatte over de vogels, over de dikke vink en de ijverige koolmeesjes en over de mussen die in het stof van de landweg rondom hen heen sprongen.

Voor die laatste had hij alleen maar verachting: 'Vliegende ratten', zei hij.

In het voorjaar namen ze altijd een kortere weg door het veld en de jongen leerde om het lied van de leeuwerik te herkennen. Dan zong Aron met een enorme stem een lied dat over de heuvels rolde en echode tegen de klippen: 'Wanneer de heuvels weer groen worden...'

Maar het mooist was het wanneer Aron floot. Hij kon ieder vogelgeluid nabootsen en de jongen ontplofte bijna van de spanning wanneer Aron erin slaagde de merel wellustig en gewillig te laten antwoorden. Dan grijnsde Aron van oor tot oor.

Nu wilde het geval dat het vogelgeluid dat alle andere daar tussen de rotsen aan de riviermonding overtrof het geschreeuw van de meeuwen was. Aron kon ook die nabootsen en soms gebeurde het wel dat hij ze zo tot woede wist te drijven dat ze boos neerdoken op de man en de jongen.

Dan moest Simon zo lachen dat hij het bijna in zijn broek deed. Ook de buren, die voortdurend gehaast voor allerlei zaken over de weg voorbijkwamen, bleven even stilstaan en moesten glimlachen om de lange man die net zoveel plezier had als het jongetje.

'Aron wordt nooit volwassen', zeiden ze.

Maar Simon hoorde dat niet. Tot die dag was Aron de koning van zijn wereld.

En nu zat de jongen aan de keukentafel met die vieze chocolade en hij zag Aron zoals anderen hem zagen. In de eerste plaats besefte hij dat 's mans bijzondere vermogen om hem te redden toen hij nog klein was en verdwaalde, te maken had met Arons werktijden. Simon was 's avonds na het eten weggelopen en Aron was vaak vroeg klaar; hij was net uit de tram gestapt toen de jongen bij de halte aankwam en begreep dat hij verdwaald was. Aron haalde zijn fiets daar op en, als het zo uitkwam, ook dat vreemde kind dat zo vaak verdwaalde.

Opeens zag Simon de verachting, de scheve grijnzen en de vage toespelingen die altijd rondom Aron aanwezig waren. Hij was uitsmijter in een kroeg met een slechte naam in de haven en hij had een bijnaam die Simon niet begreep, maar die zo lelijk was dat zijn moeder er van verontwaardiging van moest blozen.

Simon moest weer aan juffrouw Äppelgren denken. Ze was altijd aan het poetsen en had een keuken die zo netjes was dat hij er nooit naar binnen mocht. Hij dacht dat hij wel begreep hoe mooi je het in je keuken en je tuin moest hebben als je een man had met een bijnaam die zo lelijk was dat de dames ervan bloosden.

Toen Simon de laatste hap van zijn koffiebroodje had doorgeslikt en de chocoladebeker had leeggelepeld, realiseerde hij zich dat Aron nooit de stap had genomen die hijzelf vandaag had gezet. Aron Äppelgren had nooit op een heuvel gestaan om afscheid van zijn jeugd te nemen.

De jongen sliep op de keukenbank. Dat maakte van hem een socialist.

Het was een ruime, zonnige keuken met grote ramen op het westen en zuiden met spijlen erin, witte gordijnen en bloeiende planten ervoor, en buiten oude appelbomen. Onder het raam op het zuiden was een zinken aanrecht met koud stromend water; in de hoek er recht tegenover vocht het ijzeren fornuis met de houtbak haaks ernaast om een plekje en boven op het fornuis stond een tweepits Primus-kookstel. Langs de lange wand onder het andere raam strekte de keukenbank zich uit, blauwgeschilderd, net als de stoelen en de grote keukentafel, waar door de week een zeiltje op lag en op zondag een geborduurd kleed.

Eten dat lang op stond; vaak vleessoep. Koffie. Baksel; op de woensdagen, wanneer het tarwebrood werd gebakken, hing er een heerlijke geur. Roddel. Als je je klein en onzichtbaar maakte, kon je dat vanaf de houtbak allemaal in je opzuigen. De eindeloze wederwaardigheden van hun naasten; wie er in verwachting was en met wie je medelijden moest hebben.

Je moest met veel mensen medelijden hebben, met de meesten eigenlijk. De jongen leerde om medelijden te hebben mét, niet om een hekel te hebben áán. Op die manier raakte hij zijn woede zo vroeg kwijt dat hij haar eigenlijk nooit meer terugvond. Die woede was er wel; in de loop van zijn leven liet ze zich af en toe even horen, maar altijd te laat en vaak op de verkeerde plaats.

Hij werd een aardige jongen.

Zelf had hij het goed; dat leerde hij ook vroeg, en zo grondig dat er door de jaren heen geen sprake van kon zijn dat hij medelijden met zichzelf kreeg.

Je had Hansson, die werkloos was en daarom op zaterdag zijn vrouw altijd sloeg als hij dronken was. Je had Hilma, die twee dochters in het sanatorium had en van wie het jongste kind al aan tuberculose was overleden. En dan had je die mooie meid van de Anderssons, die altijd in nieuwe kleren rondliep in de binnenstad.

Maar als ze het erover hadden wat die daar deed op straat, werd de jongen naar buiten gestuurd. De vrouwen merkten de aanwezigheid van de kinderen wel op.

De mannen niet. Dat was ook het mooie aan slapen op de keukenbank. 's Avonds zaten de mannen namelijk in de keuken; er was bier in plaats van koffie en er werd over politiek gepraat in plaats van over mensen, en natuurlijk ook over die verrekte auto die het weer niet deed.

Ze hadden een transportonderneming. Daarmee bedoelden ze dat ze een vrachtauto hadden. Overdag reed die rond om hout naar de bouwplaatsen rondom de groeiende stad te brengen. En eten naar hun huis. 's Nachts werd hij gerepareerd, want de lagers waren slecht, de kleppen moesten geslepen worden en de versnellingsbak ging naar de bliksem.

Het waren bekwame lieden, zijn vader en zijn oom. Ze vervingen, smeedden en maakten dingen. Toen ze op een dag tegen een zescilinder motor aanliepen om de oude versleten viercilinder mee te vervangen, konden ze hun geluk niet op. Maar toen ze dat deden, waren ze gedwongen om de cardanas te verlengen, die een extra kruiskoppeling kreeg. Omdat ze halsstarrig vast bleven houden aan degelijke tandwieltransmissie, hadden ze algauw een auto die de steilste van alle steile hellingen in de stad nog kon nemen, zelfs als het glad was.

De auto werd na verloop van tijd handwerk in bijna elk detail. Er stond 'Dodge' op, maar uiteindelijk was het de vraag of er behalve het mooie rode omhulsel nog veel over was uit Detroit.

Elke avond om tien uur namen ze met een pilsje pauze en dan luisterden ze naar het late nieuws op de radio, die op een kruk stond aan het voeteneinde van de keukenbank. Aan het hoofdeinde lag Simon onder een roze tent; een stuk rood-wit geruite stof dat tussen de klep van de bank en de rugleuning was gespannen en dat, nadat de jongen in bed was gekropen en leek te slapen, aan de poten van de bank werd vastgehaakt.

Op die manier kreeg hij te horen over het schrikbeeld dat uit het hart van Europa te voorschijn kroop en dat Hitler heette. Soms kon je hem zelf horen brullen op de radio en hoorde je hoe de Duitsers *Sieg Heil* riepen. Dan zei zijn vader altijd dat het vroeg of laat mis moest lopen en dat binnenkort alles verwoest zou worden dat de arbeiders en minister-president Per Albin Hansson hadden opgebouwd.

Op een keer kwam er een man met speciaal gesmede moeren. Hij had ze uit de goedheid van zijn hart gemaakt, zei zijn moeder, nadat zijn vader de man de deur had uitgegooid.

'Uit de goedheid van zijn hart', brulde zijn vader. 'Een jodenhater, een nazi in mijn keuken. Ben je gek geworden, mens!'

'Als je zo schreeuwt maak je de jongen nog wakker', zei ze.

'Er kan hem nog wel veel ergers gebeuren', zei zijn vader, maar toen begon zijn moeder te huilen en de ruzie werd gesust.

Op de bank onder de tent lag de jongen. Hij was bang en probeerde te begrijpen wat er gezegd was. Jood. Dat woord was hem op school ook nageschreeuwd. Zijn vader was wit weggetrokken toen hij het vertelde en op een onwaarschijnlijke, maar fantastische avond had hij hem leren vechten. Urenlang hadden ze in de kelder geoefend: een rechtse directe, een snelle linkse hoekstoot en vervolgens, als je de kans kreeg, een uppercut.

De dag daarna had de jongen zijn nieuwe vaardigheden

op school getest en sindsdien had hij het woord niet meer gehoord.

Tot die avond.

2

Simons moeder was goed.

Dat kon je niet over het hoofd zien, want haar goedheid was op de een of andere manier altijd aanwezig. De wereld waarin de jongen opgroeide was op die goedheid gebouwd.

Mooi was ze ook: groot en blond met een grote, gevoelige mond en verrassend bruine ogen.

Haar goedheid was niet van het kleffe soort; ze was sterk van zichzelf en ze voelde zich niet bedreigd door de groei van anderen. Karin was misschien gewoon een van die zeldzame mensen die weten dat je liefde niet kunt kweken, dat je liefde geen voedsel en water kunt geven.

Omdat liefde alleen maar de afwezigheid van angst is.

Ze had ook ingezien dat de altijd als een trillende ondertoon aanwezige angst in het leven van mensen bijna nooit te verhelpen is en dat niemand een ander inwendig kan helpen. En dat dat de behoefte aan troost oneindig maakt.

Zo werd zij degene bij wie iedereen zijn hart uitstortte. Er was geen slecht behandelde man of vrouw die in haar keuken geen koffie en eerherstel kreeg. Om nog maar te zwijgen van alle kinderen die slecht behandeld werden en bij haar mochten uithuilen en chocolademelk kregen.

Ze droogde geen tranen en kwam niet met oplossingen.

Maar ze kon goed luisteren.

Ze deed het niet om er iets voor terug te krijgen; geduld en een groot hart schonken haar weinig vreugde. Het was eigenlijk juist zo dat alle ellende van het leven, waar zij in haar keuken troost voor gaf, haar eigen verdriet alleen maar deed toenemen. Maar het was wel koren op de molen van haar socialistische overtuiging. 'De mensen behandelen elkaar als beesten omdat ze zelf als beesten worden behandeld', zei ze.

Zoals alle goede mensen geloofde ze niet in het kwaad. Dat bestond wel, maar niet op zichzelf; het was slechts een vergissing die voortkwam uit onrecht en ongeluk.

De jongen werd rechtvaardig behandeld en was gelukkig. Daarom kropte hij later zijn zwarte verdriet en rode geldingsdrang op. Deze gevoelens werden tegelijkertijd bestreden en gevoed door het schuldgevoel dat hij had, en ze gedijden daardoor goed.

Vrouw Ågren had acht kinderen en ze haatte ze allemaal. Simon was waarschijnlijk de enige in het dorp die zich tot haar aangetrokken voelde. Hij ging zelfs zo ver dat hij vriendjes werd met een van haar zonen. Het was geen gemakkelijke vriendschap, want zoals alle kinderen Ågren was de jongen achterbaks en wantrouwend.

Maar door die vriendschap kreeg Simon toegang tot de keuken van de Ågrens en omdat hij het vermogen had zich onzichtbaar te maken kreeg hij daar haat te horen en te zien. Die haat was zo krachtig dat hij steeds overkookte en zich over iedereen uitstrekte.

'Verdomde koe die je bent', schreeuwde vrouw Ågren tegen haar oudste dochter, die zich voor de keukenspiegel stond te kammen. 'Dat heeft helemaal geen zin, hoor. Je ziet eruit als een armetierige vaars en je bent zo mager dat je geld toe moet geven om je te laten slachten. Denk maar niet dat iemand je wil dekken.'

Tegen haar dochters was ze het ergst; haar zoons schold ze meer uit in het voorbijgaan.

'Ik heb jullie gekregen als straf voor mijn zonden',

schreeuwde ze. 'Mijn keuken uit, dat ik jullie niet meer hoef te zien.'

Op een dag kreeg ze Simon in de gaten en opeens stond hij in het middelpunt van haar haat: 'Zo, duiveltje', zei ze langzaam, met een lage stem en de woorden uitrekkend. 'Loop jij naar de hel, en neem die verdomde, schijnheilige moeder van je maar mee. Maar vergeet haar vooral niet te vragen waar ze jou vandaan heeft.'

Simon voelde hoe zijn razernij door die van haar werd aangestoken en hij haalde diep adem. Maar hij vond er geen woorden voor en stormde naar buiten. Hij rende naar het strand, naar de rotsen bij de plek waar ze altijd zwommen. Het was herfst; de zee was grijs en woest en hielp hem om woorden te vinden.

'Jij secreet', zei hij. 'Jij smerig secreet.'

Maar dat hielp niet zo erg; hij moest iets doen. Hij sneed haar borsten af en sloeg haar ogen in. Daarna schopte hij haar dood.

Nadien voelde hij zich vreemd vrolijk.

Vrouw Ågren was niet oud. Maar ze had vier miskramen gehad en in dertien jaar acht kinderen gekregen en ze had ze allemaal al in haar buik gehaat. Die verdomde kinderen aten haar op, slokten haar leven op, hakten haar nachten in stukken en vergalden haar dagen. Ze namen haar haar gevoel van eigenwaarde en blijdschap af. Alleen woede hield haar op gang, zorgde voor eten op tafel en schone kleren voor man en kinderen.

'Ze zaait zich voortdurend uit', zei Karin. 'Dat is haar ongeluk.'

Zelf gaf ze de schuld aan Ågren, een liederlijke rotzak. Maar hij kwam wel elke vrijdag thuis met zijn loonzakje, dus ze durfde hem toch niet echt aan te vallen.

Ze was al vroeg getrouwd met een aardige man in een goede positie, een man bij de overheid, een douanebeambte. Veel mensen zouden wel vinden dat ze veel geluk had gehad in haar leven, en misschien had ze ook zelf ooit dromen gehad over het leven in het nieuwe huis aan zee.

Tijdens een voorjaar verdronk de oudste dochter zich. Ze was zestien jaar, maar toen de politie haar lichaam vond, bleek dat ze zwanger was. Bij de kruidenier zei vrouw Ågren dat het maar goed was dat het meisje het benul had gehad zichzelf van kant te maken, anders had zij, haar moeder, die verdomde hoer wel gewurgd.

Maar daarna ging ze naar huis en kreeg een miskraam.

Tegen de winter groeide haar buik opnieuw, maar dit keer was het geen baby. Vrouw Ågren overleed toen ze zevenendertig jaar was aan een kanker die net zo huishield als haar haat.

Simon rouwde om haar. En toen Ågren vrij snel daarna hertrouwde met een gewone vrouw, eentje die nederig was, de boel schoonhield en koekjes bakte, ging de jongen niet meer naar het huis toe.

Maar nu was het de avond van de dag dat hij besloten had om volwassen te worden. De mist was tegen de middag opgetrokken. De heldere hemel van de meimaand die je door het keukenraam kon zien werd roze gekleurd door de rood-wit geruite stof over de keukenbank waarop hij lag na te denken over zijn beslissing.

Hij had het gedaan voor zijn moeder, dat was duidelijk. Maar hij had geen woorden gevonden om het haar uit te leggen. Dus zijn beloning, die er altijd uit bestond dat hij het verdriet in haar bruine ogen zag verdwijnen, was hij misgelopen.

Dat verdriet was het enige echt erge in het leven van de jongen, het enige dat echt onverdraaglijk was. Pas veel later, toen hij volwassen was en zij dood, zou hij begrijpen dat haar verdriet nauwelijks met hem te maken had.

Hij kon haar blij maken; door de jaren heen had hij veel trucjes geleerd om pretlichtjes in die bruine ogen te toveren. Daarom dacht hij ook altijd dat hij het was die haar verdrietig maakte.

Een paar dagen eerder hadden ze bericht gekregen dat Simon tot het lyceum zou worden toegelaten. Hij was de eerste in de familie die zou kunnen gaan studeren. Hoewel hij pas elf jaar was, had hij zelf de aanmeldingsformulieren ingevuld en alleen de lange weg gefietst naar de school van de hoogmoed, zoals zijn ouders die noemden toen het tijd voor de toelatingstest was.

Toen de jongen thuiskwam met het bericht dat hij was aangenomen, had hij een glimp van blijdschap in de ogen van zijn moeder gezien.

Maar die werd meteen gedoofd toen zijn vader zei: 'Dus jij gaat iets worden. En ik moet dat natuurlijk betalen. Weet je zeker dat we ons dat kunnen veroorloven?'

'Met het geld komt het wel in orde', zei zijn moeder. 'Maar voor de rest moet je zelf zorgen. Je hebt dit immers zelf bedacht.'

Een paar jaar later, in de jaren van verzet, zou hij ze haten om de woorden die er die avond vielen in de keuken. En om de eenzaamheid die volgde. Maar later in zijn leven ging hij hen begrijpen, zijn ouders. Kreeg hij begrip voor die gespleten houding ten opzichte van de burgermansschool, die de kinderen die goed konden leren opslokte en de arbeidersklasse van binnenuit opat. Toen kon hij zich ook een beetje voorstellen hoe ze zich voelden toen ze aan tafel zaten met het vage gevoel dat de jongen hen nu voorbij zou streven.

Maar je wilde immers dat je kinderen het goed zouden krijgen.

Dus toen Karin had afgeruimd en het tafelzeil had afgenomen, haalde Erik het huishoudboekje te voorschijn en informeerde hij naar het schoolgeld. Vervolgens begon hij de kosten voor boeken en de tram uit te rekenen. Hij keek bezorgd. Maar dat was meer voor de vorm; aan geld hadden ze eigenlijk geen gebrek.

Alleen een eeuwige angst voor armoede.

Zijn moeder dacht nauwelijks aan geld. Maar ze voelde zich ongemakkelijk en haar ogen werden donker toen ze de zware woorden sprak: 'Dan moet het nu wel afgelopen zijn met al dat gedagdroom.'

Misschien betrof haar ongerustheid iets heel anders dan de angst dat Simon het niet zou redden op school. Misschien dacht ze er meer aan dat haar jongen nu iemand zou worden die nergens bij hoorde; iemand die zelf iets moest worden of anders ten onder zou gaan.

Maar Simon hoorde alleen haar woorden en nu lag hij op de keukenbank te denken hoe blij ze zou zijn als hij maar een manier kon bedenken om haar te vertellen dat hij nu net als andere kinderen zou worden, maar dan meer en beter. Want hij had wel gemerkt hoe trots ze was op zijn goede rapporten en op de woorden van de juffrouw aan het eind van het afgelopen schooljaar.

'Simon is zeer begaafd', had ze gezegd.

Zijn vader had geknord; hij wees het woord af. Hij geneerde zich voor de juffrouw. Om zoiets te zeggen waar de jongen bij was; dat was niet verstandig.

'De knaap zou er maar hooghartig van worden', zei hij

toen ze langzaam naar huis liepen in, wat volgens de woorden van het lied dat ze zojuist hadden gezongen, de bloeitijd was, die net was aangebroken. 'Begaafd', zei hij. Hij proefde het woord en spuugde het uit.

'Hij is ijverig', zei Karin.

'Natuurlijk is hij ijverig', zei Erik. 'Hij aardt toch naar ons.'

'Dan moet jij nodig wat zeggen over hoogmoed', zei zijn moeder, maar haar lach was er een van geluk.

De jongen was altijd een boekenwurm geweest, zoals dat heette. Het was een eigenschap die geaccepteerd werd, net zoals zijn geringe lengte en zijn zwarte haar. Maar hij moest niet overdrijven.

De eerste zomervakantie had Simon alle boeken die er in huis te vinden waren al verslonden. Hij wist nog hoe een vrouw hem op de bank in de zondagse kamer had aangetroffen terwijl hij *Gösta Berlings saga* aan het lezen was. 'Leest dat kind Lagerlöf?' De stem had afkeurend geklonken.

'We kunnen hem niet tegenhouden', zei Karin.

'Maar zo'n boek kan hij toch nog helemaal niet begrijpen.'

'Iets zal hij er toch wel van begrijpen, anders hield hij er wel mee op.'

Moeders stem klonk nu niet langer verontschuldigend, maar toch kreeg de vrouw het laatste woord: 'Geloof me, het kan nooit goed zijn.'

Werd Karin toch een tikkeltje ongerust? Misschien, want ze moest het aan zijn vader verteld hebben, die zei: 'Je moet niet denken dat de wereld uit freules en gekke dominees bestaat. Lees liever Jack London.'

En Simon las het verzamelde werk van Jack London, ge-
marmerde bruine banden met een rode strook op de rug.
Uit die tijd bleven hem een paar mensen bij: wolfman Lar-
sen, de dominee die mensenvlees at en een krankzinnige
violist. En een paar beelden: het lange meer van Löven
dat lag te glinsteren in de zon en de sloppenwijken van East
End.

De rest zonk naar het onderbewuste en tierde daar welig.

Rond zijn elfde jaar had hij de weg naar de volksbibliotheek in de wijk Majorna gevonden; zijn honger was nu
minder groot geworden, zoals dat gaat bij iemand die weet
dat hij altijd over voedsel kan beschikken. Hij was nu ook
voorzichtiger geworden, want even had hij de angst op zijn
moeders gezicht gezien toen ze zich afvroeg of haar jongen
echt anders was.

'Ren eens even lekker buiten rond, voordat het bloed in
je aderen verrot', zei ze soms. Dat was een grapje, maar met
een ondertoon van ongerustheid.

Op een keer vond ze hem op zolder, waar hij helemaal
opging in het boek van Joan Grant over de koningin van
Egypte. Zijn ogen staarden Karin aan vanaf de hoogtes van
de farao's en hij hoorde niet wat ze zei. Pas toen ze hem
door de eeuwen teruggeschud had, zag hij dat ze bang was.

'Je moet jezelf niet zo van de werkelijkheid afsluiten', zei
ze.

Hij moest zich inspannen om daar niet aan te denken,
want anders deed het hem nog pijn.

Die avond op de keukenbank stelde hij zichzelf dezelfde
vraag als Karin had gedaan: was er iets ernstig mis met
hem?

Hij had de stap gezet naar de wereld van de vergelijkin-
gen.

Maar de dag daarna was hij alles alweer bijna vergeten. Hij ging met zijn neef in de kano mee naar de monding van de haven. Daar lagen ze met hun peddels in de aanslag te wachten op de veerboot uit Denemarken. Die kwam zo regelmatig dat je je horloge erop gelijk kon zetten. Het was op geen stukken na het grootste vaartuig dat naar de grote haven op weg was, maar in tegenstelling tot de boten uit Amerika en de witte schepen uit het Verre Oosten mocht de veerboot op volle snelheid de riviermonding passeren.

Hij veroorzaakte zware golfslag en de jongens waren bedreven geraakt in de kunst om de kano op de eerste golf te zetten en daarop naar het strand te rijden.

Daar kwam de golf, snel en mooi. Toen ze zich al balancerend op de golfkam werkten, hoorde Simon zijn neef gillen van spanning. Maar ze gingen scheef en de kano sloeg om. De jongens werden eruit geworpen en door de golf meegezogen de diepte in.

Even sloeg de schrik Simon om het hart, maar net als zijn neef was hij een goede zwemmer. Hij wist wat hij moest doen om niet door de volgende golf te worden meegezogen. Zonder weerstand te bieden liet hij zich drijven op deze golf, en op de volgende golf en de volgende.

Toen de zee was gaan liggen, zwommen de jongens naar de kano en manoeuvreerden hem aan land. Daar stonden hun vrienden, een beetje geschrokken maar spottend.

Zijn neef begon op te scheppen over de enorme golf, hoger dan ze ooit hadden meegemaakt; dat werd geaccepteerd en hun eer was gered.

Simon dacht aan iets anders, aan het beeld van de man die hij op zijn weg naar de diepte had ontmoet. Hij was daar geweest, het oude mannetje, van wie hij gisteren voor altijd afscheid had genomen.

Thuis werd er op hem gefoeterd en kreeg hij droge kleren. Daarna klom hij de heuvel op om over het veld naar het eikenbos te rennen. Hij vond er zijn bomen, tussen de tien en vijftien meter hoog, stil, precies zoals ze moesten zijn. De afspraak stond nog. Dat was goed, dat was alles wat hij wilde weten.

Maar 's nachts in zijn slaap ontmoette Simon de man opnieuw. Hij zat op de bodem van de zee en voerde lange gesprekken met hem. En toen hij 's ochtends wakker werd, voelde hij zich merkwaardig gesterkt.

Pas veel later op de dag, toen hij op school zijn rekenopgave had ingeleverd en even tijd over had, zou hij zich realiseren dat hij was vergeten om te vragen wie de man was en dat hij zich geen woord kon herinneren van wat er was gezegd.

De zomer was ongewoon warm, en vol onrust. In de keuken zaten de volwassenen op elke nieuwsuitzending te wachten.

'De lucht betrekt', zei zijn vader.

'We hebben regen nodig', zei zijn moeder. 'De aardappels verdorren en de waterput komt droog te staan.'

Maar er kwam geen regen en ten slotte moesten ze water uit de tankwagen kopen om er de put mee te vullen.

3

In de herfst, op dezelfde dag dat Von Ribbentrop naar Moskou reisde, begon hij op het lyceum.

Simon was de kleinste van de klas en de enige die uit een arbeidersgezin afkomstig was. Hij had weinig manieren; hij stond niet op wanneer de leraren tegen hem praatten en hij sprak niet met twee woorden.

'Ja meneer, nee meneer', zeiden zijn klasgenoten. Simon vond dat belachelijk. Maar hij begreep wel dat hij moest leren hoe het hoorde op school en dat hij die twee dingen uit elkaar moest houden; thuis zou hij uitgelachen worden.

Daar waren ze gewend om antwoord te geven, maar niet om overal meneer en mevrouw bij te zeggen.

Hij was de enige die het aanvraagformulier om minder schoolgeld te hoeven betalen aannam. Maar net zoals alle anderen kreeg ook hij een Duits leesboek en een Duits grammaticaboek.

Het was meer dan vijf kilometer fietsen naar huis. Simon was niet gewend aan het verkeer in de grote stad, de zware vrachtwagens en de grote trams. Toen hij thuiskwam had hij behoefte aan troost.

Maar Karins aandacht ging uit naar Erik, die bij de radio in de keuken zat met een wereldbeeld dat aan diggelen lag. Zijn gebruikelijke politieke scherpzinnigheid had zich nooit uitgestrekt tot de Sovjet-Unie. Met het pact van Moskou werden de arbeiders van de wereld verraden.

Hoewel het een gewone doordeweekse dag was, haalde Karin de brandewijn uit de voorraadkast te voorschijn, en pas toen zag Simon de ernst van de situatie in.

Tegen de avond hadden de brandewijn en Karins troostende woorden hun werk gedaan. Erik had zo goed en zo kwaad als het ging weer grond onder de voeten gekregen en was tot de conclusie gekomen dat de Russen het akkoord getekend hadden om tijd te winnen om zich te bewapenen voor de grote en beslissende slag tegen de nazi's. Karin kon uitblazen, naar haar zoon omkijken en vragen: 'Nou, hoe was het op de nieuwe school?'

'Goed', zei de jongen en meer werd er eigenlijk al die jaren op de lagere school, het lyceum en de universiteit niet gezegd.

De Duitse boeken haalde hij die avond niet uit zijn rugzak te voorschijn.

Al in de eerste pauze de volgende dag kwam het. 'Kleine rotjood', zei de langste en blondste jongen van de klas, die zo'n chique naam had dat er een geroezemoes was ontstaan toen hun namen werden afgeroepen.

Simon sloeg; zijn arm schoot de rechtse directe recht vanuit zijn schouder, snel en verrassend zoals zijn vader hem geleerd had, en de lange viel op de grond terwijl het bloed uit zijn neus spoot.

Verder dan dat hoefde hij niet te gaan, want de bel ging. En verder dan dat kwam het ook nooit, want Simon had respect afgedwongen. Hij wist dat grote eenzaamheid nu zijn deel zou worden, net zoals op de lagere school.

Maar daarin vergiste hij zich.

Toen de jongens de trap op renden naar het natuurkundelokaal sloeg er iemand een arm om zijn schouders en hij keek in bruine, een beetje verdrietige ogen.

'Ik ben Isak', zei de jongen. 'En ik ben joods.'

In het natuurkundelokaal gingen ze naast elkaar zitten, zoals ze alle verdere schooljaren naast elkaar zouden gaan zitten. Simon had een vriend gekregen.

Maar dat besefte hij nu nog niet meteen; zijn verwondering was veel groter dan zijn blijdschap. Een echte jood! Simon keek tijdens de les naar Isak en hij begreep het niet. De jongen was lang, mager, had bruin haar en zag er vriendelijk uit.

Net een gewoon mens.

Tijdens de middagpauze nam Isak Simon mee naar huis om bij hen brood te eten. Er was daar een dienstmeisje dat op juffrouw Äppelgren leek en dat dikke plakken leverworst op het brood deed en hun tomaten opdrong.

Simon had nog nooit een dienstmeisje gezien en zelden tomaten gegeten, maar dat was niet hetgeen waardoor hij het meest gefascineerd was. Nee, dat was door de grote, donkere kamers die op een rij lagen, het zware fluweel voor de ramen, de rode pluchen banken, de oneindige rijen boekenkasten – en de geur, de voorname geur van boenwas, parfum en rijkdom.

Simon zoog het allemaal in zich op en toen hij 's middags naar huis fietste dacht hij dat hij nu wist hoe geluk eruitzag. Hij had kennisgemaakt met Isaks nichtje. Ze was mooi als een prinses en had lange, gelakte nagels. Simon vroeg zich af of ze wel eens zou moeten plassen.

Toen besefte hij dat Karin zou vragen waarom hij weer met zijn brood thuiskwam, dus nam hij een omweg langs het eikenbos waar hij ging zitten om het op te eten.

De bomen zwegen.

Op de helling bij de tuin van Äppelgren kwam hij een van zijn neven tegen. De jongen was achterlijk. Simon schaamde zich voor hem, voor hoe smerig hij eruitzag en hoe onverdraaglijk zijn onderdanige grijns was.

Ik haat hem, dacht hij. Ik heb hem altijd al gehaat. Maar

toen schaamde hij zich nog meer.

Ze waren even oud en tegelijk op school begonnen. Maar zijn neef was al snel in het hulpklasje beland en nu had de school hem opgegeven. Meestal hield hij zich op in de stal bij Dahl; die hadden hier in de groeiende voorstad midden tussen de huizenbezitters nog een klein boerderijtje. Ze hadden een knecht die idioot was, maar wel vriendelijk, en sterk genoeg voor het zware werk op de boerderij.

Thuis had Karin een veldbed van de zolder gehaald en ze liet hem zien hoe hij dat elke avond moest uitklappen en opmaken in de zondagse kamer. Voor zijn beddengoed had ze een plank in de eikenhouten kast vrij gemaakt. Verder had ze het kleed van de grote tafel bij het raam gehaald en een kist en een plank voor zijn boeken in orde gemaakt. Hij moest verhuizen van de keuken naar de zondagse kamer. Dat was een erkenning van het feit dat het menens was met de nieuwe school.

En toen kwam er een einde aan die eerste, lange week en brak de zondag aan; die zondag die de wereld nooit meer zou vergeten. Hitlers troepen trokken Polen binnen en Warschau werd gebombardeerd. Engeland verklaarde Duitsland de oorlog en op de een of andere manier gaf dat een gevoel van opluchting.

Dat merkte je vooral aan Erik, die zich oprichtte en 'eindelijk' zei, en aan de stemmen van de mensen toen ze in de keuken bij de radio bijeenkwamen. Alleen Karin was die avond toen ze Simon hielp zijn bed op te maken verdrietiger dan anders en ze zei: 'Als ik een God had zou ik hem op mijn blote knieën danken dat jij niet ouder bent dan elf jaar.'

Simon begreep haar niet. Hij voelde zich alleen maar schuldig, zoals altijd wanneer zijn moeder verdrietiger was dan anders.

Ook op school de volgende dag was er iets veranderd. Alsof de lucht gezuiverd was en alles eenvoudiger was geworden. Dit was 's lands grote haven op het westen, gericht op zee en op Engeland. Er waren hier weinig nazi's.

Het eerste uur hadden ze geschiedenis, maar het duurde een poos voordat ze hun boeken opensloegen. Ze hadden een jonge leraar, die vertwijfeld was en het als zijn taak zag om aan de jongens te proberen te verklaren wat er was gebeurd. Ze waren bijna allemaal afkomstig uit gezinnen waar men de kinderen probeerde te beschermen tegen de werkelijkheid.

Simon had het meeste al eerder gehoord: fascisme, nazisme, rassenhaat, jodenvervolgingen, Spanje, Tsjecho-Slowakije, Oostenrijk, München. Opeens had hij voordeel van de keukenbank; hij was degene die het al wist. Hij kon de leraar tegemoetkomen en al snel was hij met hem in gesprek.

'Het is goed om te weten dat er hier in de klas iemand zit die weet waar het om gaat', zei de leraar ten slotte. In die woorden lag een uitdaging besloten aan de anderen, aan de kinderen uit de gegoede burgerij voor wie de wereldkaart op deze ochtend voor het eerst realistische contouren aannam.

Isak zei niet veel, maar de blik van de leraar bleef af en toe op hem rusten alsof hij wist dat degene die nu zweeg het best begreep waar het om ging.

Simon zat in zijn bank te denken dat er verbindingen waren tussen zijn twee werelden en dat veel van waar Erik en Karin voor stonden hier, op de school van de hoog-

moed, ook waarde had. Dat hij niet alles hoefde te ver-
loochenen of zich ervoor hoefde te schamen.

Want Simon besefte al wat het ergste van al het nieuwe
was, namelijk dat hij zich schaamde voor de zijnen. Die
middag durfde hij Isak te vragen of hij een keer met hem
mee naar huis wilde gaan.

Maar hoe Isak steun bij Karin zou vinden, en geborgenheid en vaste grond onder de voeten is een verhaal dat later
komt. Want op dat ogenblik zei de leraar: 'Wat er ook gebeurt in de wereld, iedereen moet het zijne doen. Laten we
onze boeken maar eens openslaan. Want de geschiedenis
begint met de Soemeriërs.'

En toen was Simon in een andere wereld en niet langer in
het klaslokaal. Nooit had hij kunnen dromen over zoiets
fantastisch.

Ze lazen Grimberg: 'In onze dagen is Mesopotamië een
land van dood en grote stilte. De wrekende hand van de
Heer rust al eeuwenlang zwaar op dit ongelukkige land.
De woorden van de profeet Jesaja: "Hoe zijt gij uit de hemel gevallen, overweldiger der volken", klinkt als gewee-
klaag door de uiteenvallende muren...'

Simon begreep niet alles, maar hij liet zich door de
woordenstroom betoveren. Toen kwam Grimberg toe aan
de Soemeriërs, die met hun brede schedels en gedrongen
bouw aan de Mongolen deden denken.

'Zij hebben de schrifttekens uitgevonden', zei de leraar
en hij vertelde over de ontelbare spijkerschrifttabletten in
de grote tempels. Voor het eerst verrezen de enorme tem-
peltorens voor de ogen van de jongen en hij volgde de leraar de grafkamers van Ur in en vond er de doden.

Nog jaren nadien zou hij geloven dat zijn belangstelling
voor de vroege geschiedenis op dit moment was gewekt en

werd versterkt door het succes dat hij in het eerste gedeelte van het lesuur had gehad.

Of dat hij er zo door gegrepen werd omdat het zo'n bijzondere dag was, die eerste dag van de oorlog.

Maar zonder dat hij het precies kon benoemen besefte zelfs de elfjarige dat de wereld die nu voor hem openging verwantschap vertoonde met het veld met de eiken thuis.

Hij voelde het gewicht van het mes in zijn hand en de blauwe stenen van de lapis lazuli spraken hun geheimzinnige taal tot hem en gaven zijn hand kracht. Zijn blik was gevestigd op het lange gouden lemmet.

Het werktuig was goed.

Maar het zou hem niet helpen als hij niet kon rusten in het moment dat nu naderde, als hij dat niet tijdloos kon maken. Hij ging naar de grote tempelzaal en voelde, meer dan hij ze zag, de naar hem opgeheven gezichten van de duizenden mensen die zich voor hem in gebed hadden verenigd.

Maar de stier was enorm, en op het beslissende moment haalde de tijd hem in. En daarmee ook de bondgenoot van de tijd: de grote angst. Toen de stier op hem af kwam stormen, wist hij dat hij zou sterven en hij schreeuwde...

Hij schreeuwde zo hard dat hij er Karin mee wekte. Ze kwam meteen om hem wakker te schudden, terwijl ze zei: 'Je hebt een nachtmerrie gehad. Sta maar even op om een beetje water te drinken. Je moet er altijd voor zorgen dat je helemaal wakker wordt wanneer je een nachtmerrie hebt gehad.'

Voordat Isak in Karins keuken belandde, zou Simon aan tafel komen te zitten bij Isak, samen met diens vader, moeder en het nichtje met de gelakte nagels. Simon had moeite met al het bestek, maar door te kijken wat de anderen deden leerde hij snel en hij dacht dat niemand iets van zijn onzekerheid gemerkt had.

Hij was voor de warme maaltijd uitgenodigd. Bij Simon thuis werd er nooit iemand voor de warme maaltijd uitgenodigd; als er iemand tegen etenstijd langskwam kon hij gewoon mee-eten. En als er iemand werd uitgenodigd, dan was het voor een feest.

Isaks vader was een van die zeldzame mensen die altijd intens aanwezig zijn. Zijn lichaam bezat een zekere souplesse en zijn gezicht met fijne trekken was levendig en expressief. Hij had een vlotte glimlach, die positief en vriendelijk overkwam, en bruine, indringende ogen. Er school nieuwsgierigheid in zijn blik en nog iets anders. Angst? Simon zag het wel, maar hij wilde het niet zien; hij vond zijn gedachte ongepast.

Ruben Lentov had in Zweden een bestaan opgebouwd dat was gebaseerd op boeken. Zijn boekhandel midden in het centrum van Göteborg was de grootste van de stad en hij had filialen in de wijken Majorna, Redbergslid en Örgryte. De boekhandel was bekend over de hele wereld en er waren contacten in Londen, Berlijn, Parijs en New York.

In zijn jeugd was Ruben Lentov een zoeker geweest. Hij was hierheen gelokt door Strindberg en Swedenborg en hij had honger en kou geleden voordat zijn onderneming een stabiele groei begon door te maken.

Dat hij zich had losgemaakt, had ook te maken gehad met rebellie: hij had zich afgezet tegen te veel moederliefde en een te sterke band met zijn vader. Maar de familie thuis in Berlijn had dat nooit willen inzien. Ze hadden van hem de eerste helderziende gemaakt, degene die al ver voor 1933 had beseft wat er zou gaan gebeuren. Ze voorzagen hem van geld en contacten in de bankwereld en zorgden goed voor zijn vrouw en zoontje.

Toen hij in het midden van de jaren dertig welgesteld was geworden en zijn vrouw doodsbang, was ze hem nagereisd. In de eerste jaren wist hij nooit goed wat hij moest denken van zijn vrouws neiging om boze visioenen te hebben en alles negatief uit te leggen.

Maar de laatste jaren had hij het gevoel dat hij het begreep.

De artsen die zijn vrouw in het nieuwe land bezocht, spraken van vervolgingswaanzin. Dat was een woord dat overdag wel gebruikt kon worden. Maar niet in het donker, want daar bevond zich een spook dat duizenden jaren oud was.

En nu zat Simon daar aan zijn tafel, de Zweedse jongen die bevriend was met zijn zoon. Ruben was dankbaar voor ieder contact dat in het nieuwe land kon worden aangeknoopt en hij had nauwlettend geluisterd toen Isak over de geschiedenisles vertelde en over de jongen die zo'n heldere kijk op politiek had en die de nazi's haatte.

Maar hij voelde zich teleurgesteld en daar schaamde hij zich voor. Deze kleine donkere jongen had hij niet verwacht; een lange blonde Zweed was beter geweest.

Maar toen Simon losbarstte, verdween in de loop van het gesprek zijn teleurstelling. Ruben besefte dat de jongen aan de Zweedse arbeidersklasse ontsproten was en dat zijn stem wel die van een kind was, maar dat de bron werd gevormd door de groeiende, machtige sociaal-democratie. Ze waren het oneens over de communisten en Simon raakte even van zijn stuk toen Ruben fel werd en beweerde dat de Sovjet-Unie een slavenstaat was van dezelfde orde als het Duitsland van Hitler. Maar toen hield Ruben zich in; hij realiseerde zich dat hij niet het recht had om Simon zijn denkbeelden te ontnemen en over hem heen te walsen.

Hij schaamde zich en vroeg of er iemand nog meer ijs wilde.

Simon zou deze avond nooit vergeten. Om wat hij te horen kreeg, maar meer nog om wat hij zag aan onrust en ongeluk te midden van al deze rijkdom. En om het feit dat hij zo bang voor Isaks moeder was.

Simon had nog nooit eerder iemand ontmoet die zo tegenstrijdig was. Haar mond en haar geur lokten hem, maar haar ogen en haar geluid beangstigden hem. Het was een en al gerinkel van armbanden en kettingen en haar blik brandde van onrust; ze trok hem tegelijkertijd aan en stootte hem af. Ze omhelsde hem, gaf hem een kus, hield hem van zich af en zei iets wat hij helemaal niet begreep: 'Larsson, maar dat kan toch helemaal niet.'

Daarna vergat ze hem, ze zag hem niet meer. Ze dronk wijn en Simon besefte dat ze op dat moment zelfs Isak uit haar bewustzijn bande en hij begreep het verdriet in de ogen van zijn vriend, het verdriet dat hij die eerste dag al had opgemerkt.

Het volgende weekeinde, op zaterdag, durfde hij een poging te wagen om een brug te slaan tussen zijn oude wereld en de nieuwe, en thuis aan de keukentafel vertelde hij over die voorname familie waar hij uitgenodigd was.

'Ze waren zo… zenuwachtig', zei hij, terwijl hij zocht naar woorden die de onrust in dat grote huis in de stad konden verklaren.

Maar Karin wist het precies tot uitdrukking te brengen.

'Ze leven in angst', zei ze. 'Het zijn joden en als de Duitsers komen…'

Maar de herfst ging voorbij en de Duitsers kwamen niet. Er gebeurde iets anders, iets dat vanuit Eriks optiek bijna nog erger was. Op 30 november bombardeerden de Russen Helsinki.

De Winteroorlog begon.

Goeie genade, wat was het koud die winter, toen de aarde bijna stierf door het kwaad van de mensheid. Er kwamen dagen dat de kinderen binnen moesten blijven, dat de radio meedeelde dat de scholen gesloten waren. Simon zat in de zondagse kamer waar Karin de kachel van het merk Zulu stookte en waar het rook naar droog antraciet. Erik kwam thuis met bevroren oren en zei dat ze als het zo doorging binnenkort met de auto over het ijs naar het eiland Vinga zouden kunnen rijden.

De zondag daarna deden ze dat en het was een avontuur dat nooit herhaald zou worden. De altijd levende, altijd aanwezige, onoverwinnelijke en enorme zee liet zich in de boeien slaan door de boze oostenwind, een wind die met twintig meter per seconde zijn dertig graden onder nul over de scherenkust uitrolde.

De Russen en de Finnen stierven als ratten, door de kou en door het vuur. Later, toen de omstandigheden weer zodanig waren dat men kon tellen, werd vastgesteld dat de dood bijna 225.000 levens had genomen.

In Simons stad draaiden de grote werven overuren en arbeiders schonken hun loon aan Finland. In de stad Luleå werd het gebouw van de communistische krant *Het Noorderlicht* opgeblazen en vijf communisten schoten het leven erbij in.

In februari was het voorbij en Karelië maakte niet langer deel uit van Scandinavië. Het was in die tijd dat Karin zei dat ze moesten proberen om tegen het voorjaar een akker bij Dahl te pachten om meer aardappels te kunnen verbouwen. En groente.

Er begon een tekort aan voedsel te ontstaan.

4

Nog lang daarna zou hij zich afvragen of hij die ochtend iets bijzonders had gemerkt. Hij was in de vroege ochtend wakker geworden en had zijn moeder in haar slaap horen huilen.

Karin had voorgevoelens.

Maar zelf voelde hij zich eigenlijk net als anders toen hij naar school fietste. De stad was ontwaakt op de ochtend van wat een gewone dag leek te worden en vanaf de heuveltop aan de rand van de stad zag hij hoe alle hijskranen in de haven zich als langbenige, dansende spinnen bewogen. Net als anders haalde hij de tram in waarmee de beter gesitueerde klasgenoten naar school gingen en net als anders voelde hij een zekere triomf. De zon scheen boven Majorna en in de ingewanden van de Karl Johansgata voelde je flarden van warmte.

Net als anders maakte hij zijn huiswerk Duits tijdens de dagopening in de aula. Hij had het nog niet kunnen opbrengen om thuis zijn Duitse boeken te voorschijn te halen en tijdens de lessen deed hij het slecht.

Net als anders hadden ze op dinsdag het eerste uur scheikunde en net als anders was Simon nauwelijks geïnteresseerd.

Maar tijdens het derde uur, midden in de geschiedenisles, kwam de conciërge met een strak gezicht alle deuren langs met de korte mededeling dat ze allemaal naar de aula moesten komen.

Wat hij zich later vooral wist te herinneren was niet wat de rector zei, maar de uitzinnige angst die hij op de jongens overbracht toen hij hen naar huis stuurde. Ze moesten allemaal direct naar hun ouders gaan; de school kon deze dag geen verantwoordelijkheid voor hen dragen, zei hij.

Het was 9 april 1940 en Simons benen zaten als zuigers aan zijn pedalen vast toen hij naar huis, naar Karin, fietste. Ze stond voor het keukenraam te huilen, maar toen ze de jongen optilde, hem op de keukenbank zette en omhelsde, voelde hij met de zekerheid van een kind dat er niet echt iets ergs kon gebeuren zolang zij er was.

Een opgewonden stem schetterde uit de radio dat de Noren het Duitse slagschip Blücher, dat op weg was naar Oslo, tot zinken hadden gebracht. Karin zei dat het beter was geweest als de Noren zich net als de Denen meteen hadden overgegeven.

Erik kwam met de auto thuis. Zweden hield zijn adem in. De minister-president sprak voor de radio. Hij zei dat de defensie van het land goed was. Misschien dat de rustige stem met het Skånse accent in veel huizen vertrouwen inboezemde, maar niet in de keuken van de Larssons, want Erik zei recht voor zijn raap: 'Hij liegt. Hij moet wel liegen.'

Een paar dagen later was Erik naar een onbekende plaats vertrokken, opgeroepen voor de dienstplicht. Karin en Simon hakten de akker die ze gepacht hadden los, en pootten aardappels.

In Simons dromen stortten wilde bergvolkeren zich met getrokken sabels van hoge bergen naar beneden en verspreidden zich als sprinkhanen over weidse vlakten die zwanger waren van de oogst; ze brandschatten, sloegen mensen dood en wierpen de dode lichamen in grachten en rivieren.

De beelden van de nacht hadden nauwelijks iets te maken met de oorlog die rondom hem in de wereld woedde en waarvan hij wist hoe die eruitzag door de kranten en de filmjournaals. Overdag droeg de verschrikking hakenkruisen, laarzen en zwarte ss-uniformen; 's nachts nam ze de vorm aan van dikke, bontgekleurde waanzinnigen die met oosterse wellust zijn keel afsneden en hem in de rivier gooiden. Daar dreef hij tussen duizenden andere doden. Het water werd rood en hij zag Karin met ingeslagen schedel naast hem drijven; zij was het, ook al leek ze niet op de echte Karin.

Als volwassene zou hij nog vaak nadenken over wat de oorlog met kinderen deed, hoe de zware angst een stempel op hen drukte. Wat hij zich vooral herinnerde, was hoe hij iedere ochtend verlangde dat de dag voorbij zou gaan zonder dat er iets gebeurde; deze dag en de volgende dag en de volgende. Het was een altijd aanwezig, pijnlijk verlangen.

Vijf jaar is een eeuwigheid als je een kind bent.

Zijn generatie werd er een van ongeduld; mensen die niet in staat waren om van het hier en nu te genieten, maar die leefden voor de toekomst.

Maar ondanks alles bestond het gewone leven nog wel. De school ging weer open en vele van de jongens hadden net zoals Simon geen vader meer thuis. Alleen voor Isak was het anders; bij hem thuis was het zijn moeder die verdween. In de nacht van 10 april had ze geprobeerd de kinderen te vergiftigen en het mooie huis aan de Kvartsgata in brand te steken. Isak en zijn nichtje waren naar een ziekenhuis overgebracht waar hun maag werd leeggepompt. Toen ze weer thuiskwamen was de moeder weg, opgenomen in het psychiatrisch ziekenhuis aan de andere kant van de rivier.

Daar hadden ze injecties die haar slaap schonken en die na verloop van tijd een drugsverslaafde van haar maakten.

Nachtenlang liep Ruben Lentov door het grote, stille huis over de zware, authentieke kleden; van de boekenkasten in de bibliotheek naar de hal, door de vier kamers die op een rij lagen, heen en weer. Hij was altijd een man van de daad geweest, maar nu voelde hij zich volledig machteloos. Een gekooid dier. Er stond nog een deur open om door te vluchten; joodse vrienden hielden een vluchtroute voor hem open naar Londen en van daaruit naar Amerika. Hij kon zijn winkels verkopen en de kinderen en zijn geld meenemen om te ontkomen.

Hij dacht aan zijn broer in Denemarken, die te lang had gewacht.

Maar hij moest vooral aan Olga denken, opgesloten in het psychiatrisch ziekenhuis op Hisingen. Ze was niet meer dan een schaduw van zichzelf, ze zat onder de medicijnen en er was geen contact meer met haar mogelijk, maar toch was ze zijn vrouw en de moeder van Isak.

De deur van de kooi was dichtgeslagen en dat wist hij.

Toch liep hij nachtenlang heen en weer alsof hij een besluit moest nemen en de lange uren nodig had om met zichzelf in het reine te komen.

Voor Simon had de angst een naam en daarmee kon hij haar enigszins onder controle houden: bommen, de Gestapo en het Gestapo-hoofdkwartier op de Möllergata 19 in Oslo. Isak kende deze woorden ook, maar voor hem was het niet voldoende om daarmee de angst te ontleden en op afstand te houden. Zijn ontzetting was van een andere aard, allesomvattend en naamloos, zoals angst is wanneer die ons al heel vroeg wordt ingegeven en we ons die niet kunnen of willen herinneren.

Karin begreep dat; de eerste keer dat ze de jongen ontmoette zag ze het al.

Eén keer kwam ze zo ver dat ze met hem over zijn angst kon praten en ze zei: 'Meer dan sterven kan niemand van ons doen.'

Dat was een eenvoudige waarheid, maar de jongen was erdoor geholpen.

Karin en haar keuken, haar voedsel, haar zorg en haar toorn werden voor hem datgene waarop hij kon teren. Door Karin kreeg hij zijn leven op orde; zij maakte het begrijpelijk.

Het hele voorjaarssemester hield hij zich in haar keuken schuil, terwijl zijn moeder thuis steeds verwarder en angstaanjagender werd. Op de zondag in mei toen de Noren capituleerden en de Noorse koning samen met de regering het land verliet, kwam hij naar Karin en Simon toe om te helpen met onkruid wieden.

Hij kwam bij zijn moeder vandaan. Hij had haar in het ziekenhuis bezocht en ze had hem niet herkend.

De dag daarna kleedde Karin zich mooi aan, in de lichtblauwe mantel die ze zelf had gemaakt en met de grote witte hoed op met blauwe rozen op de rand. Ze ging met de tram naar het kantoor van Ruben Lentov.

Ze zaten elkaar lang zwijgend aan te kijken en Ruben dacht dat als ze niet gauw van hem weg zou kijken, de kans bestond dat hij zou beginnen te huilen. Toen richtte ze haar blik op iets anders en daarmee gaf ze hem de gelegenheid om iets over het weer te zeggen, voordat ze met haar boodschap voor de dag kwam: 'Ik denk dat Isak maar een poosje bij ons moet komen logeren, bij Simon en mij.'

En Ruben Lentov accepteerde eindelijk de gedachte die hij nu al wekenlang afwees: dat de angst in Isaks ogen leek op de angst in Olga's ogen en dat het slecht met de jongen zou aflopen als er niets aan werd gedaan. Hij zei: 'Ik ben u zo dankbaar.'

Veel meer werd er eigenlijk niet gezegd. Toen hij met haar meeliep door het kantoor om haar uit te laten, dacht hij dat zij de mooiste vrouw was die hij ooit had gezien. Pas tegen de middag realiseerde hij zich dat hij kostgeld voor de jongen moest betalen; de Larssons waren arbeiders en ze zouden het wel niet al te breed hebben.

Maar bij Karin Larsson vond je geen spoor van de lagere klassen terug en toen hij haar 's middags belde om over de geldkwestie te praten, wist hij niet wat hij moest zeggen.

Later, toen hij eenmaal besefte dat wat Karin te bieden had onbetaalbaar was, was hij daar blij om.

Dus loste hij het op met geschenken; één keer in de week reed hij met koffie en conserven, met boeken voor Simon en cadeautjes voor Karin naar het huisje aan de riviermonding, vlak bij de uitgeholde rots waarin het leger olie opsloeg. Hij werd in de grote keuken verwelkomd zoals alle andere bezoekers; hij kon blijven eten en als hij er erg beroerd uitzag kreeg hij een borrel.

Hij hield niet van brandewijn, maar hij moest Karin gelijk geven dat het tegen zwaarmoedigheid hielp.

En het bleek dat Isak zelf zijn schulden kon betalen. Hij had aanleg voor lichamelijk werk. Hij was handig en geduldig, hij kon goed met bijlen, spaden en tangen uit de voeten, en hij werkte graag hard. Hij zou veel van Eriks bezigheden gaan overnemen en daar hadden ze veel aan in dit huis, veel meer dan aan Simons boekenwijsheid.

'Het is alsof onze kinderen verwisseld zijn', zei Karin tegen Ruben Lentov toen deze op een zondag langskwam om Erik te bezoeken die met verlof was. Erik was magerder dan anders, maar net zo spraakzaam en hij was tot in het diepst van zijn nationalistische ziel geschokt over hoe de defensie eraan toe was.

'We hebben auto's, maar geen benzine', zei hij. 'En we hebben wel munitie, maar geen wapens.'

Toen hij Karins blik zag hield hij zijn mond dicht, maar zelf zag hij ook hoe de ongerustheid in Rubens ogen toenam.

Het was de avond dat Ruben hun zou vertellen wat hij, uit geheime bronnen, wist over het lot van de joden in Duitsland. Simon zou het nooit vergeten, omdat de jongens de keuken uit gestuurd werden en vanwege de blik in Eriks ogen toen ze een keer stiekem binnenslopen om water te drinken.

Zijn vader was bang.

En omdat Karin die avond zo bleek zag toen ze de bedden voor de jongens in de zondagse kamer opmaakte. Maar vooral omdat hij een telefoongesprek hoorde.

Het was Erik die belde. Hij had haast, want hij moest met de trein naar de kazerne. Maar het kwam niet door de haast dat zijn stem zo scherp klonk en er het geluid van iets ongelooflijk belangrijks aan gaf.

'Je moet de brief verbranden.'

...

'Ja, ik weet dat ik dat heb beloofd. Maar toen kon ik nog niet weten...'

...

'Maar je moet begrijpen dat als de Duitsers komen, het voor hem een kwestie van leven of dood is.'

Simon luisterde; hij ging rechtop in bed zitten om het beter te kunnen horen. Maar eigenlijk hoefde hij geen moeite te doen, want de telefoon hing aan de andere kant van de muur in de hal en hij kon elke lettergreep duidelijk door de muur heen horen.

De vragen gonsden door zijn hoofd: met wie was Erik in gesprek? Wat was dat voor brief? Wiens leven was in gevaar?

Zijn maag kromp ineen, want hij besefte dat hij het antwoord op die laatste vraag wel wist. Dit ging om hem.

In het bed naast het zijne lag Isak te slapen. Dat was goed, want hij mocht niet ongerust worden.

Maar toen Simon daar zo zat en probeerde te begrijpen wat hij had gehoord, overigens zonder dat hem dat lukte, voelde hij zich erg eenzaam.

Hij hoorde hoe Erik afscheid nam van Karin en zijn rugzak pakte: 'Tot ziens, Karin, pas goed op jezelf en de jongens.'

'Tot ziens, Erik, zorg goed voor jezelf.'

Hij zag voor zich hoe ze elkaar een beetje onhandig een hand gaven.

Vlak voor de deur dichtsloeg, hoorde hij: 'Denk je dat ze het begrepen heeft?'

'Ik denk het wel.'

Simon werd nu boos, zoals kinderen doen als ze iets niet begrijpen. Zijn woede gaf hem wazige dromen. Hij kwam vrouw Ågren weer tegen. Ze was dood nog verschrikkelijker dan levend en ze rende achter hem aan langs het strand, al schreeuwend: 'Ga naar huis en vraag het je moeder maar.'

Maar hij wist niet meer wat hij vragen moest; hij was de vraag kwijtgeraakt, vond haar niet meer terug en hij zocht er zo vertwijfeld naar alsof zijn leven ervan afhing.

Hij werd huilend wakker en bleef hangen in het schemerrijk, tussen slapen en waken in. Hij ging naar de bomen, de eiken, en hij slaagde er ten slotte in om het land te vinden dat er is, maar dat niet bestaat. Hij kwam de man tegen, het mannetje met de gekke hoed en de geheimzinnige glimlach. Ze zaten een poosje samen te praten zoals ze door de jaren heen altijd hadden gedaan, woordloos en tijdloos.

Die ochtend bleef hij lang voor de spiegel staan die in de keuken boven de koudwaterkraan bij het aanrecht hing. Hij keek in de onbekende ogen die van hem waren, maar anders dan van alle anderen: donkerder dan die van Karin, donkerder zelfs dan die van Ruben.

Maar hij stelde zijn spiegelbeeld geen vragen.

En ook niet aan Karin.

Het was een gewone dag die rondom hem tot leven kwam. In de gejaagdheid rond de pap en boterhammen die gesmeerd moesten worden en boeken die hij bij elkaar moest zoeken en sokken die verdwenen waren, verbleekten de vorige avond en het telefoongesprek; ze verloren hun scherpte en kregen het karakter van onwerkelijkheid en droom.

Die dag haalde Simon een onvoldoende voor zijn proefwerk Duits. Isak was bezorgd: 'Denk je dat het Karin verdriet zal doen?'

Simon keek verbaasd. De school was zijn verantwoordelijkheid; Karin zou er niet eens naar vragen.

'Nee', zei hij. 'De school kan haar niets schelen.'

Isak knikte opgelucht. Hij herinnerde zich nu ook weer dat hij haar tegen Ruben had horen zeggen, toen die informeerde naar Isaks huiswerk en schriftelijke overhoringen, dat je je kinderen moet vertrouwen.

Toen zei Isak: 'Ik kan je wel overhoren met Duits. Het is tenslotte mijn moedertaal.'

Simon was zo verbouwereerd dat hij zich bijna verslikte in een van de toffees die hij na het proefwerk als troost gekocht had.

Isak hoefde de Duitse lessen niet te volgen en op de een of andere manier had Simon aangenomen dat dat was om dezelfde reden waarom hij geen godsdienstles hoefde te volgen: omdat hij jood was. Pas nu besefte hij dat Isak geen Duits hoefde te leren omdat hij die angstaanjagende taal met de vele harde commando's *Achtung, Heil, Halt, Verboten* al kende...

En zo kon het dus gebeuren dat de muren van de keuken waartegen Hitlers gebral door de jaren heen was weerkaatst, nu een heel ander Duits te horen kregen, een zacht en rond Berlijns dialect.

Het was grappig; zelfs Karin was er verbaasd over hoe soepel de taal van de nazi's kon klinken. Simon was een snelle leerling en hij veroverde de taal. Hij kwam goed door zijn volgende proefwerk en haalde een voldoende op het tussenrapport, dat ze kregen op de dag dat de Duitsers Parijs binnentrokken.

In de streek heerste hersenvliesontsteking. In dezelfde nacht dat de Engelsen vanuit Duinkerken 300.000 man in kleine bootjes overbrachten, stierf een van Simons speelkameraden, een meisje dat hij altijd graag had gemogen.

De kleine dood was werkelijker dan alle doden uit de grote oorlog en Simon voelde zich schuldig.

Hij had het meisje veertien dagen geleden tijdens een felle en onnodige ruzie nog uitgemaakt voor rooie vos. Ze had rood haar en was net zo goedgebekt als hijzelf. Ze was een van de middelste kinderen in een kinderrijk metselaarsgezin, waarvan de vader dronk en de moeder huilde.

'Ze raakte in de knel en wilde niet langer doorleven', zei Karin.

Maar ze hield de jongens de daaropvolgende dagen goed in de gaten en ze werd heel ongerust toen Isak op een avond hoge koorts kreeg.

49

Er was dat voorjaar nog een gebeurtenis die Simon zich duidelijk zou blijven herinneren. Karin werd op een ochtend wakker met de herinnering aan een lange, heldere droom en ze vertelde de jongens hoe ze in een schuilkelder had gezeten en gekeken had naar de gekruisigde die aan de muur hing. Toen de bommen begonnen te vallen, kwam hij tot leven; hij hief zijn arm op en wees met een palmtak naar het plafond, dat zich opende. En Karin zag dat de hemel achter de vliegtuigjes blauw en oneindig was.

'Zowel de vliegtuigen als de bommen leken net speelgoed', zei ze en ze voegde eraan toe dat het visioen haar troost had geschonken.

Ook de jongens voelden zich gesterkt, vooral toen Edith Äppelgren de keuken binnenkwam om een schaar op te halen die Karin bij haar had geleend en Karin haar koffie gaf en deelgenoot maakte van de droom. Edith was een godsdienstig mens, dus ze wist te vertellen dat Pinksteren, dat net met pas uitgekomen narcissen op de ontbijttafel was gevierd, een herinnering was aan de uitstorting van de Heilige Geest.

Net nadat ze van de koffie waren opgestaan, hoorden ze het luchtafweergeschut vuren dat op de Käringberg stond. Ze stormden naar buiten en zagen nog juist hoe een Duits vliegtuig met een hakenkruis erop en de Duitse piloot er nog in als een fakkel brandde, voordat de piloot en zijn toestel verdwenen in de grote, koele zee.

Simon huilde, maar Isak was opgewonden en vreemd blij.

Ondanks alles werd het zomer en konden de jongens lekker hun gang gaan buiten op de velden tussen de rotsen waar de grote rivier uitmondde in zee. Slapeloze zomernachten, tenten op het strand, meisjes om te pesten, jongens om mee te vechten, kano's en zeilboten.

Erik kwam thuis en vertelde hoe ze in het geheim Noorse joden over de grens hielpen.

Op een zondag nam hij de auto om Inge te bezoeken, een van zijn nichten. Zo'n twintig, dertig kilometer ten noorden van de stad had ze een boerderijtje.

Wilde Simon soms mee?

Nee, hij mocht Inge niet; ze was dik en sloom, ze rook naar de stal en ze durfde hem nooit aan te kijken.

Maar Isak zei dat het wel een belangrijk uitstapje moest zijn, omdat de benzine op de bon was en Erik toch ging. Toen begon Simon zich ongemakkelijk te voelen.

Daarna vergat hij de hele zaak. Isak en hij stonden op steigers rond het huis om het te witten, met verf die Ruben geregeld had. Dat schilderwerk was een cadeau voor Erik, en Isak zong onder het verven: 'Er waait een koude, kille wind vanaf de zee...'

Simon vond het vreselijk wanneer Isak zong, maar hij kon niet anders dan het met hem eens zijn: de zomer van 1940 wilde nog niet echt op gang komen.

5

Vanuit het raam in de kamer kon je een glimp van het meer opvangen, tenminste in de herfst, wanneer de bomen hun bladeren hadden laten vallen. En natuurlijk ook in het voorjaar. Dan kon je het meer ook horen; je hoorde hoe het zich ontdeed van het ijs. Het huis, dat niet groter was dan een pachterswoninkje, lag tegen een helling met rotsen achter zich, fraai op het zuiden. Hoewel niet zo fraai meer als het geweest was toen er nog werkwillige manspersonen waren die het kreupelhout in toom hielden zodat het uitzicht op het meer vrij was.

Een paar weilanden, een paar akkers, aardappels, geen graan meer. Maar wel vier koeien in de stal, twee varkens, een stuk of twintig kippen en verder, in het huisje zelf, twee heel oude, verwarde en breekbare mensen. Behalve Karin vermeed iedereen van de familie in de stad te denken aan hoe eenzaam Inge was.

Net als alle anderen was Inge in haar jeugd naar de stad getrokken. Ze had een betrekking in een gezin gekregen en later in een winkel. Het waren leuke jaren geweest, vol ontmoetingen en mensen, indrukken en gebeurtenissen. Ze was knap om te zien; ze had een lichte huid en was op een aantrekkelijke manier mollig.

Ze had best een man kunnen krijgen, net als haar zusters. Maar ze was de oudste van zeven kinderen en ze had te veel van de liefde gezien en van wat die met een vrouw kon doen.

Ze paste wel op.

En daarom liep het zoals het liep toen de oude mensen niet langer voor zichzelf en de boerderij konden zorgen. Inge was degene die moest terugkeren, die moest buigen voor de angst van haar ouders voor het armenhuis, dat tegenwoordig dan wel tehuis voor ouden van dagen werd genoemd, maar dat erger was dan de dood.

Ze spartelde niet eens tegen. Ze ging al vroeg onder schuldgevoel gebukt en ze was weerloos ten aanzien van plicht en het vierde gebod.

Het zou gemakkelijker zijn geweest als er tussen haar moeder en haar tenminste genegenheid had bestaan en een gesprek mogelijk was geweest. Maar zelfs dat had het leven haar niet gegund. Ze was altijd weinig geliefd geweest, omdat zij degene was door wie haar ouders moesten trouwen. Ze kwam te vroeg, slechts een paar maanden na de trouwerij, en schaamte zou haar hele jeugd aan haar kleven.

Tijdens die eerste lange winters nadat ze was teruggekeerd, had ze de neiging om de oude mensen te vergiftigen en de boerderij in brand te steken. Ze wist waar bilzekruid groeide en ze herinnerde zich hoe Ida, in Inges jeugd de heks van het dorp, het gif uit de kapsels haalde.

Maar toen besefte ze dat ze bezig was gek te worden en dat dat kwam door haar vele gedachten. Ze had namelijk geleerd dat je van denken gek kon worden en dat het de piekeraars waren die naar het gekkenhuis op Hisingen werden gebracht.

Dus besloot ze om op te houden met denken en na een paar jaar lukte haar dat heel aardig.

Toen haar vader blind werd, werd de krant opgezegd. De familie was niet gewend om te schrijven, dus er kwamen alleen ansichtkaarten met de feestdagen. En ook al was het eind jaren twintig, de elektriciteit was nog niet over de heuvels heen doorgedrongen tot hun huisje, dus aan radio viel niet te denken.

Haar broers en zusters stuurden geld, maar ze bezochten haar zelden en dat was maar goed ook. Want als ze kwamen, en dan vooral de broers, was moeder onrustiger dan anders en dat bleef dan nog dagenlang zo.

Degene die het vaakst kwam was Erik, haar neef die een vrachtauto had. En zijn vrouw Karin, die Inge geholpen had om een dienstbetrekking in een winkeltje in de markthal in de stad te krijgen en die heel aardig was. Aardig en sterk tegelijk; dat had Inge altijd verbaasd.

Ze kwamen omdat Karin medelijden met haar had, dat snapte Inge wel. Karin zei zelfs een keer ronduit tegen de oudjes dat Inge recht had op een eigen leven en dat oude mensen tegenwoordig goed verzorgd werden in het tehuis voor ouden van dagen in de stad. Maar toen kreeg moeder last van haar hart en moest Erik met de auto de dokter halen. De dokter kon weliswaar niets aan het hart ontdekken, maar hij zei wel dat je met mensen die zo oud waren heel voorzichtig moest zijn.

Daarna werd er niet meer over de kwestie gesproken, maar Inge zag wel dat Erik boos was en ze begreep dat Karin verwijten zou krijgen over wat ze had aangericht.

En toen kwam die lente waarin de speelman bij het beekje zat.

Het kon niet waar zijn, dacht Inge naderhand; hij moest aan haar dromen zijn ontsproten. Maar die avond was hij echt, en de avond daarna ook, en de volgende; tot en met de eindeloze midzomernachten, waarna hij verdween.

Het was een tamelijk onbeduidend beekje, dat lang deed over zijn tocht door de bossen en dat veel moeite had om tussen de rotsen door te komen en het meer te bereiken. Op het eind, voor de helling naar het strand, wist het zelfs niets beters te bedenken dan zich van de laatste klippen af te storten.

Maar voor zo'n klein beekje was het helemaal geen slechte waterval. Vooral in het voorjaar ging er kracht en opgewektheid van uit.

Voor Inge was de waterval een bron van vreugde. En van bevrijding.

Ze verzorgde de oudjes, ze werkte zich uit de naad met de aardappels, ze molk de koeien en hield de beesten gezond en in een goed humeur. Maar ze was niet het type dat met dieren praat en het persoonlijke in elk ervan ziet, dus haar bezigheden schonken haar weinig plezier.

Nee, van de stomme dieren liep ze naar de stomme mensen. Haar vader had nu al jaren geen woord meer gesproken; haar moeder barstte af en toe uit in lange en steeds onbegrijpelijker wordende tirades.

Ze was opvliegend, en dat was ze altijd geweest, dacht Inge.

Maar ze dacht vooral aan de waterval in de beek waar ze, zodra de oude mensen sliepen en de dieren weer op stal stonden, heen zou gaan om zich te wassen. Tot diep in de herfst ging ze er elke avond heen. Ze kleedde zich uit en ging onder de waterval staan om schoon en zorgeloos te worden.

En op een avond in het voorjaar was de violist er. Het enige wat hij deed was naar haar zitten kijken, alsof ze een wezen uit een heidense sage was.

Ze werd niet bang; daar was het te onwerkelijk voor. Ze liep gewoon recht op hem af en naakt als ze was ging ze met haar hoofd in zijn schoot liggen. Hij pakte zijn viool en speelde voor haar, en het een was niet vreemder dan het ander.

De muziek was wild en mooi, precies zoals ze moest zijn. Je zou kunnen zeggen dat het voor Inge beter was geweest als het de melkboer was geweest, die om de dag met de auto van de zuivelfabriek langskwam om de melk op te halen. Maar die was lelijk, nors en getrouwd.

Misschien was de speelman ook wel getrouwd. Daar kwam ze niet achter, want ze konden niet met elkaar praten. Hij was een buitenlander. Later ontdekte Erik dat hij joods was en muziekleraar aan de volkshogeschool aan de andere kant van het meer. Toen het semester afgelopen was, keerde hij terug naar Duitsland. Hij had een naam, en een adres in Berlijn.

Maar niemand zou hem ooit schrijven, want Inge wist immers dat hij nooit echt van deze wereld was geweest en ze hield vast aan haar 'vader onbekend'.

Dat alles gebeurde veel later, tegen de winter, toen Inge eindelijk voor zichzelf moest toegeven dat ze in verwachting was en dat de man bij het beekje van vlees en bloed was geweest.

Ze vreeën met elkaar; halve nachten vreeën ze dat voorjaar met elkaar en Inge begreep eindelijk waarom mensen soms alles opgaven, hun positie en hun geld, vanwege de liefde. Ze had er nooit een vermoeden van gehad wat je lichaam allemaal kon voelen wanneer het gestreeld werd door zulke ervaren handen en ze had ook nooit beseft hoe mooi een man kon zijn. Hij was tenger, fijn gebouwd, maar zijn lid was groot en stijf en daar kon ze nooit genoeg van krijgen. Net zomin als van zijn ogen, die zwart waren als de bosmeertjes.

Als hij sprak was zijn stem vol tederheid. Maar omdat ze de woorden niet begreep, moest hij zijn gevoel voor het wonder en voor haar tot uitdrukking brengen met zijn viool en hij speelde haar iedere avond bijna gek van begeerte.

Naderhand wist ze zich te herinneren dat hij die laatste avond erg verdrietig was geweest en dat zijn viool vol smart had geklonken. Dus ze was niet verbaasd toen hij de volgende avond niet kwam.

Alleen maar oneindig verdrietig.

Maar ze hield zichzelf voor dat ze altijd geweten had dat het zo moest gaan, dat het een droom was geweest en dat mensen zoals zij vroeger of later wakker moesten worden om terug te keren naar de aarde.

Toen ze dat najaar de aardappels uit de grond haalde, was ze zwaar en log, maar de gedachte dat er een kind in haar buik zat kwam niet bij haar op. Tegelijk met de eerste sneeuw kwamen Erik en Karin om haar te helpen de zakken aardappels in de aarden kelder te bergen en Karin zag onmiddellijk wat er aan de hand was.

'Inge', zei ze. 'Je krijgt een kind.'

'Wat heb je verdomme uitgespookt?' zei Erik met zo'n schelle stem dat het Inge trof als een zweepslag.

Maar Karin onderbrak hem, snel en meedogenloos: 'Nu hou jij eens een keer je grote bek dicht, Erik Larsson.'

Daarna ging ze met Inge naar de zolderkamer en Inge liet langzaam en aarzelend haar herinneringen bovenkomen en begon te vertellen.

Als die dikke buik er niet geweest was, zou Karin waarschijnlijk gedacht hebben dat Inge daar in haar eenzaamheid gek was geworden en dat zou haar niet verbaasd hebben. Zoals de situatie nu was, moest ze wel geloven dat het verhaal over de violist met de donkere ogen bij het beekje waar was.

'Dit wordt moeders dood', huilde Inge en Karin zei

maar niet wat ze dacht: dat dat het beste was dat er kon gebeuren.

Ze waren nuchtere mensen, ook Inge, die ondanks alles aanspreekbaar bleef en een echte boerendochter, en die al-gauw tot de conclusie kwam dat het het belangrijkste was dat niemand iets over haar schande te weten zou komen. Niemand in het dorp, niemand van haar broers en zusters en haar ouders al helemaal niet.

Erik sprak met de oude mensen. Hij loog toen hij zei dat Inge een ernstige ziekte in haar buik had, maar hij sprak de waarheid dat ze naar het ziekenhuis in de stad moest. Hij wist niet hoeveel ze ervan begrepen.

Maar een van de middelste zusters begreep hem wel, toen hij in haar keuken in het gouvernementshuis in de stad opdook om te zeggen dat haar kinderen groot genoeg waren om zichzelf te kunnen redden en dat zij, Märta, naar het ouderlijk huis moest gaan om voor haar ouders te zor-gen terwijl Inge geopereerd werd.

Ze spartelde nog wel tegen, maar uiteindelijk kreeg hij zijn zin; Erik kreeg meestal zijn zin. En ze geloofde hem toen hij beweerde dat Inge zou kunnen overlijden als ze niet behandeld werd. Ze pakte haar spullen en ging naar de oud-jes toe.

Maar langer dan een paar weken hield ze het daar in dat huisje in de eenzaamheid niet uit, dus aan het eind van de winter gingen de oude mensen naar het armenhuis waar het met hen ging zoals ze altijd al hadden gezegd dat het zou gaan: binnen een maand stierven ze allebei.

Tegen die tijd was het kind al geboren en door Karin en Erik geadopteerd.

Inge keerde terug naar de boerderij, hoewel daar nu niet langer de noodzaak toe bestond en Karin het op zich had genomen om opnieuw een baan voor haar in de markthal te regelen.

'Ze is mensenschuw geworden', zei Erik. 'Ze durft niet meer terug te keren naar een gewoon leven.'

Karin knikte, maar dacht dat dat ook niet zo simpel zou zijn.

Toen Karin het pasgeboren kind in haar armen hield en de verpleegster hoorde vertellen dat de moeder het kind niet eens had willen zien, voelde ze in het diepst van haar hart dat ze geen recht op het kind had. Zij had hem niet in zalige verwachting en doodsangst gedragen en in pijn gebaard.

Lange tijd keek ze in de ogen van het jongetje en ze vond dat de weemoed van de lange avonden in de schemering aan het meer erin te zien was. Maar ook nog iets anders, een grote eenzaamheid, een niet-zijn.

Dat komt doordat Inge hem verloochend heeft, dacht Karin. Het komt door negen maanden niet-erkend bestaan. En Karin dacht aan de woorden die Inge op de zolderkamer had uitgesproken, namelijk dat ze had gedacht dat de man met de viool een watergeest was, die niet bestond.

Maar de man had wel degelijk bestaan, dacht Karin en opnieuw werd ze getroffen door wat ze al eerder gezien had: dat dit een zeer joods kind was. Het kind van een vreemde man dat haar kind zou worden.

Niet dat ze dacht aan de moeilijke kanten van het anders-zijn. Ze hield van het jongetje. En omdat ze een nuchter mens was wist ze zonder enige twijfel dat haar liefde bergen zou verzetten en, als dat nodig mocht zijn, hemel en aarde zou bewegen om het kind geborgenheid te bieden.

Hij zou een goed mens worden, met een gelukkige jeugd.

Later, tegen het voorjaar, toen ze 's nachts steeds opstond om hem een extra flesje te geven, was ze de fase van wie er recht op het kind had al voorbij.

Ze had sterke en eigenaardige gedachten.

De kinderen zijn van de aarde, dacht ze. Ze hebben de oeroude geschiedenis van de aarde in hun cellen en de wijsheid van heel de natuur in hun bloedsomloop.

Ze zag immers dat hij de waarheid bezat.

Alle kinderen bezitten die, dacht ze. Voor een korte tijd bezitten kinderen wijsheid. Misschien is elk nieuw kind een poging van de aarde om uitdrukking te geven aan datgene dat niet begrepen kan worden.

Het was Inge die de naam bepaalde. Na de begrafenis van haar ouders liep ze op het kerkhof direct naar Erik toe om tegen hem te zeggen: 'Hij moet Simon heten.'

Karin begreep wel dat ze daaraan gewoon moesten voldoen. Ze stond met het kind op haar arm en dacht: hij had dus toch een naam, de watergeest.

6

Karin was een nakomertje, de jongste van zes kinderen. De anderen waren jongens en de jongste daarvan ging al naar school toen duidelijk werd dat er nog een kind bij zou komen in het huis van kleermaker Lundström tegenover de spoorweg in het fabrieksstadje in Värmland.

Haar moeder huilde en vervloekte het noodlot en het kind dat in haar groeide. Ze was over de veertig en had zich vrij gewaand. Het werd een strijd van drie dagen om het kind uit haar lichaam te drijven en ze was er bijna in gebleven, maar toen ze met de pasgeboren baby aan de borst lag had ze toch nog tranen over.

Dit keer moest ze huilen omdat het kind een meisje was, een van die arme zielen die zouden worden veroordeeld tot slavernij en pijnlijke bevallingen.

Heel haar kindertijd moest Karin aanhoren hoe ongewenst ze was geweest en hoe ze haar moeder bijna het leven had gekost. Dat verhaal werd vaak herhaald; ze accepteerde het gewoon en begreep haar moeder wel.

Wat ze echter nooit begreep was het verdriet dat ze voelde en dat diep in haar hart wortelde en met zo veel kracht groeide en zich vertakte dat ze het nooit meer uit zou kunnen rukken.

Eigenlijk had ze het al vroeg moeten opgeven, zoals andere ongewenste kinderen die in die streek door tuberculose werden getroffen. Maar zij overleefde en ze werd groot en sterk omdat ze een vader had.

Petter Lundström was zestig toen zijn dochter werd geboren. Hij was twee keer getrouwd en had kinderen in twee lichtingen. De oudsten, zoons, waren al lang volwassen. Maar er was ook een dochter geweest, een klein meisje dat aan de tering was overleden toen ze zeven jaar oud was.

En het gekke was dat het kleine dode meisje Petters verbinding met het leven vormde, met het levende in hemzelf. Hij had van haar gehouden. Zijn zoons, ook die uit zijn tweede huwelijk, hadden veel verhalen gehoord over hoe bijzonder knap ze was geweest en hoe ontzettend blij hij met haar was geweest.

Toen hem nu zo tegen het eind van zijn leven een nieuw meisje werd geboren, was dat een grote vreugde voor Petter. God weet of hij het zich zelfs niet in zijn hoofd haalde dat zijn kleine geliefde meisje weer naar hem was teruggekeerd als troost en nieuw licht in een steeds grauwer bestaan.

Hij had een atelier aan huis en al vanaf de eerste dag eigende hij zich het kind toe. Ze mocht in een doos op de grote kleermakerstafel liggen en hij brabbelde tegen haar, lachte naar haar en zong voor haar.

Het was een komen en gaan van mensen in het atelier en te midden van die stroom zat Petter met kindje Karin, zijn engeltje, zijn duifje, zijn oogappeltje. Natuurlijk waren er wel eens mensen die om hem en zijn grenzeloze liefde moesten lachen, maar dit was Värmland en hier was ruimte voor gekkigheden. Dus meestal was het goedmoedig gelach. En het kind was lief; ze was niemand tot last en stond niet in de weg als er kleren gepast moesten worden.

Hij kende honderden liedjes, duizenden sprookjes en nog meer gekke, grappige verhalen. Dat schonk hij haar allemaal en ze dreef op een golf van warmte en subtiele wijsheden. Zo leerde ze al vroeg veel over de dwaasheid en de betweterij van mensen en ook dat verreweg de meesten het goede willen maar toch bij het kwade uitkomen.

Petter was altijd al proper geweest. Maar nu werd het zo netjes in zijn atelier dat de mensen zeiden dat je er van de vloer kon eten. Hij liet een boek uit Karlstad komen, waaruit hij alles kon leren wat kleine kinderen in die tijd nodig hadden. Er stond veel in over reinheid, voeding en frisse lucht. Over tederheid en liefde stond er niets in, maar voor Petter Lundström maakte dat niets uit.

Op die manier werd Karin sterk en kreeg ze inzicht in hoe onbegrijpelijk het leven in elkaar zat en hoe het ondanks alles toch begrijpelijk kon worden.

Toen ze voor het eerst naar school ging, kon ze allang lezen en schrijven en tot Petters oneindige trots mocht ze een klas overslaan.

Haar moeder? Ja, die was er wel. Ze liep af en aan in het atelier en ging gebukt onder het beeld dat ze van zichzelf had als geduldige pakezel, te vroeg versleten door te veel kraambedden en het gezwoeg met eten en schoonmaken. Door haar voelde Petter zich voortdurend schuldig. Hij kon zich immers nooit aan de gedachte onttrekken dat hij degene was die haar zo vaak zwanger had gemaakt en die, zoals ze vaak opmerkte, zijn eerste vrouw te vroeg het graf in had geholpen.

Ze was gestorven in het kraambed.

Hij kon dus niet anders doen dan buigen voor het geklaag van zijn vrouw en haar eeuwige moeheid. Die hem trouwens wel van pas kwam nu Karin geboren was. De moeder kon het meisje immers niet opeisen, want ze moest erkennen dat Petter deed wat hij kon om deze laatste, zware last van haar schouders te nemen.

Hij raakte haar in bed niet meer aan en ergens vermoedde ze wel dat er een verband bestond; dat hij in zijn behoefte aan nabijheid werd bevredigd zolang hij het kind bij zich mocht hebben.

Toen Karin groter werd en haar moeder vond dat het meisje moest meehelpen in de huishouding, ontstond er meer onenigheid. Petter kon haar die hulp niet weigeren en leende het meisje uit. Maar alleen voor korte periodes. Ze was later dan ook niet huishoudelijk ingesteld en vaak onhandig bij het fornuis. Op een keer sloeg haar moeder haar met de pook op de rug.

Dat was een gebeurtenis die niemand in het kleermakersgezin zou vergeten, want de zachtaardige Petter ging met dezelfde pook recht op zijn vrouw af en gaf haar ook een klap. 'Dan weet je tenminste hoe dat voelt', zei hij wit van woede.

Zoals gezegd vergat haar moeder dat nooit. Zowel de vernedering als de pijn lieten diepe sporen na in haar gemoed, wat niet goed was voor het meisje. Want uiteindelijk was zij toch degene die de rekening moest betalen.

Toen Karin negen was overleed haar vader. Hij zat gewoon op zijn kleermakerstafel en viel voorover als een knipmes dat zijn tijd heeft gehad.

Het kind begreep het niet; het kon gewoon niet waar zijn. Ze liep het grote bos in, waar ze de nacht doorbracht. Toen ze 's ochtends wakker werd onder een den, wist ze het meteen weer. Ze liep dieper het bos in en vond een open plek. Er stroomde daar een beekje. Langzaam liet ze tot zich doordringen wat er was gebeurd, maar ze zag dat de beek te ondiep was om zich in te verdrinken.

In de ochtendschemering vloog er een zwerm pestvogels over, die bezig was met zijn lange tocht van de bergen in het noorden naar de warme rivieren in het zuiden. Ze gingen rondom het kind zitten, dat deze vreemd glinsterende vogels nog nooit eerder had gezien en dat hun lied, dat het midden hield tussen gejubel en verdriet, niet eerder had gehoord.

Het meisje bleef doodstil zitten. Ze wist dat haar vader haar deze groet had gebracht, dat hij zich daar nu bij haar bevond en er altijd zou zijn.

Zo kwam het dat ze besloot het leven maar vol te houden.

Haar moeder verkocht de kleermakerij en verhuisde naar Göteborg met de kinderen die nog thuis woonden: twee bijna volwassen zoons en haar dochtertje, dat ze nauwelijks kende. In Göteborg werd het beeld dat ze van zichzelf had als geplaagd werkpaard nog verder versterkt in de fabriek, die haar al haar energie kostte maar geld opleverde voor het eenkamerappartement in Majorna en voor voedsel voor haarzelf en haar kinderen.

Algauw brak de Eerste Wereldoorlog uit. Er ontstond een voedseltekort en mensen met een toch al kwijnende levenslust stierven als ratten aan de Spaanse griep. Karin haalde het dankzij de pestvogels.

En dankzij een paar onderwijzers die zich aan het bijzondere en begaafde meisje hechtten. Toen Karin op catechisatie zat, ging de dominee naar haar moeder toe om te zeggen dat het kind eigenlijk zou moeten doorleren op een hogere school.

Dat was een belediging en toen hij daar in de keuken bij de weduwe stond, die het toch al zo moeilijk had, besefte hij dat zelf ook.

'Rare fratsen', zei ze toen de dominee weg was. 'Door die gekke vader van jou verbeeld je je wel wat.'

Toen de zoons thuiskwamen vertelde ze over de gekke dominee en ze lachten hard en lang. Geld aan een opleiding voor een meisje besteden; zoiets idioots hadden ze nog nooit gehoord. Maar de meest zwijgzame van de twee zei later dat als vader nog geleefd had, dan…

Op dat moment drong het tot Karin door waarom ze haar haatten.

Toen ze dertien was kreeg ze een dienstbetrekking bij een gezin, toen ze vijftien was ging ze naar een naaiatelier en toen ze zestien was naar een winkel in de grote markthal. De pestvogels volgden haar overal. Toen ze achttien was, ontmoette ze Erik en ze zag dat hij op Petter leek. Ze werd socialist, kreeg zelfvertrouwen en toen hij tegen haar zei dat ze erg mooi was, durfde ze dat zelfs te geloven.

Erik was de enige zoon in een gezin dat in een eenkamerappartement in het gouvernementshuis bij de Stigberg woonde. Zijn moeder had al haar hoop op hem gevestigd en hij was de steun en toeverlaat van zijn jongere zuster.

Zijn zuster was ziekelijk. Ze was een van de mensen die met een geperforeerde long moesten leven, sinds de tuberculose haar als zesjarige had getekend. Een eigen persoonlijkheid en een eigen leven werden haar onthouden, en ze groeide langzaam en gebukt op in de schaduw van haar moeder.

De moeder was een sterke vrouw. Ze was mooi en verbitterd en zeer godsdienstig. Ze was laat getrouwd en ze haatte de liefde met zo'n intensiteit dat ze haar schichtige man daarmee uit het echtelijk bed joeg zodra ze haar kinderen had gebaard.

Ze gaf haar lusten de vrije loop door de jongen met de mattenklopper op zijn blote, rode bips te slaan. Erik had geen gemakkelijke jeugd, maar er bestond een zeker respect voor hem, voor zijn geslacht, de man in de jongen, die zijn moeders intelligentie en kracht had geërfd en die haar dromen zou verwezenlijken.

Dat respect gaf hem genoeg kracht om na verloop van tijd stelling tegen haar te kunnen nemen; dat wil zeggen tegen haar ideeën en haar loodzware christelijke geloof. Maar erger was datgene dat hij zo vroeg had meegekregen dat het niet zichtbaar was.

Zijn hele leven bleef de lichamelijke liefde voor hem verbonden met zonde en niemand zou hem ooit helpen om het vreemde verband tussen lust en wreedheid te begrijpen, dat in zijn fantasieën bestond en waarvoor hij zich vreselijk schaamde.

Toen zijn moeder hem niet langer met de mattenklopper de baas was, liet ze hem gehoorzamen door steeds te dreigen met een hartaanval.

Juist toen hij in de puberteit kwam, kreeg ze het aan haar hart.

Ook Erik had eigenlijk verder moeten leren. Hij was een van de velen in zijn generatie die het ver zouden hebben kunnen schoppen, zoals men dat noemde. Maar misschien was het maar het beste zoals de dingen nu liepen.

Als vijftienjarige ging hij in de leer op de werf Götaverken en iedere avond, na een tienurige werkdag, ging hij naar zijn studiekring en zijn boeken. Daarin werd hem het gereedschap aangereikt waarmee hij eindelijk de wrede wereld waarin hij was opgegroeid kon begrijpen, en hij leerde hoe onderdrukking werkt wanneer het haar uitweg zoekt naar beneden, naar de nog zwakkeren.

Soms had hij begrip voor zijn moeder.

Zoals hij ook dat afschuwelijke gevoel van vernedering

kon begrijpen, dat kleefde aan de schoenen die hij in zijn jeugd iedere Kerstmis van de dominee van hun gemeente moest aannemen. De dominee had de schoenen op zijn beurt weer gekregen van een liefdadigheidsorganisatie die zich 'de Kerstmannen van Älvsborg' noemde.

Toen hij zestien was, deelde hij zijn moeder mee dat God niet bestond en dat haar kerk nauwelijks beter was dan brandewijn, wanneer het erom ging om de arbeiders koest te houden.

Ze greep naar haar hart en dreigde dood te gaan, maar dat had geen effect meer want de jongen was de deur al uit. Op weg naar de volgende bijeenkomst.

Wat de liefde betrof had hij veel minder weerwoord. Zijn moeder blies de meisjes waarop hij verliefd werd snel uit zijn leven, doodsbenauwd als ze was bij het idee dat haar zoon haar zou verlaten.

Toen hij Karin ontmoette was hij bijna dertig. Zodra hij in haar zachte, bruine ogen had gekeken, wist hij dat het nu menens was en zijn verlangen was zo groot en zijn angst zo enorm dat hij eigenlijk een hemelse macht nodig zou hebben gehad om tegen te bidden: Lieve Heer, help mij tegen mijn moeder.

Maar hij had zich vergist wat betreft de zachte ogen. Al snel kwam hij tot het inzicht dat er achter Karins zacht-moedigheid een kracht zat die zich goed met die van zijn moeder kon meten. Al bij het eerste bezoek bij hem thuis zei ze recht voor zijn raap waar het op stond: 'Erik en ik gaan trouwen.'

'Dat wordt mijn dood', zei de oude vrouw, die zo bleek werd alsof ze haar dreigement direct aan de keukentafel ten uitvoer zou brengen. Maar Karin had de brutaliteit om haar recht in haar gezicht uit te lachen en te zeggen dat het leven immers ook zo bedoeld was, dat de oude mensen moesten sterven om plaats te maken voor de jongeren hier op aarde.

Daarna ging ze weg en ze nam Erik mee. Zijn moeder overleefde het en kwelde Erik en Karin nog jarenlang.

Erik zou nooit beseffen van welk lot Karin hem gered had. Maar die avond begreep hij wel dat zijn vrouw net zo sterk was als zijn moeder en even schoot het angstig door hem heen dat hij van de val van de ene vrouw in die van de andere was gelopen. En dat het van belang was om zijn mannelijkheid te laten gelden om geen schim te worden zoals zijn vader.

In het voorjaar trouwden ze. De wederzijdse moeders huilden; de moeder van Karin, omdat haar dochter nu het vrouwelijk noodlot van voortdurende zwangerschappen en vreselijke bevallingen moest ondergaan.

Ze bouwden een nestje en bleven kinderloos. Hij maakte zelf meubels: leunstoelen, een dressoir, een eettafel en een linnenkast. Zij naaide.

Hun huis was anders dan dat van anderen, en mooi.

Maar tot vreugde van de schoonmoeders bleven ze kinderloos.

Tijdens een koffievisite ter gelegenheid van een verjaardag beledigde Eriks moeder Karin hier openlijk om, en voor één keer wist Erik de onuitputtelijke woede die hij voelde ten aanzien van de oude vrouw in banen te leiden en hij zei dat het feit dat ze geen kinderen hadden, zijn schuld was. Hij had een schandelijke ziekte gehad, een ziekte die je krijgt als je zelf geen verkering mag hebben en dus naar de hoeren moet. Dus ze snapte wel dat het in feite de fout van haar, zijn moeder, was.

Toen ze die avond naar huis gingen, nam Karin Eriks

hand en zei ze tegen hem dat, aangezien zijn moeder niet ter plekke was doodgebleven, ze vast honderd jaar zou worden.

Ze werd zesennegentig.

Karin durfde nooit te vragen of het verhaal dat Erik had verteld, waar was. Hij was geweldig geweest. Dit was net iets voor hem; hij was een man waar je op kon vertrouwen. Niet zoals op Petter, dat moest ze toegeven; Erik voelde zich veel onzekerder, en was veel strijdbaarder en kwetsbaarder.

Maar dat was niet erg; Petter leefde nog in haar hart en niemand zou hem daar bedreigen.

Toen kregen ze hun zoon, en wat maakte het uit dat dit kind, waar ze zo lang naar verlangd hadden, geen bloed van hun bloed was.

Erik was zo trots als een pauw. Hij nam hun spaargeld op en kocht een stuk grond aan de monding van de rivier, waar het kind frisse lucht zou krijgen en ruimte om te spelen.

Het huis bouwde hij zelf. Het werd een grappig huis. De maten ervan werden bepaald door de restjes hout die hij goedkoop op de kop wist te tikken wanneer hij met zijn vrachtauto op pad was in de stad. Hij kende iedereen in de bouw en wist wanneer er ergens iets werd gesloopt. Wanneer hij naar de bouwplaats kwam had hij zin om aan de slag te gaan; hij had ramen met spijlen bij zich en statige tegelkachels uit de patriciërswoningen aan de Allé die gerenoveerd werden, en mooie oude profieldeuren van een landhuis in Landvetter dat verbouwd werd.

Zelf zagen ze het natuurlijk niet zo, maar het werd een huis met veel charme, verrassend en gezellig. En nooit waren ze gelukkiger dan die zomer toen ze daar in de klei rondbaggerden en op warme nachten sliepen in een container die Erik in de haven op de kop had getikt en die verdorie veel betrouwbaarder was dan een tent.

De schoonmoeders, die niet wisten waar het kind vandaan kwam, kraaiden over kwaad bloed en erfelijkheid. Maar ze waren bang voor Erik dus zwegen ze, en Karin en Erik vonden geruststelling in hun socialistische geloof dat het milieu waarin een mens opgroeit van grote betekenis is voor zijn ontwikkeling.

Soms ging er een steek door Erik heen als hij in de donkere ogen van de baby keek. Maar hij onderdrukte zijn verdriet en eigende zich de jongen toe, liet hem op zichzelf lijken. Algauw zag hij het donkere van de ogen of het stugge van het haar niet meer; Simon was van hem en dus goed, in alle opzichten de beste.

Erik had een heldere zangstem met een groot bereik, die al vroeg in de kerk en later in de arbeidersbeweging was geoefend. Omdat hij zich er niet toe kon zetten om tegen het kind te brabbelen zoals Karin voortdurend deed, zong hij de "Internationale" zodat het schalde tussen de rotsen en hij barstte bijna van trots wanneer het jongetje van plezier kraaide. Als Erik door zijn strijdliederen heen was, ging hij over op oude psalmen, natuurlijk zonder de woorden te zingen, maar de liederen waren doordrenkt van vredigheid en kracht.

Dat het kind veel plezier beleefde aan het zingen was duidelijk. Ook Karin zag dat en het verwonderde haar.

Karin had het kind bijna altijd op de arm, maar toen het voorjaar werd, de tuin vorm begon te krijgen en zij moest zaaien en planten, maakte Erik een wieg die hij ophing in de grote perenboom, die er al lang stond voordat zij hierheen waren gekomen. Daar sliep de jongen en daar werd hij wakker te midden van het gezoem van de bijen en het geruis van de bladeren, terwijl witte bloesem als sneeuwvlokken op zijn slaapplaats neerdwarrelde.

7

In Simons jeugd was de zee altijd aanwezig. Ze gaf de lucht een zilte smaak en vulde de ruimte met haar lied uit de diepten en de verten. En ze gaf kleur aan al het licht tussen de huizen en de rotsen.

Grijze dagen waren ondoordringbaar grijs. Heldere dagen waren helderder dan wat ook ter wereld, dat waren dagen dat de zee diende als een grote spiegel voor de hemel, het licht verveelvoudigde en weerkaatste over het land.

Dat schitterende licht bleef de kinderen hun hele leven bij; het drong door hun huid in hun vlees en bloed en zelfs in hun ziel, waar het verlangen geboren wordt.

Een weemoedig verlangen naar vrijheid en grenzeloosheid.

Wanneer dat verlangen een vast punt in de werkelijkheid zocht, werd het aangetrokken door de grote schepen die langzaam langs de Oljeberg hun koers zochten naar de grote haven. Bijna alle kameraadjes uit Simons kinderjaren gingen naar zee en nog voordat Simon aan de middelbare school begon, waren velen ondanks de oorlog al vertrokken.

Ze monsterden aan op de neutrale schepen die herkenbaar waren aan de blauw-gele vlaggen die op het dek waren geschilderd. Sommige van de jongens kwamen nooit meer terug; zij verdwenen met hun neutrale vaartuigen en hun verlangen naar vrijheid in de diepte.

Anderen kwamen thuis met iets ondefinieerbaars in hun blik en in Karins keuken hadden de moeders het over de nachtmerries waardoor hun zonen 's nachts geplaagd werden.

Ook Simon en Isak voelden zich aangetrokken tot de schepen in de grote haven, waar het leven grotendeels stil lag en wegkwijnde bij gebrek aan voedsel. Zweden was afgesloten. Net als de kades, die door de politie bewaakt werden.

Toch hadden er nog nooit zo veel schepen in de haven gelegen als nu, hadden er nog nooit zo veel reuzen liggen dobberen aan hun boeien en ankers, veroordeeld tot rust en werkloosheid. Ondanks de afzettingen op de kades konden ze niet verborgen worden gehouden en de jongens ontdekten algauw dat de beste manier om dicht bij de schepen te komen was om de veerboot over de rivier te nemen.

Ze begonnen bij Sänkverket en voeren daarna steeds heen en weer. Zo kwamen ze bij de Fiskhamn en daar namen ze de veerboot naar de Sannegårdshamn. Ze stonden aan dek en zagen de gigantische zijkanten van de schepen voor zich oprijzen als spookachtige bergen.

Vele van de schepen waren van de Noorse koopvaardij-vloot, sommige spiksplinternieuw. Toen ze van de Zweedse werven afliepen waren ze meteen hier opgelegd en nooit getest in hun eigenlijke taak.

Andere hadden alle havens van de wereld aangedaan en waren tijdens het voorjaar dat de nazi's Noorwegen verkrachtten juist moe en versleten op weg naar hun thuisland geweest. Vertwijfeld hadden de schepen hun koers verlegd om dekking te zoeken in het buurland dat nog vrij was. En daar lagen ze nu: stil, werkloos en onder embargo.

Maar in het voorjaar gingen er algauw geruchten in de stad dat de Noorse schepen geladen werden, met kogellagers en wapens, dat ze gereed werden gemaakt voor vertrek en dat er springladingen aan boord werden gemonteerd, zodat de schepen zelfmoord zouden kunnen plegen, als dat noodzakelijk was.

Toen in de nacht van 31 maart tien Noorse vaartuigen zachtjes de vesting voorbijvoeren in de richting van het Rivöfjord, hield de stad aan de riviermonding de adem in. Het was mistig, maar die mist zou de schepen niet helpen. Aan boord bevonden zich honderden mensen die de ochtend niet meer zouden meemaken, want ter hoogte van Måseskär wachtten de Duitse oorlogsschepen hun op.

Drie van de schepen werden in overeenstemming met de zelfmoordplannen door hun eigen bemanning tot zinken gebracht, drie kwamen tot zinken nadat ze door Duitse torpedo's geramd waren en twee slaagden erin terug te keren naar het embargo in Zweden.

Slechts twee schepen braken door en bereikten Engeland: een kleine tanker en de snelle B.P. Newton van 16.000 ton, die op 3 april onder escorte van het Britse oorlogsschip H.M. Valorous een Schotse haven binnenliepen.

Het was een zware dag voor de mensen in deze stad die zo op de zee gericht waren; een van de zwartste dagen van de oorlog.

Er werd gefluisterd over verraad.

Simon zat zijn lessen op school uit, net als de anderen, maar eigenlijk hoorde hij geen woord. De leraren waren net zo vertwijfeld als de leerlingen, maar niemand sprak over wat er was gebeurd. De uren kropen voorbij en zo goed als het ging werd het vaste patroon gevolgd: 'We slaan ons lesboek open op bladzijde 56.'

Aan het eind van de dag kwam het gevoel dat Simon de hele dag al beklemd had los en hij boog zich voorover over zijn schoolbank en begon te huilen. Ze hadden Zweeds en ook de lerares gaf zich over; ze begon zachtjes achter haar lessenaar te huilen.

Niemand sprak een woord.

Toen de bel ging stonden de jongens langzaam op. Ieder ging met vochtige ogen en snotterig zijns weegs.

Pas toen ze op de gang stonden om hun jassen aan te trekken, zag Simon dat Isak niet gehuild had en dat er iets vreemds was met zijn ogen.

Eigenlijk hadden ze naar de bibliotheek zullen gaan, maar Simon begreep dat het nu belangrijk was om zo snel mogelijk naar huis te gaan, naar Karin en de keuken. Ze staken het schoolplein over naar de fietsenstalling. Isak liep als een mechanische pop en opeens wist Simon zeker dat ze die dag de tram moesten nemen.

Isak liep achter hem aan als een hond en hij keek Simon de hele weg niet één keer aan. Het was alsof hij zijn vriend niet herkende. Toen ze uitgestapt waren kon hij de weg, die hij toch zo goed kende, niet zelf vinden en Simon werd zo bang dat zijn maag ervan samenkromp.

Hij had willen vluchten, maar hij nam Isak bij de arm en zo liepen ze heuvel op en heuvel af, dezelfde weg waarvan Aron Äppelgren hem had leren houden.

Zo kwamen ze thuis. Karin was er; ze doorzag de situatie meteen en de kramp verdween uit Simons maag, ook al hoorde hij hoe Karins stem weggleed en zag hij hoe er iets donkers blonk in haar bruine ogen toen ze tegen hem zei: 'Ga jij maar even weg.'

Zacht en voorzichtig, alsof er een risico bestond dat hij zou doodbloeden, trok Karin Isaks trui en schoenen uit. Daarna ging ze in de schommelstoel zitten met de grote jongen in haar armen. Zachtjes wiegde ze heen en weer; ze streek hem over zijn haar en brabbelde wat.

Hij werd wat warmer. Maar verstijfd was hij nog wel en

het was duidelijk dat hij haar niet herkende.

Ze zong een oud kinderversje: 'Klein, klein kleutertje…' en misschien werd hij toen wat minder stijf. Maar toen ze probeerde zijn blik te vangen was het duidelijk: Isak Lentov wist niet meer wie hij was.

Ik zou Ruben moeten bellen, dacht ze, maar iedere poging om op te staan en zich uit de greep van de jongen los te maken, maakte hem nog angstiger. Dus moest ze wachten tot Helen langskwam met de melk. Karin gaf haar het nummer en fluisterde dat ze zich in vredesnaam moest haasten.

Ruben Lentov slaagde erin een taxi te pakken te krijgen maar toen hij er eenmaal was, veranderde dat niets aan de situatie. Isak herkende zijn vader niet.

Hij was vier jaar en zijn moeder hield van hem zoals je houdt van datgene dat zin en waardigheid aan een angstig leven moet geven. Die liefde dwong hem ertoe steeds aan haar behoeftes tegemoet te komen en weerhield hem ervan zijn eigen gevoelens te ervaren, gevoelens die hij nodig zou hebben gehad om de dingen op hun waarde te schatten en te begrijpen.

Hij werd een lief en stil kind.

Maar soms kreeg hij onbegrijpelijke woedeaanvallen; dan rende hij schreeuwend rond in het grote huis in Berlijn.

Zijn vader zat in een ver land. Zo noemde zijn moeder dat en ze zei dat met zo'n verlangen dat dat zijn leven lang zijn beeld van Zweden zou kleuren. Maar hij had ook een grootvader, de vader van zijn vader, en dat was God. Dat had de jongen tenminste zo opgevat, want grootvader had een stem die donderde als de stem van de Here en op zaterdag, als hij met het jongetje aan de hand naar de synagoge liep, was hij gekleed in majesteit en waardigheid. Precies zoals de God van Job.

Hij strafte ook net als God en zijn slagen vielen zwaar over rechtvaardigen en onrechtvaardigen. De jongen deed niet eens een poging om het te begrijpen, want hij had in de synagoge geleerd dat Gods wegen ondoorgrondelijk zijn.

Bovendien kon de jongen zich achteraf nooit herinneren dat hij schreeuwend in huis had rondgerend en zijn moeder had gepijnigd. Maar zij wendde zich vervolgens smekend tot de Heer, die met bezwaard hart en harde hand het kind strafte.

Maar juist deze middag, tussen zijn vierde en vijfde jaar, toen de zon scheen en het voorjaar was in Berlijn, en hij zijn moeder weer verdriet had gedaan met zijn geschreeuw en hij onder de eettafel met het zware, roodgoud geborduurde kleed zat en het vaag naar boenwas en verzuurde wijn rook en hij zijn moeder in haar kamer hoorde huilen en hij wachtte op God die zou komen om hem te slaan – juist deze dag voelde hij iets.

In dat gevoel zat een razernij van dezelfde soort als wanneer hij pas had lopen rondrennen en schreeuwen. Maar dit keer was hij zich bewust van zijn woede en dat was hoopvol; hij kon nadenken en hij bedacht dat hij weg moest lopen, naar zijn vader in dat verre land.

Hij zou de weg vragen, hij kende het adres.

Hij deed zijn schoenen uit zodat zijn moeder hem niet kon horen en sloop naar de hal. Daar bleef hij even staan kijken naar de kapstok. Hij realiseerde zich dat hij vast wel een jas nodig zou hebben op zijn lange tocht naar het nieuwe land, waar het zo koud scheen te zijn.

Maar hij kon er niet bij.

Hij slaagde erin de deur te openen en hem geruisloos

achter zich dicht te doen. En hij klom de stoeptreden af naar de straat, waar de zon scheen en de gezichten van de mensen vrolijk stonden door de marsmuziek en het ritmische gestamp van de laarzen van de Hitlerjugend.

Hoe ze hem te pakken kregen, die lange kerels in hun bruine hemden met hakenkruisbanden om de mouwen, wist hij zich nadien nooit meer te herinneren. Maar hij wist nog wel hoe hun neusvleugels trilden van opwinding en hoe ze lachten toen ze hem in de dichtstbijzijnde biertent op de bar hesen en zijn broek naar beneden trokken om te kijken of zijn pik besneden was, of hij een jodenzwijntje was, dat door goede geesten op hun pad was gevoerd op deze zonnige, gulle dag, die zo hoopvol was voor al degenen die het Derde Rijk geboren hadden zien worden.

Ze trokken het pikje blauw en midden in die marteling kwam de jongen in de duisternis van de bewusteloosheid terecht, wat hun plezier verminderde. Toch hielden ze niet op voordat het bloed uit Isaks lid spoot en het barmeisje ingreep. Ze pakte het kind op en legde het in de kamer achter de bar.

Ze was groot en blond zoals Karin.

Toen 's avonds het vrolijke marcheren op straat was opgehouden, droeg ze hem naar het huis van de Lentovs.

Ze had het kind herkend.

Toen de jongen weer bij kennis kwam, begreep hij dat grootvader God niet was, want grootvader moest huilen van angst en vertwijfeling. Er kwam een dokter. De jongen werd verbonden en kreeg medicijnen, en de dokter, die zelf ook joods was en zo geschrokken dat het kalmerende spuitje trilde in zijn handen, zei dat hij er niets aan over zou houden.

Terwijl de jongen de slaap van de zware verdoving sliep,

zaten zijn grootvader en zijn moeder elkaar te haten in een wederzijdse poging de schuld bij de ander te leggen.

Jij was het, jij verdomde gans met je gejank en je scènes, jij was het die me liet slaan.

Jij was het, ouwe duivel, die hem doodsbenauwd maakte.

Maar ze zeiden niets en de oude grootmoeder sloop om hen heen met haar wijn en haar troost; het beetje troost dat ze uit het vierde gebod putte.

'Kinderen vergeten zo gauw', zei ze.

En na enige tijd wisten ze over hun schok en hun haat heen te komen en ze werden bondgenoten in een overeenkomst: Ruben Lentov zou nooit te weten komen wat er met zijn zoon was gebeurd.

Toen ze ten slotte ieder naar hun eigen kamer gingen om te proberen te slapen, waren ze wel een beetje ongerust dat het kind het zou vertellen. Maar die ongerustheid was niet nodig geweest, want toen de jongen wakker werd kon hij niet meer praten.

Hij praatte niet en hij huilde niet; alleen toen de dokter kwam om het verband te verschonen jammerde hij een klein beetje.

'Hij lijdt aan een shock', zei de dokter.

En daaraan leed hij nog steeds toen Ruben Lentov een maand later op bezoek kwam en razend en vertwijfeld eiste dat ze hem vertelden wat er was gebeurd. De twee samenzweerders hielden zich aan hun overeenkomst, maar ze hadden geen rekening gehouden met de dokter, die nog steeds bij hen af en aan liep en die steeds ongeruster werd over de toestand van de jongen.

Nog jarenlang moest Ruben Lentov moeite doen om het afgrijzen dat hij voelde en het schuldgevoel dat hij had in die nacht na het gesprek met de dokter te vergeten. Hij kwam niet eens op het idee om te vragen waarom de jongen weg had willen lopen.

In dit drama bestond maar één schuldige: hijzelf.

Toen het ochtend werd ging hij met de kracht van de vertwijfeling aan de slag met datgene wat hij al veel eerder had moeten doen. Hij versleet in Berlijn stoepstenen en wachtkamerstoelen, hij werd bespot en vernederd, maar hij kon desalniettemin op zijn Zweedse papieren vertrouwen.

Op een dag stond hij dan ook in de kamer van de jongen met alle gestempelde documenten. Hij tilde het kind op en riep: 'Nu ga je met mij mee naar het nieuwe land.'

En de kracht van zijn vaders stem en de warmte van diens armen waren in staat om Isaks verstening te doorbreken: hij kwam weer tot leven en kon denken. De eerste gedachte die bij hem opkwam was dat hij toch geslaagd was; dat zijn weglopen hem toch naar zijn doel zou brengen.

Hij bleef de hele dag zachtjes huilen en weigerde Ruben los te laten. 's Avonds begon hij weer te praten, maar alleen zijn vader mocht het horen. Zodra zijn moeder opdook in zijn kamer begon hij vanuit de duisternis die hij binnen in zich voelde te schreeuwen. Ruben begreep het wel en hij realiseerde zich dat het in de toekomst zijn zware plicht zou worden om het kind tegen zijn moeder te beschermen.

Toen ze die laatste ochtend met hun koffers in de hal van het oude huis in Berlijn stonden, zei Ruben tegen zijn ouders dat hij hoopte dat ze hem snel zouden volgen. Maar toen zijn vader zei dat ze zouden blijven in het Duitsland waar ze zo van hielden en dat dat gedoe met die nazi's binnenkort wel over zou zijn, was hij erg opgelucht. Tegelijkertijd voelde hij zich daar enorm schuldig over.

De jongen keek zijn grootvader niet meer aan; hij had hem al uitgewist.

De andere zoon van de Lentovs vertrok naar Denemarken en de enige dochter ging met man en kinderen naar Amerika. De oude mensen bleven achter zoals ze hadden besloten, en misschien was het wel zo dat ze precies in die lente, toen de boten die onder embargo hadden gelegen tot zinken werden gebracht bij Måseskär en Isak ziek werd, hun dood tegemoet gingen in een van de grote concentratiekampen in het oosten.

Maar nu zat Ruben in de trein. Hij hoorde de rails denderen en terwijl hij naar zijn vrouw keek durfde hij te denken dat het mooi zou zijn geweest als ze in Berlijn had kunnen blijven. Naast zijn vrouw zat zijn nichtje, een meisje van elf jaar, voor wie hij beloofd had te zorgen. Ondanks haar egocentrisme kon ze goed met Isak opschieten.

Ze hadden geluk met het weer; het land dat zich voor de jongen uitstrekte nadat ze in Helsingborg op een andere trein waren overgestapt zag er vriendelijk en mooi uit met zijn voorjaarsgroen.

Buiten, voor het raam van zijn jongenskamer in het nieuwe huis, stond een esdoorn in bloei en de jongen kon uren voor het raam staan, bijna binnen in de grote kroon van de boom, om te luisteren naar het gezoem van de bijen en de honinggeur op te snuiven van de duizenden lichtgroene bloemen.

Het verre land rook lekker.

Maar het mooiste van alles was dat het een andere taal sprak.

In de boekhandel werkte een lang meisje, Ulla. Ze had op de mms gezeten, sprak Duits en was eigenlijk te goed opgeleid o n kindermeisje te worden, maar Ruben zag hoe leuk ze Isak vond. Hij gaf haar meer loon en noemde haar gouvernante.

Ze was iemand die hield van sprookjes, rijmpjes en versjes. Drie jaar hield ze zich bezig met de jongen, die algauw de liedjes van Bellman en Taube kon zingen. Hij hield zo hartstochtelijk van de nieuwe taal dat hij zich die razendsnel eigen wilde maken. In slechts een paar maanden tijd was zijn woordenschat groter en wist hij zich beter uit te drukken dan hij ooit in het Duits had gedaan.

Ruben was verbijsterd en blij; Isak was geen slechte leerling, zoals zijn moeder en grootvader hadden gevreesd. Maar hij zag wel in dat het voor de jongen om meer ging dan de woorden alleen. Isak vond met de nieuwe taal een weg naar zijn eigen gevoelens; hij vond er zijn eigen plek mee en kreeg er samenhang door.

Met zijn moeder sprak de jongen nooit Zweeds.

8

Ten slotte viel Isak in de armen van Karin in de schommelstoel in slaap. Simon en Ruben hielpen elkaar om het on-
derbed onder de divan vandaan te trekken en ze legden Isak
in het bed van Erik.

Ruben sliep in de keuken, op Simons oude keukenbank,
voorzover dat ging. Maar het was waarschijnlijk niet de
ongemakkelijke houding die hem die nacht uit zijn slaap
hield.

Karin lag naast Isak met zijn hand in de hare. Hij sliep zo
diep dat hij niet wakker werd toen Simon de volgende ochtend naar school ging of toen Ruben naar de stad ging om
de meest dringende zaken op kantoor te regelen.

Hij zou rond twaalf uur terugkomen. Karin fluisterde
tegen hem wat voor eten hij moest kopen en welke andere
boodschappen hij moest doen. Vanuit de opening van de
keukendeur knikte hij. Hij trok de deur achter zich dicht en
vertrok, maar hij keerde weer terug en zei: 'Als hij daar bij
Olga terechtkomt…'

Toen vergat Karin om te fluisteren en ze zei dat zolang
zij, Karin, er iets aan kon doen, Isak niet in een gekkenhuis
terecht zou komen.

'Ik ben sterk, Ruben', zei ze. 'Ga nu maar.'

Maar diep in haar hart was ze veel banger dan ze wilde
toegeven.

Daarna werd Isak, heel gewoon, weer wakker. Hij keek
Karin aan en herkende haar. Maar hij was bang; zijn blik
gleed schichtig door de kamer alsof hij verwachtte dat er
nog iemand anders zou zijn.

'Wie zoek je, Isak?'

'Grootvader', zei Isak en hij was net zo verbaasd als zij. Hij moest bijna lachen om zijn eigen onzin.

'Waarom ben je bang voor je grootvader?'

'Hij sloeg mij altijd wanneer ik, zoals nu, weg was geweest en het me niet kon herinneren.'

Glad, heel glad was het ijs waarop Karin zich begaf; ze moest niet bang worden, niet te lang aarzelen, niet te veel nadenken. Gewoon rustig de volgende stap zetten. Vertrouwen hebben.

'Wat was er nou gebeurd gisteren?'

'In de eerste pauze fietsten we naar het treinstation in Olskroken, je weet wel, om naar ze te kijken.'

Hij sperde zijn ogen wijd open; de angst had hem weer te pakken. Karins hersenen werkten snel en helder; ze wist wat de jongens hadden gezien. Er reden Duitse treinen door Zweden en op het station van Olskroken hielden de mannen met de hakenkruisen een pauze om de benen te strekken.

'Ik heb zo'n pijn', gilde Isak, terwijl hij zijn hand voor zijn kruis hield.

'Je moet zeker plassen', zei Karin. Op hetzelfde moment realiseerde ze zich dat ze een verkeerde manoeuvre had gemaakt en om moest keren.

Maar hij maakte dankbaar gebruik van het zijspoor en verdween naar de plee achter het huis. Toen hij terugkwam had ze warme chocolademelk en een boterham met honing voor hem klaargemaakt. Ze wist dat hij dat lekker vond, maar zijn ogen vlogen rusteloos heen en weer en vertwijfeld voelde ze dat hij weer bezig was van haar weg te glijden.

'Wat gebeurde er daarna, Isak? Nadat jullie in Olskroken waren geweest?'

'Ik weet het niet meer.'

Het ijs was glad, maar haar stem was warm en zelfverzekerd.

'Natuurlijk weet je dat nog, Isak.'

'We kwamen bij school en daar hoorden we…'

'Wat hoorden jullie? Isak!'

'Ik weet het niet meer, verdomme, ik weet het niet meer.'

'Jawel, Isak. Daar hoorden jullie over de schepen die onder embargo hadden gelegen.'

'Ja', schreeuwde hij. 'Maar zwijg nu, zwijg, verdomme.'

Maar Karin liet niet los. Het ijs was nu dikker, het hield.

'Over de schepen die geprobeerd hadden uit te breken en over de Duitsers die hun opwachtten.'

Toen wierp hij zich achterover op de bank, terwijl hij zijn hand in zijn kruis hield en riep: 'Ik heb zo'n pijn. Help me, Karin, help me.'

'Het doet pijn in je lid', zei Karin.

'Ja, ja.'

'Wat is er met je gebeurd, Isak?'

'Ik weet het niet meer.'

'Maar je kunt het voor je zien, Isak. Doe je ogen open en kijk.'

Op dat moment begreep de jongen dat hij erin moest afdalen, dat hij het opnieuw moest zien en beleven. Hij klemde zich aan haar vast en begon een andere taal te spreken. Hij begon in het Duits te schreeuwen. Hij gooide de woorden eruit en ook zijn verdriet en zijn afgrijzen.

Het was goed dat Karin niet alles begreep, want als ze de gebeurtenis die op deze ochtend in haar keuken herbeleefd werd helemaal had kunnen bevatten, dan was haar vreselijke woede misschien met haarzelf en de jongen op de loop gegaan. Nu begreep ze het in hoofdlijnen en ze wist haar kalmte te bewaren. Ze had het gevoel dat ze weloverwogen stappen wist te zetten op het gladde ijs en ze hield haar hoofd koel.

Toen Ruben terugkeerde, was het grotendeels achter de rug. Isak en Karin zaten hand in hand op de keukenbank en moesten allebei huilen; tranen van vertwijfeling, maar wel gezonde tranen.

Zonder te protesteren deed Karin Isaks verhaal uit de doeken. Wat ze niet goed had begrepen vroeg ze Ruben en hij moest het aanvullen. Hij zag afwisselend rood van schaamte en bleek van schuldgevoel. Isaks ogen schoten heen en weer van de een naar de ander; voor alles bestonden woorden en alles kon verteld worden.

Hij voelde zich erg opgelucht, vooral toen Karin zei dat nazi's zwijnen waren, maar dat zijn moeder en zijn grootvader allebei verdomde monsters waren.

Isak bleef dat hele voorjaarssemester thuis van school omdat Karin dat zo wilde. Maar nog diezelfde avond ging hij met Simon naar de eiken en Simon vertelde hem hoe de bomen met hem gesproken hadden toen hij nog klein was.

Isak dacht dat hij dat wel kon begrijpen en hij vond het jammer dat Simon hun het zwijgen had opgelegd.

'Onzin', zei Simon. 'Bomen kunnen niet praten. Dat zijn allemaal van die dingen die je je als kind in je hoofd haalt.'

Maar Isak zei dat hij zeker wist dat bomen wel konden praten en dat de esdoorn voor zijn raam hem heel wat te vertellen had gehad, dat voorjaar dat hij aankwam in Zweden.

'Wat dan?' vroeg Simon met enthousiaste stem.

'Het kwam er eigenlijk op neer dat niets echt erg is', zei Isak en Simon wist dat iets essentieels nu benoemd was.

Karin, die het gevoel had dat ze frisse lucht nodig had, liep met Ruben mee naar de tram. Ze zag wel dat ook hij troost kon gebruiken, maar het was net alsof ze dat niet meer kon opbrengen.

'Wist je dat zijn grootvader hem sloeg?'

'Ik had het moeten weten.'

'Maar waar ik me het meest woest over maak is je vrouw', zei Karin. 'Wat is dat voor een moeder die haar eigen kind aangeeft en dan toekijkt hoe hij mishandeld wordt?'

'Ik heb zelf ook zo'n moeder gehad', zei Ruben.

Toen schaamde Karin zich, maar dat zag hij niet want daar, onderweg, in de schemering van de maand maart, zag hij zijn moeder opeens door Karins ogen en hij voelde dat hij haar haatte.

Daarna moest hij aan de vernietigingskampen denken.

Het werd een lang en moeilijk voorjaar voor Isak. Het liefst wilde hij slapen en iedere keer dat Karin hem dwong om wakker te worden, moest hij huilen. Soms dacht hij dat er geen einde kwam aan het verdriet binnen in hem.

Hij had geen levenslust meer en geen daadkracht.

Eigenlijk veranderde er niets totdat Erik thuiskwam en Erik en Isak, met z'n tweeën, een boot begonnen te bouwen.

9

'In het Noorden werd een schip gebouwd…'

Isak liep te zingen. De spanten strekten zich uit onder het grote dekzeil dat Erik over het geraamte van stevig sloophout had gespannen.

Het zou een gladde boot worden met mahoniehouten boorden; de mooiste eenmaster van de hele riviermonding. Hoe Erik aan mahonie kwam in het jaar 1942, toen Zweden totaal afgesloten was, wisten alleen hij en God, maar op een dag werd het hout op het achtererf tussen het huis en de rotsen afgeladen en zorgvuldig en liefdevol afgedekt.

Na zijn mobilisatie was Erik thuisgekomen en net als zoveel anderen werkloos geworden. De vrachtauto liep nog, nu op generatorgas, maar meer geld dan het gezin van zijn zwager nodig had, bracht die niet binnen. Toch was Erik blij.

'Jullie zullen zien dat we het wel redden', zei hij. 'Nu hebben die klootzakken hun handen vol en het oude Zweden is een harde noot geworden om te kraken.'

Omdat hij gemobiliseerd was geweest, mocht hij niet veel vertellen, maar duidelijk was dat aan de grenzen de zaken nu op orde waren; er waren genoeg mensen en wapens en de strijdlust was enorm.

Die voorjaarsavond was het feest in de tuin van de Larssons en vrienden en buren hieven hun glazen om op de dood van Hitler, de moed van de Russen en de vliegende forten van de Amerikanen te drinken.

Ruben Lentov dronk zijn glas in één teug leeg; hij voelde zich gesterkt en getroost. Vorig jaar al was hij tot het inzicht gekomen dat Erik de politiek aardig kon voorspellen. Hij was toen met midzomer even kort met verlof thuis geweest en had op een avond bij Ruben aangebeld. Hij had een beetje staan draaien in de hal en gezegd: 'Ik wilde alleen maar even zeggen dat de zaken nu een keer nemen. Die hele verdomde oorlog neemt nu een nieuwe wending.'

Ruben was blijer geweest met het bezoek dan met de boodschap. Hij had een fles Franse cognac die hij nog had staan, te voorschijn gehaald en geprobeerd om zijn stem onder controle te houden toen hij vroeg: 'Hoe kom je er in godsnaam bij om dat te denken?'

Er was toen nog niet veel hoop geweest; alleen dat de Engelse piloten Hitler in de Slag om Engeland de baas waren gebleven.

'Engeland heeft nog nooit een oorlog verloren', zei Erik. 'En de duivel weet of er nu binnenkort niet iets in het Oosten gaat gebeuren.'

Ruben wist niet meer hoeveel cognac ze al op hadden toen ze de radio aanzetten om naar het nieuws te luisteren. Maar hij wist nog wel dat ze daar midden in zijn bibliotheek niet helemaal stevig meer op hun benen hadden gestaan, toen de opgewonden radiostem de boodschap over operatie Barbarossa, de bliksemaanval van Hitlers troepen op Rusland, uitschetterde. En hij zou nooit vergeten hoe Erik het uitschreeuwde van blijdschap en hem bijna dooddrukte in zijn omhelzing. Om hem daarna los te laten en te zeggen: 'Jij hebt toch zo'n oude, wrede maar rechtvaardige god? Bid! Bidden moet je, Ruben Lentov, dat er een helse winter komt met sneeuwstormen en veertig graden onder nul.'

Daarna hadden ze als idioten staan lachen. Ze hadden de fles cognac leeggedronken en gepraat over Napoleon en koning Karel xii.

Toen het ijs zich die winter ophoopte aan de kusten en de twee mannen elkaar weer zagen, maakten ze er grapjes over. En toen Erik in de krant las dat de ijsbrekers in de Oostzee nog tot juni werk te doen hadden, zei hij tegen Ruben: 'Jouw gebed is maar verdomd mooi verhoord!'

De situatie rond het bouwen van de boot had even gevoelig gelegen. De boot die zijn zoon nieuwe moed moest geven was door Ruben besteld. Hij had een contract opgesteld waarin alles was opgenomen, ook een flink werkloon voor Erik. Maar toen hij met zijn papieren in de keuken van de Larssons kwam, ging er een dominee voorbij. Of misschien waren het kerstmannen, de Kerstmannen van Älvsborg, zoals het gezelschap zich noemde dat Erik in zijn jeugd elke Kerstmis in het kerkgebouw een paar schoenen had geschonken.

'Loop maar mooi naar de hel met je geld', zei Erik en Ruben boog zijn hoofd onder de slag, zoals zijn volk al duizenden jaren had gedaan.

Maar vervolgens sloeg zijn verbittering om in woede en hij zei dat hij zijn geld op eerlijke wijze had verdiend en dat het niet stonk, ook al was het dan door de handen van een jood gegaan.

'Je bent verdomme niet goed bij je hoofd', zei Erik. 'Het heeft toch niks met joden te maken.'

Maar hij geneerde zich dood en, bang dat Karin erbij zou komen, zei hij: 'Kom, we gaan vissen.'

Ze namen de jol, hesen het sprietzeil en ging voor anker in de vaargeul bij Rivö, waar ze met een handlijn op makreel visten en een kwart liter vieux opdronken. Toen kreeg Ruben het verhaal van de Kerstmannen van Älvsborg te horen en Erik vertelde dat hij droomde van een werf, een botenbouwerij.

'Het kunnen na de oorlog goede tijden worden', zei Erik.

In de week daarop richtten ze bij Ruben Lentovs advocaat een firma op en zo was de eerste steen gelegd voor de activiteiten die van Erik na verloop van tijd een welvarende werkgever zouden maken, en die nog andere, verwarrende en moeilijke dingen met zich mee zouden brengen voor een man als hij.

Maar die zomer werd de kiel gelegd van de eerste zeilboot. Simon werd buitengesloten; hij zat liever met zijn neus in de boeken dan dat hij meewerkte aan het bouwen van de boot. Hij haatte Isak omdat die zo goed kon samenwerken met Erik, en hij haatte zichzelf erom dat hij Isak haatte, omdat je verschrikkelijk veel medelijden met hem moest hebben en iedereen eigenlijk heel blij moest zijn dat hij zo geïnteresseerd was in botenbouw en het met Erik zo goed kon vinden.

Zoals Karin het uitdrukte.

Ook zij had die zomer weinig aandacht voor Simon; hij was gewoon haar eigen zoon op wie je altijd kon vertrouwen en met wie het altijd goed ging. Ze was in gedachten veel met Isak bezig; ze zocht voortdurend naar tekenen dat hij nog een keer zou wegglijden in het niemandsland. En Isak, die een moeder had gehad die hem nooit had zien staan, genoot van Karins aandacht.

Op Simon wierp ze af en toe een verstrooide blik om te constateren dat hij nu alweer de lengte in schoot en uit zijn kleren groeide. Ze vermaakte Isaks oude broeken en merkte de woede in Simons ogen niet eens op toen hij van haar moest passen.

Hij rende naar de eiken, waar hij ging zitten huilen als een kind. Vervolgens ging hij naar het strand en daar vermoordde hij Isak. Maar dat werd eigenlijk ook niets; het luchtte hem niet op en het mannetje uit zijn jeugd was langgeleden al verdwenen. Lang speelde hij met de gedachte om weg te lopen. Hij voelde zich wat beter toen hij bedacht hoe verdrietig Karin zou zijn, hoeveel spijt ze zou hebben en hoe ze handenwringend zou roepen dat zij het was geweest die haar zoon de dood had ingejaagd.

Want ze zouden hem vinden; hij zou de hand aan zichzelf slaan.

Er zat maar één maar aan het plan: Simon wilde niet doodgaan. Toen hij dat besefte, schaamde hij zich, want je moest immers echt medelijden hebben met Isak, en Karin was een schat. Dat had Ruben gezegd en dat had Simon altijd geweten.

Met de staart tussen de benen kwam hij weer thuis. Hij was blij dat Karin hem niet langer zag staan, want als ze zou weten wat voor zwarte gedachten hij had, ging hij dood.

Dat wist hij zeker.

Die nacht droomde hij. Het was een droom over het bos en een weids meer. Hij herkende alles, hij wist dat hij er eerder was geweest en dat de melancholie van de beelden in wilde angst zou omslaan. Hij bestond, maar niemand zag hem. Hij schreeuwde, huilde en schopte; allemaal om te zorgen dat iemand hem zou zien. Hij zat in een grot en wist met een razende vastberadenheid de weg naar buiten te vinden. Die was smal en hij had pijn in heel zijn lichaam toen hij zich naar buiten wurmde, maar zij die hem moest zien om hem te laten leven was er niet. Zijn razernij ebde weg in een gevoel van grote vermoeidheid en hij stierf. Maar toen was er toch iemand die hem zag en dat was Karin. En haar trouwe, bruine ogen waren vol liefde. Maar zijn vertwijfeling over haar die niet gezien had, was nog aanwezig en zou hem zijn hele leven bijblijven.

Het werd ochtend. Omdat ze net als anders aan het ontbijt met tekenpapier en pennen tussen de koffiekopjes en de papborden in bezig waren om nieuwe schetsen te maken voor de oplossing van een of ander probleem rond de inrichting van de roef, was er niemand die zag hoe vreemd bleek Simon was. Karin maakte zich zoals gewoonlijk rond deze tijd zorgen over het eten, over de warme maaltijd. Haar vleesbonnen waren op, de aardappels van vorig jaar waren slecht en ze kon niets meer bedenken.

Maar het viel haar wel op dat Simon slecht at.

'Je moet je pap opeten, jongen', zei ze. 'Dat heb je nodig, je groeit zo hard.'

Toen keek Simon zijn moeder aan en hij voelde dat hij haar haatte.

Hij werd gered door zijn neven, die even een omweg namen via de keuken van de Larssons om te vragen of hij zin had om mee te gaan vissen. Het was een grijze dag, met laaghangende bewolking die zwaar was van de regen, dus Karin drong erop aan dat hij zijn oliejas en zijn laarzen aantrok en zijn zuidwester opzette. Maar daarna was hij vrij; verlost zowel van Karin als van de botenbouwers met hun eeuwige gezeur dat hij toch wel mee kon komen om een handje te helpen.

Voor de verandering hadden ze deze keer aflandige wind; ze zetten even zeil in de richting van Danska Liljan, waarna ze achter de vuurtoren op Böttö in de luwte kwamen en de dreg uitwierpen. Meestal hield Simon niet van vissen, maar vandaag kwam het langdurige wachten bij de handlijn hem goed uit.

De gedachten die hij bij het ontbijt over Karin had gehad, dat hij haar haatte, boezemden hem angst in, dus terwijl hij naar de lijn in het water zat te kijken hield hij zichzelf voor dat hij niet haar had bedoeld. Hij had vrouw Ågren bedoeld, of die verdomde moeder van Isak, of juffrouw Jönsson van de kruidenier, die hem een keer betrapt had toen hij een toffee pikte, of juffrouw Äppelgren, die niet goed wijs was en alleen maar bezig met schoonmaken en die hem er een keer van had beschuldigd dat hij appels uit haar tuin had gejat.

Wat een verduiveld kreng, dacht hij. Hij wist nog hoe de appels gesmaakt hadden: zoet en verboden.

Daarna moest hij aan tante Inge denken en hij voelde dat hij haar nog het meest haatte, hoewel ze hem nooit iets had misdaan. Hij zag haar pafferige gezicht voor zich en haar blik, die altijd weggleed.

'Ze is een slons', mompelde hij en toen hij aan haar in dat gore huisje dacht, was hij zelf verwonderd dat zijn afkeer zo intens was. Maar toen zag hij het langgerekte meer voor zich en hoorde hij het gesuis van het bos, en hij kreeg hartkloppingen omdat hij wist dat hij nu dicht in de buurt van iets heel ergs kwam.

Op dat moment had hij beet. De schok was zo krachtig dat hij bijna van zijn doft afvloog, maar hij sloeg toe zoals van hem verwacht werd en haalde een kabeljauw op, een reus van zeker vijf kilo. De lijn hield het maar net, maar de jongens kregen de knaap over de reling en sloegen hem juichend dood.

Toen ze op huis aan gingen, brak de zon door. De westenwind die opkwam, droogde de zeilen en kwam uit de goede richting, van zee. Ze konden het hele stuk voor de wind zeilen. Het ging hard en Simon keek dankbaar naar de kabeljauw die hem gered had en hem een goede dag zou opleveren. Karin zou blij zijn; hij zou verwelkomd worden op een manier een man waardig die in moeilijke tijden eten in huis brengt.

Het ging inderdaad zoals hij had verwacht; Karin gaf de kabeljauw en de jongen een kus. Hoewel ze zich er wel schuldig over voelde, ging ze toch naar buiten om jonge aardappels uit de grond te halen. Hoewel dat schande en zonde was; ze waren nog zo klein en zouden twee keer zo groot hebben kunnen worden als ze nog een maand of wat gewacht had.

Ze belden Ruben op om te zeggen dat het dankzij Simon feest in de keuken zou worden en om te vragen of hij kon komen en of hij dan ook een stuk boter had dat ze konden smelten. Hij kwam en hij bracht niet alleen boter maar ook een fles wijn mee.

En een boodschap voor Isak. Die zou de volgende week al beginnen met bijlessen om in te halen wat hij in het voorjaar, toen hij ziek was, gemist had. Ruben had al met de leraar gesproken; Isak zou de rest van de zomer iedere dag drie uur les moeten volgen.

Erik keek verbaasd, maar hij zei niets. Ook Karin zweeg, hoewel ze vond dat het niet nodig was en dat het op dit moment het belangrijkste was dat Isak het naar zijn zin had.

Isak zelf werd rood van woede, maar hij durfde zijn vader niet tegen te spreken. Alleen Simon was stiekem blij.

Maar toen zei Erik dat Simon dan met de boot moest helpen in de uren dat Isak weg was. En Simon wist al hoe dat zou gaan; hij was immers met twee linkerhanden geboren, zoals Erik altijd zei.

10

Ruben ging naar concerten. Hij had een paar keer gepro-beerd om de Larssons mee te krijgen, maar Erik had verle-gen gekeken en Karin had gezegd: 'Dat is vast niets voor ons.'

'Voor mij is het een manier om te overleven', zei Ruben.

'Ja, daar hebben we allemaal zo onze eigen manier voor', zei Karin en Ruben durfde haar niet te vragen wat haar manier was. Maar hij kende haar nu goed genoeg om haar verdriet te zien, het verdriet dat altijd aanwezig was.

Op een zaterdagavond, toen hij vroeg weg moest bij de Larssons en het bouwen van de boot omdat Berlioz' *Sym-phonie Fantastique* gespeeld werd, nam hij Simon mee.

Niemand stond er verder bij stil hoe het in zijn werk ging. Misschien had Ruben een vermoeden van Simons eenzaamheid gehad en wilde hij hem troost schenken, en misschien ging Simon erop in om Karin uit te dagen. Of omdat hij zich gevleid voelde. Misschien was het gewoon toeval.

Of misschien deed het Lot een beslissende zet in het spel om Simon Larssons leven.

In het begin voelde hij zich alleen maar ongemakkelijk. De grote concertzaal, de mooie mensen die zo voornaam keken en de ernstige mannen op het podium die over hun instrumenten wreven en eruitzagen als eksters – dat alles gaf Simon zo'n gevoel van vervreemding dat hij had willen vluchten. Als hij dat had gedurfd.

Maar toen hief een van de zwart-witten een stokje.

En Simon hoorde het gras zingen in een ander land en in een andere tijd, toen de wereld nog jong en hoopvol was. De hemel werd gespleten door het wilde geroep van vogels en net als aan het gras kwam er geen einde aan. En iedere vogel in de blauwe lucht was anders, net zoals iedere graspriet op de grond.

Alles kwam tot leven door de wind die zich vrij over de vlakte bewoog en die alles beroerde, soms uitdagend heftig, dan weer zacht en teder. Maar er bestond ook verdriet en een weemoedig verlangen, ongeduld en droom. En een man die dat alles met zich meedroeg. Hij zat bij de grote rivier en hij was ook het water van die rivier, eeuwig hetzelfde en eeuwig nieuw. En hij zocht de oevers, alsof hij niet genoeg kon krijgen van hun schoonheid en zachte stevigheid.

Er kwamen anderen, mensen die zich in hem spiegelden met een steeds grotere verwachting en hij ontving hun beeltenissen en wist dat het zijn noodlot was om uitdrukking te geven aan hun dromen.

Toen wakkerde de wind aan tot een storm die hem tot een besluit dwong en zijn pijn groeide bijna tot wanhoop, want net als de rivier had hij een zacht karakter en hij wilde het geweld niet.

Maar de storm had getrokken sabels; hij kwam uit de bergen in het Oosten en was beneveld door de dood en door de vreugde van het doden, en het bloed overspoelde de grond.

Toen de storm over de vlakte was verder getrokken, schaarden de overlevenden zich om hem heen en ze legden hun verwachtingen in zijn handen. En hij sprak met hen over de god, wiens tempel was verwoest en wiens naam niet langer genoemd mocht worden. Maar het vreemdst was toch de taal die hij sprak, de oeroude taal die honderden jaren geslapen had.

De taal en de tempel; het was zijn taak beide weer in ere te herstellen. De zware taal, die duizenden jaren het onderkomen voor deze mensen had gevormd, maar die vertrapt en verboden was. En de oude god, die uit zijn geboorteland in het hart van de mensen was verjaagd.

Toen hij aan de oever stond te spreken, voelde hij dat de oude taal ook de taal van de rivier was en de taal van het gras, van de boeren en van de vrede, bezwaard door de aarde en het harde werken. Hij keek over de vlakte en zag de kanalen die met hun zilveren snaren het landschap hun patroon gaven en het water van de rivier over de akkers voerde. Net als de taal stonden ze nu onder vreemde heerschappij.

Hoewel het verboden was, zong hij de oude hymnen voor de mensen, de liederen over het heilige karakter van de aarde en de liefde van het water, over de rivier die de aarde, de grote moeder, leven schonk.

De oude mannen en vrouwen die erbij stonden, kenden de woorden nog en begonnen mee te zingen. De jonge mensen, aan wie het thuisrecht in de moedertaal ontzegd was, voelden niettemin dat de taal het vermogen had om aan het hoofd voorbij te gaan en het hart te raken.

De vreugde steeg ten hemel; af en toe klonk ze als een dans, als een spel uit een verdwenen tijd toen alles nog eenvoudig was en de harten van de mensen nog wijd openstonden voor het fundamentele. Het waren klanken die uit de aarde voortkwamen en die hun kleur en kracht hadden ontleend aan de eindeloze graszee en de gouden warmte van de milde rivier.

Beelden die sinds lang vergeten waren herstelde hij in ere, de man die daar bij de rivier sprak en zong en wiens woorden verdriet opwekten. Een verdriet zo groot dat het eeuwenlang verloochend had moeten worden. Onder het verdriet sluimerde woede, onbezonnen oerwoede. Nu kwam die woede tot leven en de mensen schreeuwden: 'Dood aan Akkad.'

Toen trok hij eenzaam weg en zijn angst was groot. Maar groter nog was zijn verdriet, want hij wist wat de prijs was van de daad die hij moest verrichten. En hij bad tot de verboden god daar in die blauwe hemel dat hij van zijn opdracht bevrijd zou worden, en de god antwoordde hem met een gezang van vogels dat vol vrijheid was. En de man besefte dat hij de grote daad kon weigeren en een eenvoudig leven kon leiden waarin hij ondergeschikt werd, maar dat hem wel rust zou geven.

Toen de schemering inviel, was hij nog steeds bij de rivier. Hij rustte uit onder een grote boom. In de kroon waren vogels bezig zich te nestelen voor de nacht. En met de vogels sprak hij over zijn grote twijfel. Maar het gezang van de vogels had hem maar één ding te zeggen: dat het leven mooi was zoals het was en dat de handelingen van de mensen dwaasheid waren. De boom sprak met hem over de woordeloze medeschepping, ver verwijderd van goed en kwaad. Dat gaf hem kracht; hij vatte het zo op dat hij de grens die werd bewaakt door schuld en schaamte moest overschrijden.

Maar in de nacht zong de rivier over de verandering, de beweging, die onafhankelijk van de mens is.

Je bent slechts te gast bij de werkelijkheid, omdat je haar niet ziet. Je ziet alleen die delen die een naam hebben gekregen, nooit de verbanden waaruit het geheel groeit.

Dat was de boodschap van de rivier en de man voelde zich enorm verscheurd. Maar toen de dageraad aanbrak met de eerste weerkaatsingen van de zon in de rivier en het eerste vogelgefluit in de lucht, had hij een besluit genomen. Opstandig antwoordde hij hun allemaal, de boom, de rivier en de vogels, dat hij een mens was, dat hij de weg van de mens moest gaan en dat dat de weg van het doen en het denken is.

En de nieuwe oorlog was net zo wreed als de eerste en de rivier kleurde rood door het bloed van de velen die hun leven verloren voor hem, voor het grote idee dat het zijne was en dat wedergeboorte nastreefde, maar haat zaaide en dood oogstte.

Hij legde de hoeksteen voor de tempel op de dag van de overwinning, terwijl de vermoeide soldaten naar huis terugkeerden. Hun tred was zwaar als de tred van de dood, en waar zij hadden gelopen verdorde het gras.

Hij zag het, maar bande dit beeld uit zijn geheugen. Hij had de dwangbuis van de teergevoeligheid overwonnen en was alleen met de god wiens eer hij had hersteld en wiens tempel de grootste ter wereld zou worden. In een duizelingwekkende schoonheid verhief deze zich ten hemel, en er binnenin was plaats voor vijftig kleinere tempels, één voor elk van de zonen en dochters van de grote god. Zaal na zaal werd bekleed met goud dat glans moest geven aan de hymnen en de oude taal. Zo groot was zijn overwinning, zo enorm dat alles wat bescheiden en fijngevoelig was, werd vernietigd. De muren van de tempel waren zo dik dat de wind tegen de stenen kapot sloeg en zo goed gemetseld dat geen vogel er houvast vond.

's Avonds sloegen de trommels hun zware ritme over de

stad. Ze moesten kond doen van de rust aan het volk dat eindelijk zijn eigen taal sprak. Maar het volk vond in zijn hart geen rust vanwege de vele doden, de verscheurdheid, de broedermoorden en het verraad, die ook een gevolg van de vrijheidsstrijd waren.

Het volk beheerste de kunst om het geheugen de toegang te ontzeggen niet. In elk huis van de stad stond de schande ongeduldig te trappelen op de drempel, en het schuldgevoel waakte 's nachts bij de bedden. De dagen waren nauwelijks gemakkelijker te verdragen, want dan huilde het verdriet in de wind. Iedereen hoorde dit, behalve de man in de enorme tempel, hij die zijn geheugen had gedood.

In de stad werd gefluisterd dat de godenkoning niet kon slapen, dat hij hun schuld droeg tijdens zijn eindeloze wandelingen langs de muren in de nieuwe tempel. En het was waar dat hij daar nachtenlang liep, steeds in tweestrijd over de vraag wat er tussen hem en de god in stond wiens heerschappij hij op aarde in ere had hersteld.

Hij kreeg geen antwoord en de ongehoorde gedachte dat God dood was deed hem sidderen.

Maar zijn astrologen waren hoopvol gestemd over het nieuwe rijk en er werden liederen gecomponeerd te zijner ere. Het verdriet van het volk werd gedempt door grote ceremonieën, schouwspelen van een nooit eerder vertoonde pracht.

Hij had twee moeders. Ke-Ba, die de priesteres van de godin Gatumdus was en die hem in het geheim had gebaard. Ze was nog steeds mooi en haar naam was groot bij het volk.

Maar Lia, die hem had opgevoed, kende hij niet. Zij was

verdwenen in het volk, in de grijze massa zonder gezicht. Allebei hielden zij van hem zoals moeders dat doen, en misschien was het wel zo dat hij van hun liefde leefde.

In moeilijke momenten overwoog hij terug te keren naar de rivier, naar de boom en de vogels, maar hij was nu zo ver van de waarheid verwijderd dat hij dacht dat ze niet langer naar hem zouden luisteren.

En dat kon hij niet verdragen.

Zo kwam ten slotte zijn laatste offer, die nacht in het voorjaar dat hij de stier met de lange horens zou tegenkomen en zijn gouden mes in het hart van het grote dier zou zetten. Hij wist dat zijn daad afhankelijk was van de afwezigheid van angst en dat hij vrij moest zijn van welke gedachte dan ook.

Hij had veel ervaring; hij had dit jarenlang gedaan in de tijd dat het lied van de vogels opsteeg over de wedergeboren grassen en over de velden, waar de eerste zaden al ontkiemden uit de rode aarde.

Maar op dit ogenblik dat zijn laatste op aarde zou zijn, kwam het schuldgevoel uit zijn geheugen naar voren en dat blies de deur op die hij met dubbele sloten had verzegeld. En de horens van de stier spleten zijn borstkas open en zijn hart viel eruit en spatte uiteen.

Toen zagen alle mensen dat het alleen de buitenkant van een hart was. Het was van steen en zo dun als de schaal van een vogelei. En ze zagen dat de inhoud bestond uit zwart verdriet, zo overweldigend groot dat het ieder moment de dunne schaal had kunnen doen breken.

11

Ruben had Simon tijdens het concert in de gaten gehouden. Eerst met plezier, daarna met verwondering en op het laatst met ongerustheid. De jongen zag lijkbleek en ergens tegen het eind leek het of hij moeite had met zijn ademhaling.

Er was afgesproken dat ze in de stad in Lentovs huis zouden blijven slapen. Toen de tram hen al schuddend in de richting van Majorna voerde, spraken ze geen van beiden een woord. Op de tafel in de eetkamer stond een schaal met boterhammen die overdekt was met een witte theedoek, maar Simon schudde zijn hoofd. Hij liep regelrecht naar de kamer van Isak en liet zich in bed vallen. Ruben had nog nooit gezien hoe een mens zo van het ene op het andere ogenblik in slaap kon vallen; de jongen was er nog net in geslaagd om zijn bovenkleren uit te trekken.

Maar hij glimlachte tegen Ruben en hij glimlachte in zijn slaap en toen Ruben een uurtje later de indrukken van die avond bij een cognac had verwerkt, hoorde hij hoe Simon in zijn slaap tegelijk lag te lachen en te huilen.

Aan het ontbijt zei Simon: 'Waarom moest hij sterven?'

'Wie?' vroeg Ruben, die achter het *Handelsblad* zat.

'Die man in de muziek, die koning of die priester, of hoe hij ook genoemd werd.'

'Simon,' zei Ruben, 'ik heb geen priester gezien. Muziek gaat niet over iets bepaalds; verschillende mensen beleven het op een verschillende manier.'

Simon was enorm verbaasd.

'Dus die, hoe heet hij ook weer, die dit verzonnen heeft...'

'Berlioz...'

'Ja, Berlioz, die. Hij heeft die priester nooit gezien?'

'Nee.' Ruben voelde over de ontbijttafel heen Simons ernst; hij vouwde zijn krant zorgvuldig dicht en antwoordde, onzeker over de juiste woorden: 'Wat kunst is, Simon, ontstaat bij de mensen wanneer ze luisteren of lezen of naar een schilderij kijken. Dat roept iets op, gevoelens die je niet kunt benoemen.'

Simon deed zijn best. Zoals altijd wanneer hij druk in beslag werd genomen door een poging om iets te begrijpen, kneep hij zijn ogen samen en Ruben dacht, zoals hij al vaker had gedacht, dat er een vuur in de jongen brandde.

'Dus het is niet echt?'

'Dat hangt af van wat je met echt bedoelt. Jij leest zo veel, dus je zult al wel hebben begrepen dat mensen in boeken niet echt zijn op dezelfde manier als jij en ik echt zijn, en dat wat er met hen gebeurt niet gebeurt in wat je de werkelijkheid noemt.'

Simon had daar nog nooit over nagedacht; hij had altijd aangenomen dat de werelden waarin hij voet zette en de mensen die hij ontmoette in boeken, hadden bestaan en er precies zo uit hadden gezien als hij ze zag.

Hij had het gevoel dat het helemaal leeg werd in zijn hoofd. Hij kneep zijn hele gezicht samen en beet op zijn onderlip in een poging om enige ordening in zijn gedachten aan te brengen.

Toen zei Ruben: 'Je moet je hoofd niet gebruiken, Simon. Je moet je hart gebruiken.'

En Simons gezicht werd uitdrukkingsloos. Toen hij zijn blik richtte op iets ver weg in het onweetbare, sperde hij zijn ogen wijd open. Hij herinnerde zich hoe in zijn kindertijd de bomen tegen hem hadden gepraat, zo duidelijk, en toch achteraf zo onmogelijk om je te herinneren. Hij dacht aan de man en aan de gesprekken onder de eiken, aan hoeveel kracht hij had gekregen zonder zich ooit te kunnen herinneren wat er was gezegd.

Ruben, die de verandering bij hém opmerkte, durfde ten slotte te vragen: 'Wil je erover praten?'

En Simon durfde het ongehoorde en zei snel: 'Ik herkende die man in de muziek, die priester of die koning. Hij was bij me toen ik klein was.'

Ruben knikte glimlachend.

'Ik begrijp het, Simon. Ooit heeft hij voor jou bestaan en de muziek riep die herinnering weer op.'

'Maar hij was er echt!'

'Ja, ik geloof je wel. Ooit maakte hij deel uit van jouw werkelijkheid, jouw innerlijk leven. Het is heel gewoon dat kinderen fantasiefiguren bedenken als troost voor hun eenzaamheid.'

Simon voelde zich tegelijkertijd opgelucht en voor de gek gehouden, want er klopte iets niet in wat Ruben zei, dat voelde hij.

Maar toen kwam het dienstmeisje om af te ruimen en Ruben moest naar Olga, in het gekkenhuis op Hisingen. Het was een van de zeldzame dagen dat ze warm water hadden, en Ruben drong er bij Simon op aan dat hij een bad zou nemen alvorens hij met de tram naar huis, naar Erik en Karin, ging. Simon knikte, maar waste zich alleen maar net zo halfslachtig als anders.

Toen Ruben het huis uit was gegaan, liep de jongen rond om alles te bekijken. Er hingen een paar grote schilderijen waar Erik altijd grapjes over maakte: geklad dat niets voorstelde. Simon stond ze lang te bekijken terwijl hij dacht dat er nu misschien iets in zijn hart zou moeten ontstaan – maar dat gebeurde niet.

Hij ging naar huis en daar was alles net als anders: het was de boot voor en de boot na, niemand had tijd voor hem en niemand vroeg hoe hij het concert gevonden had. Om dat laatste was hij natuurlijk eigenlijk alleen maar dankbaar.

Maar Ruben kon de gedachte aan de jongen die zo in de muziek was opgegaan niet kwijtraken en 's zondagsavonds belde hij Karin op om te zeggen dat hij het idee had dat Simon muzikaal was en dat hij graag wilde dat de jongen de gelegenheid kreeg om dat talent te ontwikkelen. Als het tenminste bestond. Hij, Ruben, had een vriend die muziekleraar was. Simon zou het eens kunnen proberen.

'Ik kan het mis hebben', zei hij. 'Maar het zou mij niet verbazen als Simon aanleg voor, ja misschien voor de viool zou hebben.'

Het was maar goed dat Ruben Lentov Karins gelaatsuitdrukking niet kon zien. Nu hoorde hij alleen maar hoe haar stem op en neer schoot, toen ze antwoordde dat Simon het zelf mocht weten, maar dat ze geen geld hadden voor muzieklessen.

Maar Ruben was kordater geworden na dat verhaal over de Kerstmannen van Älvsborg, dus hij zei zeer beslist dat hij, als hij gelijk had met zijn vermoeden, erop stond om Simons lessen te betalen.

De jongen lag zoals gewoonlijk op zolder met zijn neus in een boek. Maar hoewel Lord Jim in Joseph Conrads roman net zijn noodlottige sprong vanaf het roestige dek van het stoomschip Patna had gemaakt, was Simon er met zijn hoofd niet bij, was hij niet echt aanwezig in de vaarroute van de Perzische Golf. Zijn geest was op ontdekkingstocht in het land waar het gras zong en de rivier haar woorden van milde wijsheid tegen de mensen sprak.

De priesterkoning had gesproken over het in ere herstellen van een taal die verboden was geweest en die vergeten was.

Simon deed moeite om dat te begrijpen. Hij moest denken aan wat Ruben had gezegd over denken met je hart en toen lukte het hem om de rivier en de stem van de mensen te horen.

Maar toen namen zijn hersenen het over; wat was het dat ze geroepen hadden? Wat was het geheim van die vergeten taal?

Karin liep de krakende trap op naar boven en zei tegen hem: 'Oom Ruben heeft het in zijn hoofd gehaald dat je muzikaal bent en hij wil dat je viool leert spelen.'

Voor de verandering hoorde hij nu eens niet die verwijtende ongerustheid die hem altijd door merg en been ging, zo overweldigd was hij door het gevoel van blijdschap bij de gedachte die door zijn hoofd schoot: als hij kon spelen zou hij zelf het wonder kunnen doen herleven.

Zoals altijd in de zomer sliepen de jongens op zolder. Isak lag in een diepe slaap, moe als hij was van de zware lichamelijke arbeid. Dus alleen Simon werd wakker van de ruzie beneden in de keuken. Hij hoorde Erik tegen Karin schreeuwen of ze potverdomme gek was geworden en dat hij, Erik, warempel schoon genoeg had van mysterieuze violisten.

Zoals altijd wanneer ze ruzie hadden, groeide bij Simon het schuldgevoel en deze keer wist hij absoluut zeker dat het zijn schuld was. Hij ging rechtop in bed zitten omdat hij misselijk werd, en toen de stemmen steeds harder klonken en de scheldwoorden steeds gemener werden, kwamen de tranen en werd alles onverdraaglijk en hij klom van de zoldertrap naar beneden. Hij deed de keukendeur open, bleef staan en zei huilend dat hij niet naar vioolles wilde.

Karin had het gevoel dat de jongen haar midden in haar hart had geraakt. Erik schaamde zich zo diep dat hij niet anders kon dan doorgaan met snauwen: 'Jij hoort te slapen, stuk ongeluk.'

Maar dat hoorde Simon niet, want Karin sloeg haar armen al om hem heen. En toen ze zijn tranen afdroogde en hem troostte en verzekerde dat Erik en zij allebei niets anders wensten dan dat hij blij en gelukkig was, was hij weer vier jaar en het leven was overzichtelijk en ze gaf alleen maar om hem.

'Maar jullie geven alleen maar om Isak', zei Simon en daarna viel hij als een blok in slaap.

Dit was een moeilijk en zinvol moment voor Erik, die, toen hij ging klussen in de kelder, bedacht dat hij een week vrij zou nemen van het bouwen van de boot om met Simon te gaan vissen. En voor Karin, die, toen ze de jongen in haar eigen bed legde, terugblikte op het voorjaar en de zomer en op alles wat er was gebeurd sinds Isak gek was geworden.

Na die nacht werd Simon weer opgemerkt in het huis aan de riviermonding.

Toen hij de volgende ochtend naar zijn muziektest was vertrokken en Isak naar zijn bijlessen, hadden Erik en Karin gelegenheid om met elkaar te praten. Niet over hun vreselijke ruzie en hun angst dat ze de ander hadden gekwetst, en ook niet over hun gemeenschappelijke schuldgevoel over het feit dat de jongen zich verlaten had gevoeld. En vooral niet over datgene dat hen in het voorstel van Ruben zo had geschokt.

Zulke dingen hadden allemaal met gevoelens te maken en gevoelens werden alleen onder woorden gebracht als er in hun keuken en binnen hun huwelijk ruzie werd gemaakt.

Maar over feitelijkheden, over het rare van Rubens idee, konden ze wel met elkaar praten.

'Simon heeft nog nooit iets om muziek gegeven', zei Karin en ze bracht in herinnering hoe ze gelachen hadden toen Simon een keer van de kleuterschool thuis was gekomen en had gezegd dat hij het niet verdroeg, dat zingen van 'God enkel licht' iedere ochtend.

'En weet je nog dat hij bij de afsluiting van het schooljaar zei dat hij misselijk werd, toen de kinderen "Nu breekt de mooie bloeitijd aan" zongen en de juffrouw op het orgel speelde?'

'Ja.' Erik knikte. Maar hij kon zich ook herinneren hoe de juffrouw had gespeeld en hoe de kinderen hadden geklonken, en dat Simon van ellende in elkaar was gekropen toen hij klein was en Karin voor hem zong.

Karin had absoluut geen muzikaal gehoor.

'Van de draagbare grammofoon hield hij ook nooit', zei Karin. Erik dacht aan de kromme platen en dat hij het gebrom van Sven Olof Sandberg zelf ook nauwelijks had kunnen verdragen wanneer het nog erger was dan anders omdat Karin had vergeten om de grammofoon goed aan te slingeren.

En hij herinnerde zich hoe hij een keer een houten vrachtauto voor de jongen had gebouwd. Simon was toen nauwelijks meer dan drie jaar geweest en had bij hem op de schaafbank gezeten, terwijl Erik aan het timmeren was en de Toreador-aria uit *Carmen* floot. Opeens had de jongen de melodie te pakken gehad en die meegezongen, klein als hij was.

Zo zuiver als een klok.

Toen al had Erik zich ongemakkelijk gevoeld. Hij had moeten denken aan erfelijkheid.

Met nat gekamde haren, een pasgestreken overhemd aan en het geld voor de tram in zijn zak, liep Simon de bekende weg naar de halte. Hij voelde zich net zo vrolijk als die keer, langgeleden, dat hij bij oom Aron op de bagagedrager had gezeten en juist was gered van een lot van verloren- en verlatenheid.

Op het Järntorg stapte hij over op een andere tram en zo naderde hij zijn doel: een grote, bijzondere etage aan Park-Viktoria, waar een opvliegende en ongeduldige man op hem wachtte.

Maar Simon liet zich die dag niet zo gemakkelijk bang maken.

Toch werd het bezoek een teleurstelling; de opvliegende man, die lang haar had en in gebroken Zweeds schreeuwde, zat alleen maar op zijn piano te hameren terwijl hij wilde dat Simon de tonen nadeed. Een viool was nergens te zien. Maar tegen het einde werd de langharige vriendelijker en hij mompelde dat iets interessant was.

'Heel interessant', zei hij.

'Het ging wel', zei Simon, toen hij was thuisgekomen en Karin hem vroeg hoe het was geweest.

'Dus je hebt geen interesse?'

Nu stond Simon open voor haar onrust en hij antwoordde: nee, dat had hij eigenlijk niet.

Maar een uur of wat later belde Ruben om te vertellen dat de ongeduldige man aan Park-Viktoria had gezegd dat Simon iets had dat een absoluut gehoor werd genoemd en dat heel weinig voorkwam.

'Maar hij wil geen les', zei Karin en dit keer kon Ruben horen dat ze opgelucht was.

'Dat kan niet', zei Ruben. 'Ik kom naar jullie toe om met de jongen te praten.'

Zo zaten ze 's avonds alleen in de zondagse kamer, Ruben en Simon.

'Je zult een nieuwe taal vinden', zei Ruben.

Simon dacht aan het Engels, dat hij leuk vond, en aan het Duits, dat moeilijk was, en hij kon niet begrijpen waarom hij er nog een taal bij moest leren.

'Wat moet ik daarmee?'

Ruben keek teleurgesteld toen hij zei dat hij de indruk had gehad dat Simon voor die taal aanleg had en dat hij daarmee veel van wat hij in zich had zou kunnen uitdrukken...

De jongen was zo snel verdwenen dat Ruben de verwondering en de pijn in de donkere ogen niet had kunnen zien.

Violist werd hij nooit.

12

Het was in deze tijd dat Simon begon te liegen. Het ging zo gemakkelijk dat het net was alsof hij ook hiervoor een sluimerend talent had bezeten.

Het was net als hardlopen, net als die keer dat hij de zestig meter op de atletiekbaan van Nya Varvet sneller liep dan wie ook en de eerste prijs won.

Algauw was hij er een meester in. De leugens rolden hem uit de mond; van de ene kwam de andere, die weer de derde met zich meebracht, die op haar beurt weer de volgende en de volgende voortbracht.

Hij kon ze niet meer laten ophouden.

De leugens gaven hem een plaats onder de zon; op school en bij zijn vrienden thuis. Hij kreeg er Karins aandacht mee en Eriks waardering. En hij werd eenzamer dan ooit.

Daar in het huis aan zee was het bestaan eenvoudig, want daar bestonden duidelijke grenzen tussen zwart en wit. Liegen was zwart; verzachtende woorden, dat hij alleen maar fantaseerde, werden er niet gebruikt.

Simon loog en zodra hij alleen was zette het schuldgevoel zijn klauwen in hem. En ook de angst. Hij dacht dat als Karin hem een keer zou weten te ontmaskeren, dat dan haar liefde, waar hij op teerde, zou ophouden. Met groeiende vrees trainde hij zijn geheugen om te onthouden wat hij gezegd had om zichzelf nooit tegen te spreken. Die inspanning sloeg op zijn maag, die samenkromp en pijn deed.

Het begon met Dolly, het meisje op de tweede verdieping van het huis naast hen. Van haar hield hij al zolang hij zich kon herinneren. Ze had ogen als vergeet-mij-nietjes en een hele bos blonde lokken, die één keer in de week zorgvuldig gekapt werd door haar vader, die kapper was.

Dolly was enig kind en had het hoog in de bol, net als haar vader en moeder. Toen ze hun intrek namen op de etage bij de Gustafssons, kregen de muren behang met kleine bloemetjes en er kwamen bonte, oosterse kleden op de vloer. De stijlmeubels stonden in kaarsrechte lijnen opgesteld en je hoorde het gerinkel van de kristallen kroonluchters aan de plafonds.

Dolly had een eigen kamer. Alleen dat al was in het dorp zo ongewoon dat het haar in een bijzonder daglicht stelde.

Haar vader was met zijn dochter aan de hand de buurt rondgelopen en had aangewezen in welke huizen ze met de kinderen mocht omgaan en waar ze in de keuken mocht spelen. Niet in huize Olivia, want daar woonden zigeuners, en niet in huize Helene, want daar hadden ze de tering gehad.

Net zoals de boten droegen ook de huizen vrouwennamen.

De Larssons behoorden tot degenen die goedgekeurd werden. Dat was een geluk voor Dolly, want daarmee kreeg ze toegang tot de keuken van Karin, tot de realiteit en tot degelijke kost.

Tien jaar later zou Dolly de elegante hoer van de streek worden, maar toen Simon en zij veertien waren en van elkaar hielden, kon niemand daar al een vermoeden van hebben.

Nu was het onduidelijk of Dolly ook van hem hield, maar Simon was voornaam; hij ging naar het lyceum en de werf van zijn vader groeide in macht en aanzien. Bovendien was Simon lang en knap geworden; het donkere in zijn uiterlijk dat hem afwijkend had gemaakt toen hij klein was, maakte hem nu spannend.

Vanuit het halfronde zolderraampje van de Larssons kon je recht in Dolly's meisjeskamer kijken. Geen van beiden zei er ooit iets over tegen de ander, maar iedere avond kleedde Dolly zich langzaam en wellustig uit – met de lamp aan en zonder de gordijnen dicht te doen.

En Simon stond op zolder met zijn hand in een stevige greep om zijn lid. Hun genot was groot en al snel lukte het hun hun lichamen op elkaar af te stemmen. Nadat Dolly er eindelijk in geslaagd was haar onderbroek uit te trekken, zette ze altijd haar ene voet op de vensterbank en bracht ze haar hand naar haar spleet, terwijl ze haar achterste en geslacht in een steeds sneller ritme naar voren en weer terug bewoog.

Dan kwam Simon klaar. De wellust die hem vervuld had, explodeerde in een duizelingwekkende seconde; zijn hand vulde zich met warm zaad en zijn hart met dankbaarheid ten aanzien van het meisje dat zich zo genereus aan hem aanbood.

Als ze elkaar tegenkwamen keken ze elkaar niet aan. En er werd geen woord gesproken, want Simons mond zat dichtgeplakt. Maar op een zondag zei hij tegen zijn vrienden thuis dat hij Dolly had gekrikt in de kiosk bij het strand die in de winter altijd leegstond.

Hij had niet goed begrepen dat er zo veel interesse voor deze zaak zou bestaan; ze wilden allemaal meer weten en dat kregen ze te horen ook. De ene leugen riep de andere op en hij schetste opwindende beelden in wit, roze en rood.

Ja, ze had haar op haar kut. En een moedervlek op haar ene dij; ze wilde dat hij haar daar beet. Nee, ze had niet zoveel gebloed, dat met die maagdelijkheid, dat viel wel mee. Ja, je mocht aan haar borsten zuigen.

Simon was zelf zo verbouwereerd over wat hij vertelde dat hij niet lette op het gemurmel om hem heen. Maar al snel genoot hij met volle teugen van de bewondering die hem vanuit de opengesperde jongensogen rondom hem tegemoet blonk.

Dus op maandag probeerde hij alles nog eens uit op school, met hetzelfde resultaat. Zelfs Isak was met stomheid geslagen en trots op zijn vriend.

In de grote pauze liepen ze zoals ze tegenwoordig altijd deden te blauwbekken langs het hoge smeedijzeren hek rond de meisjesschool, waar ze rondsliepen om naar de giechelende groepjes meisjes aan de andere kant te kijken. Ze haatten ze allemaal, omdat ze alles bezaten wat jongens nodig hebben; al die openingen waar al hun dromen over gingen, die zachte, vochtige, geheimzinnige openingen.

'Stel je voor dat je zelf een opening had, waarmee je mocht doen wat je wilde', zei Isak, en Simon werd bang en opgewonden; dit hadden ze nog nooit eerder onder woorden gebracht. Nu, na het verhaal over Dolly, was alles mogelijk, dat begreep Simon wel.

'Ben je met je lul in haar geweest?' zei Isak.

'Nee,' zei Simon, 'ik heb het bij mijn vinger gelaten.'

Op dat moment vervloekte hij zichzelf; hij voelde hoe er een muur tussen hem en zijn vriend oprees en hij wilde die afbreken. Maar er was geen weg terug meer.

De leugens bleven uit hem stromen en naarmate de tijd verstreek, kon hij ze steeds beter gebruiken.

Op een ochtend in het vroege voorjaar, toen het stormde over de riviermonding, nam hij een omweg langs de zee, langs het strand, waar hij op de klippen ging zitten en wilde geloven dat de storm zijn valsheid schoon zou blazen. Hierdoor kwam hij het eerste uur te laat. Hij moest aankloppen en zich verontschuldigen. Het was hem al eerder gebeurd, maar hij gaf nooit een reden op en accepteerde zonder protest het briefje met de slechte aantekening dat hij mee naar huis moest nemen. En dat Karin altijd, zonder verwijten, ondertekende.

Deze keer zei hij: 'Ik was bij een ongeluk.'

En hij beschreef de vrachtwagen die met piepende remmen een vrouw had overreden en het bloed dat in de goot van de Karl Johansgata was gestroomd en hoe hij er ternauwernood in was geslaagd om te remmen met zijn fiets en dat hij door de politie als getuige was gehoord.

Ze hadden De Gestoorde voor wiskunde, een grove man van ruim vijftig jaar die al tientallen jaren gewend was om jongens te doorzien. Dus hij deed niet mee aan het verbaasde gemurmel in de klas; hij zei alleen tegen Simon dat hij moest gaan zitten en wortels moest trekken.

In zijn kille ogen lag wantrouwen en Simon voelde hoe zijn maag samenkromp. Dit verhaal kon gecontroleerd worden en De Gestoorde zag eruit alsof hij dat zou doen ook.

Maar Simon zou leren dat er bondgenoten waren voor het kwaad in hem, behulpzame krachten op gebieden waarvan de meeste mensen denken dat daar het toeval regeert. De volgende dag werd er in het *Handelsblad* geschreven over het ongeluk op de Karl Johansgata en De Gestoorde begon opnieuw over het onderwerp: 'Larsson had het mis', zei hij. 'Het was geen vrouw die overreden is, maar een oudere man.'

Vervolgens hield hij een uiteenzetting over de psychologie van getuigen; over hoe de schrik als je een ongeluk ziet, je beeld vervormt.

'Getuigen hebben het vaak mis en zijn zelden te vertrouwen', zei hij.

In het begin voelde Simon zich alleen maar opgelucht, en een klein beetje triomfantelijk. Maar later kwam de schrik weer terugsluipen en zocht nu een plaatsje in zijn middenrif en niet in zijn maag.

De duivel zorgt voor zijn eigen mensen, zei Erik altijd.

Nu wist Simon dat dat waar was. De duivel hielp hem, iedere keer opnieuw. Hij zei tegen Erik dat hij de enige in de klas was die aan het touw tot aan het plafond had durven klimmen en dat de gymnastiekleraar verbaasd was geweest en had gezegd: 'Potverdorie, jongen.'

Erik glom van trots.

De volgende dag klom Simon, die anders last van hoogtevrees had en een beetje bangig was aangelegd, tot aan het plafond en de gymnastiekleraar, een oude ritmeester met belachelijk kromme benen, zei: 'Potverdorie, jongen.'

Hij vertelde Karin dat hij bij grootmoeder langs was geweest en Karin was blij. De volgende dag besefte hij dat hij echt bij de oude vrouw langs moest gaan. Hij nam een bos bloemen mee, die hij gekocht had van geld dat hij van Isak had geleend. Tegen Isak zei hij dat hij een weddenschap van Abrahamsson, die ze voor godsdienst hadden, had verloren. Dat verhaal hoefde hij verder niet af te dekken, want Isak was nooit bij godsdienst en ontmoette Abrahamsson dan ook nooit.

Maar Simon werd geprezen om de bloemen; zijn moeder was erdoor geroerd.

Op een middag, toen hij van de tramhalte op weg was naar huis, had er iemand met krijt op de muur van de bakkerij geschreven: 'Simon houdt van Dolly', met een hart en een pijl erbij zelfs. Simon voelde hoe zijn nek verstijfde door de inspanning die het kostte om zijn hoofd zo te houden dat hij het niet gelezen zou kunnen hebben.

Toen hij de weg omhoog slenterde naar hun garage, zag hij haar, Dolly, in de bocht onder de heg zitten. Met rode wangen en vochtige ogen.

'Heb je het gelezen?' vroeg ze.

Hij knikte.

'Is het waar?' vroeg ze, en hij had wel willen doodgaan of tenminste door de grond willen zakken. Hij moest denken aan de ontdekkingsreiziger Nordenskiöld, aan het schip Vega op zijn weg door de Noordoostpassage en aan de grote ijsvlaktes in de poolnacht; hij voelde hoe droog zijn mond was en hij durfde niet in de vergeet-mij-nietjes te kijken.

Maar ze hield vol en vroeg wat luider: 'Is het waar?'

En Simon, die bang was dat Karin het zou kunnen horen, knikte en zei, nauwelijks hoorbaar: 'Ja, ik geloof van wel.'

Hij dacht eraan dat je meisjes niet mag slaan. Voor het geval ze zich op hem zou werpen en zou beginnen te krabben. Maar ze keek heel tevreden en zei dat als ze elkaar na het eten bij de klippen waar ze altijd gingen zwemmen zouden treffen, hij haar mocht kussen.

Hij had geen zin om naar de afspraak te gaan, maar durfde niet weg te blijven. En zo kwam het dat de eerste keer dat hij een meisje kuste, het naar zwarte leugens en galgele angst smaakte. Al zijn liefde verdween met die kus; hij verafschuwde het meisje van wie hij zijn hele jeugd had gedroomd.

Toen hij besefte dat ze algauw van hem zou verlangen dat hij alles met haar zou doen waarover hij verteld had dat hij het al had gedaan, raakte hij bijna in paniek.

Toen kwamen de leugens weer uit zijn mond rollen om hem, zoals gewoonlijk, te redden en te helpen. Hij kneep zijn ogen samen tot een melancholieke blik en zei: 'Ik zal gauw doodgaan. Weet je, ik heb tuberculose, maar niemand weet dat nog. Ik hoest hele nachten bloed op.'

Dolly vloog al.

Sterker dan haar veroveringslust, sterker dan haar geilheid, sterker zelfs dan haar ijdelheid was de angst voor de tering.

Toen het nieuws van tien uur die avond in de keuken werd aangezet, ging Simon zoals altijd naar de zolder om te kijken hoe Dolly zich uitkleedde. Maar dit keer had ze de verduisteringsgordijnen dichtgetrokken.

Simon voelde zich opgelucht.

Een week later zei Karin: 'Tante Jenny was hier en ze beweerde dat jij zo vreselijk moest hoesten. Ik heb er niets van gemerkt, maar ze keek zo angstig dat ik er bijna ongerust van werd.'

'Ach', zei Simon. 'Ik was laatst een keer een beetje verkouden en moest hoesten toen Dolly bij me in de tram zat.'

Karin kon een glimlach niet onderdrukken en daarna zuchtte ze even bij de gedachte aan hun deftige buren in die mooie kamers, waar de angst voor bacillen van de muren droop.

En toen kwam het voorjaar, met hevige winden uit het westen. Ze bliezen de rotsen schoon, het gras werd groen en de stemmen van de mensen klonken helderder en hoopvoller dan ze in jaren hadden gedaan.

Toen de appelbomen in bloei stonden, lieten ze Isaks boot te water. De boot was precies geworden zoals Erik het zich had voorgesteld: de mooiste zeilboot van de riviermonding. Vlak voor de Oljeberg werd ze aan boeien en anker afgemeerd. In afwachting van lood, dat nu niet te koop was, had ze als ballast graniet aan boord. Ze liepen wat vertraging op door de zeilmaker, maar op een dag tegen het einde van mei konden ze gaan proefzeilen.

De boot vloog; ze doorkliefde de zee als in een dans en Isak vergat zijn dromen over vochtige openingen, zo gelukkig voelde hij zich toen hij haar voor de wind kreeg. Bij de wind bleek ze een kei te zijn. Ze werd Kajsa gedoopt, naar Karin en de westenwind.

Precies op D-day, toen de grote invasie haar bruggenhoofd in Normandië sloeg, deden Isak en Simon eindexamen, met goed gevolg. Simon was de beste in Zweeds en hij ontving de literaire prijs van de school, zoals dat heette.

Hij had een opstel geschreven over een boer die bij de Oljeberg zijn akkers bewerkte en die een zure vent was voor wie Simon zijn hele leven bang was geweest. Maar in het opstel had hij de oude man veranderd in iemand met grote talenten, een runenmeester, die de kracht van de oude tekens kende, die omging met de machten en het boze oog had, maar ook mensen kon genezen van ernstige en zeldzame ziektes.

Docente Kerstin Larberg las het opstel voor in de klas en zei dat het een fantastisch verhaal was.

'Zit er een kern van waarheid in? Of schuilt er een dichter in Larsson?'

De woorden schoten als een bliksemflits door Simons hoofd en opgelucht zei hij met een zucht: 'Ik heb het verzonnen.'

Een tijd lang had hij de bijnaam De Dichter, maar dat kon hem niets schelen. Hij moest veel aan oom Ruben denken en aan wat die na het concert had gezegd, over dat er

121

een werkelijkheid bestaat die opgebouwd wordt door leugens, maar die de waarheid bevat.

Voordat hij die avond in slaap viel, nam hij een besluit: hij zou zich uit zijn leugens schrijven. De hele zomer zou hij verhalen schrijven over vrouwen, borsten en openingen, over poolreizigers en over de dood die in de zuidelijker landen van Europa heerste. Hij zou een verhaal bedenken over Karin, die als schikgodin aan het spinnewiel in de keuken het lot van de mensen zat samen te twijnen tot een draad, en over het mannetje uit zijn dromen; de man die zo'n rare hoed droeg en ginds in het rijk van het hoge gras oorlog voerde en stierf toen hij een stier in de tempel wilde offeren. Over Dolly zou hij schrijven, die trouweloze slet, die de man van wie ze houdt bedriegt, en over tante Inge in het eenzame pachterswoninkje aan het blauwe meer. Dat laatste verbaasde hem; wat kon je nou in godsnaam over Inge schrijven?

Maar daar maakte hij zich nu niet druk over. Morgen zou hij oom Ruben om schriften vragen, een hele stapel.

Toen strekte het plezier van de vrijheid van de zomervakantie zich uit voor de twee jongens, die nu niet langer onafscheidelijk waren.

Isak zeilde; Simon schreef.

En Karin bewerkte de grond, Erik zong en legde de kiel voor de derde zeilboot, en de Amerikanen en Engelsen bevrijdden Parijs.

Toen de zomer haar hoogtepunt bereikt had, hielden de leugens op uit de mond van Simon Larsson te stromen. Misschien was het zo dat de verhalen die hij geschreven had hem geholpen hadden, ook al waren het er niet zoveel geworden als hij zich had voorgenomen. Hij was algauw tot de ontdekking gekomen dat het veel moeilijker was om te fantaseren dan om te liegen. Maar midden in de realiteit gebeurde er iets; iets dat zo verbazingwekkend was dat het al Simons fantasieën overtrof.

Hij kon het aan niemand vertellen, want niemand zou hem geloven.

Ze heette Maj-Britt en ze was het type vrouw dat over alle randen uitdijt, als een deeg dat staat te gisten wanneer je te zuinig bent geweest met het meel, maar te kwistig met de gist. Weelderig, roomwit, overvloedig.

Ze was negentien jaar en dochter van een weduwnaar. Haar vader werkte met springstoffen en was betrokken geweest bij de huizenbouw op de hoge rotsen aan de rand van de stad. Maj-Britt leed aan een gebroken hart omdat ze had gehouden van een van de zeelieden die de dood hadden gevonden in de ijzeren buik van het schip De Wolf. Maj-Britt had met heel haar hart gerouwd en de tranen hadden haar nog losser gemaakt.

Isak en Simon werden op een warme namiddag naar haar toegestuurd om hun haar te laten knippen. Ze werkte bij de kapper. Ze knipte en streelde, en ze praatte maar door over hoe mooi Isaks haar viel en welke kwaliteit het had, en met wat voor stevige haardos Simon door de natuur was verblijd. De jongens zagen net zo rood als de pioenrozen die buiten voor het raam in de trillende hitte stonden en ze kregen allebei een stijve. Maj-Britt zag dat en haar onbedaarlijke lach rolde door de kapsalon de tuin in, waar de verbaasde hommels stilvielen in de overrijpe bloemkelken.

'Komen jullie vanavond naar mijn huis. Tegen zes uur. Het huis van de springstoffenman. En neem de kelderingang', zei ze toen ze weer bijgekomen was van het lachen.

Ze waren alleen in de salon; de kapper was met zijn vrouw en Dolly op vakantie.

Thuis zei Karin dat dat knippen ook niet veel voorstelde; het wicht had er meer af moeten halen, daar werd ze tenslotte voor betaald. Zoals de jongens er nu uitzagen, had ze hen beter zelf kunnen knippen.

Ze aten die avond godzijdank vroeg en even voor zessen vlogen de jongens op hun fietsen naar de rand van de stad en de heuvel met het duizelingwekkende uitzicht over de zee en de stad. Het was zo steil dat ze staand op de pedalen omhoog moesten stampen. Maar toen ze langs het huis slopen en de kelderdeur aan de achterkant vonden, was het niet alleen van de inspanning dat hun hart bonkte en het zweet gutste.

Ze wachtte hun al op. Ze had in de kelder een kamer met een groot bed, dat de zeeman van De Wolf goedkoop op een veiling had gekocht en daarheen had gesleept. Ze lachte net zo onbedaarlijk als ze in de kapsalon had gedaan, en zo ongegeneerd dat de jongens algauw mee moesten lachen.

Het was net een droom, een gekke, geweldige droom, toen ze haar jurk uittrok en er helemaal niets onder aan bleek te hebben en op bed ging liggen met haar armen en benen uitgestrekt.

'Kom maar, hummeltjes,' zei ze, 'dan gaan we het eens even gezellig maken. Ik leer het jullie wel.'

En dat deed ze; algauw lagen ze elk op een vrouwenarm en zij voerde hun handen naar alle geheime plekjes en oefende de juiste handgrepen, afwisselend hard en zacht. Ze zogen en knabbelden elk aan een borst en Maj-Britt steunde en kreunde van genot en plezier toen Simon als eerste zijn lid in haar opening stak.

Ze kwam klaar en schreeuwde zo hard dat het plafond van de kelder ervan trilde.

Maar na een poosje was ze weer bij haar positieven en toen mocht Isak leren het gladde erwtje in haar druipend vochtige spleet te vinden en ze steunde: 'Ga dóór, dit is zo lekker.'

Toen explodeerde haar lust opnieuw en ze zonk ineen. Ze moest weer onbedaarlijk lachen en daarna trok ze Isak af, die nog een erectie had.

Dit kan niet waar zijn, dacht Simon. Maar dat was het wel. Opeens keek Maj-Britt op de klok en ze schreeuwde: 'Grote god, mijn vader komt zo thuis. Wegwezen, hoerenlopers.'

Ze suisden de heuvel af, achtervolgd door haar lach, en voelden zich goden. Toen ze bij de plek kwamen waar ze altijd gingen zwemmen, wierpen ze zich in zee en ze doorkliefden het water met enorme slagen.

Ze hadden nooit geweten dat ze zo snel konden zwemmen. Toen ze Isaks boot bereikt hadden, waren ze nog warm en opgewonden, maar toen ze zagen dat het touw van het anker volgeplakt zat met kwallen, wisten ze dat ze zo snel mogelijk aan boord moesten klimmen. Simon had zich al gebrand, maar er was zoet water aan boord en ze spoelden het zout en de tentakels van de kwal eraf. Vervolgens tilde Isak de klep van het ruim op om bier uit de kolsem te halen, geheim bier, gestolen van Ruben.

En ze dronken.

Probeerden te kalmeren.

'Hoorde je wat ze zei toen we ervandoor gingen?'

Jawel, dat had Simon wel gehoord. Kom morgen om dezelfde tijd maar terug, had ze gezegd.

Iedere avond van deze warme zomer, toen dertigduizend

Balten in kleine bootjes de Oostzee over vluchtten, kwamen ze terug in het huis van de springstoffenman en maakten ze het gezellig, zoals Maj-Britt het uitdrukte. Ze leerden alles wat jongens moeten weten over de juiste handgrepen tijdens het liefdesspel. Allebei zouden ze het in hun verdere leven goed hebben met vrouwen en nog vaak zouden ze dankbaar terugdenken aan die wonderbaarlijke Maj-Britt op de heuvel.

Toen ze op een avond zoals gewoonlijk rond de hoek van het huis slopen en op de kelderdeur klopten, deed een matroos met een broek met wijde pijpen maar zonder hemd de deur open. Hij was zo breed als een deur en zo lang als een vlaggenmast.

'Wat moeten die schavuiten hier in vredesnaam?' zei hij tegen Maj-Britt, die in de koelte van de kelder nog juist te zien was op het bed. Simon, die nog niet al zijn vaardigheden van de afgelopen winter was verleerd, herstelde zich snel: 'We wilden kerstmannetjes van Älvsborg verkopen', zei hij.

'Midden in de zomer?' zei de matroos, maar toen vergat hij hen en had alleen nog maar aandacht voor Maj-Britt, wier lach schaterend vanuit het bed klonk.

Op weg naar huis deden ze hun best de man te haten, maar dat lukte niet zo goed. Ze waren dankbaar voor wat ze hadden gekregen, een beetje oververzadigd zelfs, en ze hadden de hele tijd al geweten dat het ongelooflijke niet steeds door zou kunnen blijven gaan.

13

En toen brak de lente aan die de langste was van alle lentes. Nooit eerder was de tijd zo traag verstreken. De dagen kropen naar de avond toe, en ook dan gebeurde er nog niets.

Wallenberg verdween in Boedapest.

In Duitsland werden twaalfjarigen opgeroepen voor de dienstplicht.

Een paar imposante mannen hadden een ontmoeting op Jalta om de wereld onderling te verdelen. Toen stierf Roosevelt en Karin zei diep verontwaardigd dat dat onrechtvaardig was.

De tijd stond even stil toen Hitler zichzelf in de bunker in Berlijn had doodgeschoten en de vrede toch nog niet kwam. De radio in de hoek herhaalde steeds de statusquo, de oude keukenklok verroerde zich niet en Karin begon er zelfs aan te schudden. Maar er was niets mis met de klok, het was de tijd zelf die stil was blijven staan en die de mensen die afwachtten, gek maakte.

Maar uiteindelijk kwam de dag toch tot een einde. Het was 7 mei en de knoppen van de bladeren begonnen open te gaan. In de tuinen rook het naar vochtige aarde en het gezang van de vogels had zich eigenlijk al een weg naar de harten van de mensen moeten banen, maar die konden het niet opbrengen zich daarvoor open te stellen. Net als altijd kwamen ze in de keuken van de Larssons bijeen rond de radio. Ze hoorden het gejuich in Oslo, Londen en Stockholm, maar waren niet in staat de blijdschap te bevatten.

Wallin zat op de keukenbank te kijken naar zijn grove werkmanshanden die zo zwaar en stil op zijn knieën lagen alsof ze nooit meer tot leven zouden komen. Ågren had rode wangen van opwinding en begon te vloeken: 'Godalleju, verdomme nog aan toe.'

Erik zweeg voor de verandering. Äppelgren liep als een schokkerige kraanvogel door de keuken heen en weer; hij struikelde over het kleed en probeerde niet te verbergen dat hij moest huilen als een kind.

Karin moest ook huilen, geluidloos.

Simon en Isak hadden zich op de houtbak gewrongen zoals ze altijd deden, en Simon dacht: vannacht slaat niemand een ander meer dood in Europa. Hij moest ook huilen, maar hij was nu zo groot dat dat eigenlijk niet meer kon. Zijn opwinding zocht een uitweg via zijn benen en voeten die als trommelstokken tegen de houtbak aan sloegen, totdat Karin vroeg of hij daarmee op wilde houden: 'In godsnaam, Simon, zit stil!'

Isak zat naast hem, net zo vreemd stil als Wallin. Zijn hart stond in brand, maar zijn hoofd was koud en leeg en zijn lichaam was zo stijf alsof het bevroren was. Pas toen Johansson, een man zo groot als een deur, die van huis uit visser was maar tegenwoordig postbode, zei dat ze nu al die verdomde nazi's in olie moesten koken en ervoor moesten zorgen dat ze zo lang mogelijk in leven bleven om ze te kunnen martelen, ontspande Isaks lichaam zich.

Hij haalde diep adem en besefte dat haat zijn spieren had samengebald en dat datgene dat brandde in zijn hart, het besef was dat er wraak bestond en dat die zoet zou zijn.

Midden in dit alles kwam Helen langs met de melk. Er hing iets plechtigs om haar heen en ze keek hen met een uitdagende blik aan en durfde te zeggen: 'Ik vind dat jullie vanavond naar de kapel moeten komen om God te danken voor de vrede.'

Bij die woorden kwam er eindelijk leven in Erik. Hij sprong op en schreeuwde: 'En wie moeten we dan verdomme danken voor de oorlog en al de doden?'

'De oorlog is het werk van mensen', zei Helen, die geen greintje van haar plechtstatigheid verloor.

'Je bent niet goed wijs', zei Ågren, maar Karin onderbrak hem en zei dat in haar keuken mensen op zijn minst respect voor de meningen van een ander moesten tonen.

Het waren de woorden die Karin altijd sprak, maar haar stem miste kracht.

Tegen de avond kwam Ruben. Hij had een ondefinieerbare blik in zijn ogen; een mengeling van grote opluchting en zo veel pijn dat het bijna niet uit te houden was. Toen Karins blik de zijne kruiste, pakte ze de brandewijnfles en de glaasjes en schonk voor iedereen een grote borrel in, terwijl ze met een heel iel stemmetje zei: 'Dan zullen we maar proosten op de vrede.'

De mannen dronken en Karin dronk ook. Ze slikte de afschuwelijke drank in één keer door en als het niet zo'n groots en bijzonder moment was geweest dan zou het de anderen wel opgevallen zijn. Het zou hun verbaasd en verschrikt hebben.

Zoals het nu was had iedereen genoeg aan zichzelf.

Maar vervolgens moest Karin naar de oude plee in de achtertuin om over te geven. Na afloop stond ze bleek en met het koude zweet op haar voorhoofd tegen de bepleisterde muur geleund, terwijl haar misselijkheid in golven opkwam en weer afnam.

Maar het ergste was dat ze zo'n pijn op haar borst had.

Ze was verbaasd over zichzelf. En kwaad. Waarom moest

zij verdomme op dit moment pijn hebben, nu alles voorbij was en de aarde en de mensen opgelucht konden uitblazen.

De pijn wrikte en sneed alsof er in haar binnenste iemand met een mes tekeerging. Ze probeerde aan Petter en de pestvogels te denken, maar dat lukte niet. In plaats van Petter was op dat moment haar moeder daar bij haar, met een verbitterde blik en een boze tong. Iets in Karins hart was bezig ontregeld te raken; het verdriet dat zo oud en vertrouwd was, bewoog zich en rukte aan zijn wortels.

Karin dacht dat de grote oorlog ook de pestvogels het leven ontnomen had.

Zo bleef ze staan tot de schemering inviel en ze besefte dat de tijd opeens haar normale loop had hernomen en dat ze naar binnen moest om de mannen uit de keuken weg te sturen en eten te koken. Dus drukte ze haar gebalde hand onder haar linkerborst en hervatte het gewone leven.

De afgelopen winter hadden ze het huis verbouwd. Er waren muren opgetrokken op de bovenverdieping en de zolder was weg. Simon had een eigen kamer gekregen met veel ruimte, ook voor Isak. Voor Ruben hadden ze een logeerkamer met uitzicht op zee gebouwd. Hij bleef steeds vaker hier bij hen, moe als hij was van alle vluchtelingen die samen met het gezin van zijn broer onderdak in zijn grote huis in Majorna hadden gevonden.

De Larssons hadden ook een badkamer en een toilet binnenshuis gekregen.

Het was prachtig en ze waren er de hele winter blij mee geweest, Karin en Erik.

Ze hadden het aanrecht in de keuken verhoogd en het zinken blad verruild voor roestvrij staal. Ze hadden centrale verwarming genomen en koud en warm stromend water.

Karin durfde nauwelijks te geloven dat er nu een eind was gekomen aan hout en antraciet, het zware gesjouw en de walmende kachels. Of dat ze nu alleen maar een kraan open hoefde te draaien om het hete water te laten stromen, om de handen warm te laten worden of om schoon te maken. Een degelijke koelkast stond nu op de plek in de keuken waar ze zich voorheen altijd hadden gewassen.

Karin had veel om blij mee te zijn. Daar moest ze aan denken toen ze laat die avond weer alleen waren en gingen eten. Toen ze een hapje aardappel nam durfde ze eindelijk aan zichzelf toe te geven hoe afschuwelijk ze aardappels vond – of het nu gekookt, gebakken, als rösti, gegratineerd of gepureerd was. Dat was nu afgelopen, dacht ze; de zorg om het eten zou binnenkort niet meer dan een trieste herinnering zijn, net als de antraciet en de koude plee in de achtertuin.

De rantsoeneringen zouden ophouden; er zou weer fruit komen.

Bananen, dacht Karin en ze herinnerde zich hoe Simon als klein jongetje van bananen had gehouden. Hij zou wel vergeten zijn hoe ze smaakten.

Ze keek naar Erik en zag hoe trots hij was geworden. Het ging goed met hem en met zijn werf; de lijst van bestelde zeilboten was lang en er was vier man personeel aangenomen. Ze onderhielden vier gezinnen, zoals Karin het graag uitdrukte.

Het geld zag ze ook graag; geld dat er nu altijd was wanneer ze het nodig had.

Zoals altijd wanneer Karin haar voornemen om alles door te nemen waar ze dankbaar voor moest zijn ten uitvoer bracht, sloeg ze Ruben over en bewaarde ze Simon voor het laatst.

De jongen had haar zo veel geluk geschonken.

Binnenkort is hij volwassen, dacht ze. En hij is gegroeid, hij is bijna mooi geworden. Als een vreemde vogel die zich door een heerlijk toeval in haar keuken had genesteld.

Die gedachten vervulden haar met onrust en er ging weer een steek door haar borst. Simon, die altijd op haar gericht was, zag de pijn over haar gezicht gaan en zei: 'Je bent moe, moeder. Ga maar naar bed, dan was ik wel af.'

Ze knikte, maar toen ze zijn ongeruste blik zag, wist ze dat al haar gedachten van dankbaarheid haar die avond niet hadden geholpen. Haar rijkdom kon haar niet beschermen tegen dat wat in haar borst tekeerging.

Wat heb ik toch?

Erik maakte even een ommetje over de werf, dus Karin had de slaapkamer voor zich alleen. Ze stond zichzelf te bekijken in de spiegel die tussen de rozen op het behang hing. Ze was altijd tevreden geweest over haar uiterlijk en had de gedecideerde, fijne gelaatstrekken, de grote mond en de rechte neus gewaardeerd.

Nu bestudeerde ze haar trekken zo lang alsof ze dacht dat ze haar iets nieuws zouden kunnen vertellen. Antwoorden zouden kunnen geven. Ze zag wel dat haar bruine ogen, die altijd zo verrassend waren geweest bij haar blonde haar, nieuwe diepte hadden gekregen.

Wat lag daar op de bodem verscholen?

Angst?

Nee, Karin wilde daar niet aan. Ik heb rimpels gekregen, dacht ze, en mijn haar is bleker geworden, net stro. Dik ben ik nog niet, maar wel zwaarder, steviger.

Morgen is het over, hield ze zichzelf voor. Als ik maar eens lekker kan slapen.

En de volgende ochtend toen ze alle verduisteringsgordijnen weghaalden en in de warmte van het voorjaar de ramen lapten, was ze haast blij.

Maar toen kwam de avond dat Ruben de eerste Engelse kranten bij zich had met de ooggetuigenverslagen over de vernietigingskampen die in Polen en Duitsland waren bevrijd. Hij zat aan de keukentafel voor te lezen en Isaks stem schoot schril de hoogte in toen hij het vertaalde. Erik was bleek en zijn blauwe ogen stonden duister. Simons blik zocht die van Karin, zoals altijd wanneer hij bang was.

En het volgende moment rukte hij de krant uit Rubens handen, schreeuwend dat het zo wel genoeg was. Ruben keek met een vermoeide blik van de jongen naar Karin en zag dat ze bijna flauwviel.

Eerst schaamde hij zich dood, maar daarna werd hij bang.

Maar zelf zei ze recht voor zijn raap: als zijn familieleden dit hadden moeten meemaken, dan zou zij het op z'n minst moeten kunnen verdragen om erover te horen praten.

Toch was het vanaf die avond ook voor de anderen duidelijk dat er iets mis was met Karin. Ze probeerden haar te ontzien; Erik nam de radio mee naar zijn werkplaats en Simon smokkelde de krant 's ochtends weg. Maar Karin werd aangetrokken tot het afschuwelijke. Ze reed naar de stad om tijdschriften te kopen met foto's van de lijken die in bergen waren opgestapeld.

Toen kwamen de witte bussen aan in Malmö en Karin ging zelf naar de brievenbus om de ochtendkrant eruit te halen met foto's van mensen die het kwaad hadden gezien en die eigenlijk dood hadden moeten zijn en haar niet zo met uitgebluste ogen hadden moeten aanstaren.

Toen besefte Karin dat ook zij moest sterven. En ze was blij met dat besef.

Een paar dagen later zei Ruben tegen Erik dat dit zo niet langer kon en ze namen haar mee naar een hartspecialist die Ruben kende. Deze luisterde lang en bezorgd naar het onzuivere getik in haar borst en zei dat ze er eens even helemaal tussenuit moest om tot rust te komen, wilde het niet verkeerd aflopen.

Karin werd opgenomen in zijn privé-kliniek. Ze was zo moe dat ze niet eens meer protesteerde. Ze kreeg medicijnen en kon slapen. In haar slaap kwam ze haar moeder tegen en durfde ze eindelijk te onderkennen dat haar moeder haar vanaf de dag van haar geboorte had gehaat.

Zoals ze ook Petter had gehaat.

Als een enorme, zwarte kraai kwam Karins moeder op haar afvliegen in haar dromen in de chique kliniek. Ze kraste en schreeuwde en er flitsten hakenkruisen rondom haar heen. Ze vloog tussen de hakenkruisen door, die opeens in de kleermakerij vroeger thuis stonden. Karin zag dat Petter onder de kruisen gebukt zat en dat hij heel erg leek op de mensen die uit de witte bussen in Malmö stroomden en die eigenlijk dood hadden moeten zijn, en dat het vreselijke gekras hem recht in het hart trof en zo veel pijn deed dat zijn hart het ten slotte begaf en hij stierf op zijn kleermakerstafel.

De dromen kwamen en gingen, en Karin liet ze toe; ze liet de beelden hun duidelijke taal spreken zonder zich te verweren of verklaringen te zoeken. Het was alsof haar geest schoon moest worden gewassen voordat ze zou vertrekken. Dat deed pijn maar het was goed, op de een of andere manier noodzakelijk.

Op momenten dat ze wakker was, voerde ze gesprekken

met haar moeder: 'Waarom bent u geworden zoals u werd?'

Maar haar moeder kraste: 'Je moet medelijden hebben, je moet medelijden hebben', en met tegenzin wendde Karin zich af. Ze besefte dat ze het kwaad altijd zou moeten bestrijden, omdat ze in de schaduw daarvan was opgegroeid.

In haar halfslaap hoorde ze zichzelf vervolgens krassen boven Simon: 'Je moet medelijden hebben, je moet medelijden hebben', en ze zag zijn angstige blik, die haar overal volgde.

Toen gilde ze zo hard dat de dokter kwam. Hij zei tegen haar dat ze absoluut niet aan ingewikkelde dingen mocht denken en ze kreeg nieuwe tabletten om dergelijke gedachten mee te verdrijven.

De volgende nacht kwam Petter bij haar en haar slaap was diep en vredig. Ze dacht dat het nu allemaal voorbij was en dat ze met hem mee zou mogen gaan en de volgende dag niet meer wakker zou hoeven worden.

Hij was de hele nacht bij haar. Hij wiegde haar in zijn armen en zong voor haar; er bestond geen kwaad en Karin voelde zich veilig als een kind.

Ze wist dat hij haar iets wilde zeggen, maar ze was te moe om te luisteren.

De dageraad brak aan en toen Karin het zonlicht gewaarwerd, dat onstuitbaar naar binnen drong door het spleetje tussen het rolgordijn en het raamkozijn, besefte ze dat het niet voorbij was. Ze was er nog. Alleen. Terwijl ze gewassen werd en haar pap gevoerd kreeg, dacht ze na over wat Petter had willen zeggen. Maar niet lang; het lukte haar niet om haar gedachten geordend te houden.

En toen, opeens, was Simon er en het was weer nacht en alles was moeilijk te begrijpen, maar Simon was helemaal echt en hield haar hand zo stevig vast dat het bijna pijn deed. Ze hoorde de woede in zijn stem toen hij zei: 'Je mag me niet verlaten, moeder.'

Toen Karin opnieuw wakker werd, was het weer licht. Hij zat aan haar bed en ze besefte dat hij gelijk had. Ze mocht niet weggaan, nog niet.

'Simon,' fluisterde ze, 'ik beloof je dat ik weer gezond word.'

Zijn blijdschap was zo groot dat Karin er tot in het diepst van haar ziel door werd geraakt. Het verwarmde haar en gaf haar nieuwe levenskracht.

Toen hij was weggegaan, lag Karin lang in stilte te huilen. Ze had nooit gedacht dat ze zo veel tranen in zich had. Waar ze vandaan kwamen begreep ze niet, maar ze voelde wel waar ze heen gingen, rechtstreeks naar haar hart, warm en verlossend.

Simon fietste als een gek door de stad. Hij zag hoe de schuine zonnestralen van de ochtend vonken sloegen in het water van de haven en de zee. Hij stampte hijgend naar de werf, naar Erik.

'Vader, ze zal het overleven, dat heeft ze me beloofd.'

Normaal gesproken zou Erik aan een dergelijke boodschap niet veel waarde hechten. Maar hij verkeerde nu in zo'n grote angst en had zo'n behoefte aan troost dat hij Simons woorden zonder meer voor de hoogste waarheid hield.

Ze waren nu bijna even lang, Erik en Simon, en ze stonden elk aan een kant van een half afgebouwde zeilboot te huilen, dezelfde soort tranen van genezing als die van Karin.

Daarna ging Erik naar binnen. Hij waste het zaagsel van zijn hals en handen, schoor zich en trok zijn beste pak aan, een winters, donkerblauw kostuum. Een gestreken overhemd was er niet, maar Simon plukte alle pas uitgekomen tulpen uit de tuin en maakte er een enorme bos van.

Erik voelde zich wel een beetje dwaas, toen hij daar in de gang van die chique kliniek stond met al zijn bloemen. Karin zag het wel; ze zag de onzekerheid, de angst van de arbeider en de ongestreken kraag van het overhemd. Haar vertedering was groot en ze besefte dat ze ook voor deze breekbare mens moest blijven leven.

14

De dagen van herstel verliepen rustig.

Ruben bracht rozen voor haar mee. Hem kon ze het wel vertellen: 'Ik had al besloten om weg te gaan.'

Het enige dat hij zei was: 'Ik zie al een hele tijd dat je met verdriet rondloopt.'

Karin was verwonderd; zo had ze het zelf nooit opgevat. Maar ze besefte opeens dat hij de waarheid sprak en ze vertelde over Petter en de pestvogels. En over haar moeder en het kwaad, dat ze altijd had moeten bestrijden.

Hij zei niet veel, eigenlijk alleen maar: 'Niets is eenvoudig.'

Karin zou nog lang over die woorden nadenken.

Ze wilde hem vragen naar God, die hij elke zaterdag in de synagoge ging opzoeken en die hem kennelijk de kracht gaf om ondanks alle tegenslagen verder te leven.

Maar ze vond er geen woorden voor.

Toen hij in de deuropening stond om weg te gaan, zei hij, en ze zag dat hij er moeite mee had: 'Je mag het niet opgeven, Karin. Ook voor mij niet. Anders hou ik het ook niet vol.'

En weg was hij. Karin lag lang te kijken naar het zonlicht dat naar binnen viel, gezeefd door de dennenboom buiten voor het raam, die nog donkergekleurd was van vorig jaar. Een tram reed rammelend voorbij in de lus buiten bij het ziekenhuis waar hij omkeerde. Toen de zuster met de warme maaltijd kwam, zag Karin dat ze stralend blauwe ogen had.

Het gebraden kalfsvlees had de sterke, aangename geur

van dillesaus en de appelmoes die ze als dessert at, vulde haar mond met frisheid.

Het was alsof de wereld opnieuw tastbaar werd.

's Middags probeerde ze zich nog even te schamen voor het feit dat ze haar verdriet op Ruben had afgewenteld; hij had al zulke zware lasten te dragen, ook zonder die van haar. Maar ze slaagde er niet in; het gevoel wilde niet doorzetten.

Misschien heb ik mijn geweten verloren, dacht ze.

Maar toen Simon tegen de avond kwam en ze zag hoe bleek en mager hij was, besefte ze dat dat niet zo was.

'Eten jullie wel goed?' vroeg Karin en haar schuldgevoel probeerde op de oude, bekende manier vat op haar te krijgen.

Toen hij wegging vroeg ze met een stem waarin het hele gewicht van haar oude verantwoordelijkheidsgevoel doorklonk: 'Waar hangt Isak uit? Zeg hem dat hij morgen hier moet komen.'

Simon knikte, maar ze vond wel dat hij een raar gezicht trok en ze besefte dat ze iets essentieels verzuimd had.

Gesterkt door het feit dat Karin weer de oude was, net zo krachtig en veeleisend als altijd, fietste Simon door de stad. Maar hij was ook ongerust. En boos.

Die stomme Isak, dacht hij.

Simon wist wel waar hij hem vinden kon. In de haven bij Långedrag, waar Ruben een ligplaats had gehuurd en waar Isaks haan koning kraaide door de glans die van zijn fraaie zeilboot afstraalde. Simon hoorde het gebral uit de roef al van verre en zijn woede steeg tot het kookpunt toen hij lege bierflesjes in het water rond de boot zag drijven.

Ze zaten te roken. Een dikke walm sloeg Simon tegemoet

toen hij het luik van de roef opentrok en zei waar het op stond: 'Allemaal oprotten. Ik moet Isak alleen spreken.'

Ze vertrokken niet meteen en er werden wat scheldwoorden geuit, maar na een kwartier waren Simon en Isak alleen. Simon nam het schepnet, maakte dat vast aan de bootshaak en viste de lege flessen op die nog niet waren gezonken. Hij leegde de asbakken, spoelde de kuip en het dek schoon en zei tegen Isak, die in elkaar gedoken op een bank in de roef zat: 'Morgen ga je bij Karin langs.'

'Dat durf ik niet.'

'Ze is weer beter. Snap je?'

'Het komt door het bier', zei Isak.

'Ze drinkt toch verdomme geen bier', zei Simon verbouwereerd. 'Ben je niet goed bij je hoofd? Of ben je dronken, klootzak?'

Opeens stonden ze rechtop in de roef elkaar aan te staren. Diep in de ogen van Isak zat een leegte die Simon nog herkende uit de oorlog, uit de dagen dat de schepen die onder embargo hadden gelegen in de diepte verdwenen waren daarginds bij Måseskär. Simons woede ebde weg en hij werd verschrikkelijk bang; hij realiseerde zich dat er dit keer geen Karin was om te zorgen voor het onbegrijpelijke. Dit moest hij zelf doen. Hij sloeg zijn armen om Isak heen en zei, zonder een idee te hebben waar de woorden vandaan kwamen: 'Isak, verdomme, jij hebt toch niets met Karins ziekte te maken.'

Hij begreep dat het de juiste woorden waren geweest, want Isak ontspande en toen hun blikken elkaar kruisten, was de angstaanjagende leegte verdwenen.

En de volgende dag zat hij in het ziekenhuis, Isak, en zag met eigen ogen dat ze weer bijna de oude was. Hij kon met haar praten, net als altijd: 'Ik zou ze in olie hebben gekookt en hun lul hebben omgedraaid, begrijp je wel. Ik zou het Oslofjord in zijn gevaren, want er staat in de krant dat zich daar nog veel Duitsers schuilhouden, maar ik zou ze hebben gevonden en…'

'En…?'

'Ja, toen werd jij ziek.'

Zonder al te veel woorden wist ze hem duidelijk te maken dat ze ziek was geworden door het verdriet om alles wat er was gebeurd en wat met de vrede aan het licht was gekomen, en dat zijn slechte gedachten niet meer waren dan een zuchtje wind in een wereld van slechte daden.

'Misschien was het wel goed voor je, Isak, om over wraak te fantaseren', zei ze.

Toen vertelde hij over het bier en over de jongens op de boot bij Långedrag en dat ze aan hun pilsjes cognac toevoegden die hij uit Rubens kast achteroverdrukte. Daarmee kwam er een eind aan haar milde stemming. Karin ging rechtop in bed zitten en keek de jongen strak aan: 'Je houdt op met die onzin, Isak Lentov. Dat zweer je, hier en nu…'

Isak zag rood van schaamte en boog zich voor haar woede.

'Jij moet leren onderscheid te maken tussen fantasie en werkelijkheid, Isak. Je hebt misschien die vreselijke gedachten over wraak wel nodig, maar als jij een doodsbange Duitse jongen op de vlucht in Noorwegen te pakken kreeg, zou je huilen van medelijden. Wraak is alleen maar mooi in je verbeelding, snap je?'

Isak zweeg; hij geloofde haar niet.

'Drank stelen en anderen het verderf in lokken, dat is de werkelijkheid. En daar moet je mee ophouden.'

Isak beloofde het haar plechtig en ging weg, tegelijkertijd beschaamd en gelukkig.

En Karin lag in bed en realiseerde zich hoe dom ze was geweest en hoe egoïstisch. Het was immers duidelijk dat ze moest leven om het leven begrijpelijk te maken voor de mensen voor wie ze verantwoordelijk was.

Die gedachte stemde haar zo tevreden dat ze lekker in slaap viel en de hele nacht zonder pillen sliep.

Gek genoeg dacht ze het minst aan Erik, die het het moeilijkst had.

Hij was op een dag in het ziekenhuis om met de chef de clinique te praten. Er werden gewichtige woorden gesproken over het belang om Karin te ontzien. Heftige gevoelens moesten worden vermeden zei de dokter. Bij Erik lag de verantwoordelijkheid om te zorgen dat haar leven rustig zou verlopen.

'Als ze bang of boos wordt, kan dat haar noodlottig worden', zei de hartspecialist.

Erik voelde zich niet op zijn gemak. Hij merkte hoe het knoopje van zijn overhemd op zijn strottenhoofd drukte, voelde de klassenhaat en dacht: hier heb je het weer, ik ben weer de mindere.

Verdomme nog aan toe.

Toen hij eindelijk weg kon en bij Karin naar binnen glipte, was hij er met zijn gedachten niet bij. Hij was van plan geweest om haar te vertellen over de auto die hij gekocht had. Hij had zich van te voren al vrolijk gemaakt over haar verontwaardigde protesten, geredetwist over verspilling en haar blijdschap wanneer hij ten slotte tegen haar zou zeggen: maar ik heb hem gekocht zodat jij er ook eens uit komt om wat van de wereld te zien.

Daar kwam nu niets van terecht.

Toen hij naar huis manoeuvreerde door de Allé en

langs de kades, waar de hijskranen weer stonden te dansen net als vroeger, voelde hij geen enkele blijdschap over die praktische Fiat Balilla. Bij Majnabbe sloeg hij de Karl Johansgata in, waar hij bij de slijter een hele liter brandewijn kocht.

Op de werf was hij die middag kortaf en rusteloos en hij zag wel dat de mensen ontdaan waren.

In de keuken thuis zag het er vreselijk uit; het stonk er naar afval en vuile vaat. Simon kwam binnen en vertrok meteen weer. Hij zou met Isak het water op.

'Ga maar weg', zei Erik. Dat was vriendelijker bedoeld dan het klonk, en dat vond hij net goed. Waarom werd hem pas een beetje duidelijk nadat hij de deur had dichtgedaan en de brandewijn te voorschijn had gehaald.

Bij de derde borrel dacht hij aan zijn moeder, aan hoe ze hem al die jaren had gedreigd en bang gemaakt met haar hart. Nu zat hij opnieuw in dezelfde situatie en dit maal was het echt; de val was dichtgeslagen en er was geen uitweg meer.

Een hele poos haatte hij Karin vanwege haar hart. Maar daarna schaamde hij zich diep; Karin was niet zoals zijn moeder. Ze had nooit met haar hart gedreigd.

Maar daarna werd hij ook hierom woest, want hij realiseerde zich dat Karin achterbakser was dan zijn moeder; ze maakte je niet bang, gaf geen waarschuwing vooraf, maar sloeg zomaar toe.

Geen ruzies, had de chef de clinique gezegd, geen opwinding. Niet tegenstribbelen, het met haar eens zijn.

Godverdomme.

Wat een opwinding was er niet geweest die keer destijds toen hij uit de kerk trad en lid van de vakbond werd. Maar zijn moeder was er niet aan doodgegaan, zoals hij had gedacht; ze leefde nog steeds en verkeerde in goede gezondheid. Maar Karin, zij kon ieder moment doodgaan.

Dat was door de doktoren bevestigd.

En nu hij daar zo alleen zat, kwamen er vreemde gedachten bij Erik op door de brandewijn, die de grenzen deed vervagen. Een oude vloek zou worden voltrokken en hij zou penitentie moeten doen.

Daarna probeerde hij zich te vermannen. Hij warmde wat koffie op en besefte dat alles weer net zo zou worden als toen hij nog een kind was en zich de hele tijd bewust was van het feit dat dat tere hart daarbinnen in zijn moeders borst zijn werk was en dat hij zich altijd zo moest gedragen dat het bleef slaan.

Goeie genade.

De volgende dag vroeg hij aan Anton, de timmerman die op de werf de inrichting van de boten deed, of Lisa misschien in de huishouding zou kunnen komen helpen. Erik vond dat hij zichzelf vernederde en hij besefte dat het loon dat hij bood ruimer was dan gebruikelijk, maar Anton was blij en zou met Lisa praten. Ze hadden het geld nodig en zijn vrouw had niet veel meer te doen nu de kinderen binnenkort het huis uit gingen. Ze was een kei in schoonmaken en het huis aan kant houden, en ook niet slecht in koken.

Erik wierp dijken op tegen de duisternis; hij rende naar het ziekenhuis en was zo inschikkelijk dat hij er zelf van moest kotsen. Ondertussen maakte Lisa het witte huis tot in de kleinste en meest verborgen hoekjes zo schoon dat het blonk. Maar niets hielp tegen Eriks woede, die enorme woede die brandde in zijn binnenste en die hij alleen begreep als hij brandewijn dronk.

Binnenkort zou ook daar een einde aan komen; Karin

zou thuiskomen uit de kliniek en hij wist hoe ze keek als hij dronk.

Verdomme.

Een val was het, en hij rende erin rond als een gekke rat.

15

Vlak voor het midzomerfeest kwam ze thuis en Erik betaalde een rekening die net zoveel bedroeg als de helft van de winst op een zeilboot. Hij deed het met een grimmig gevoel van voldoening, alsof hij zich vrijkocht.

Ze aten een feestmaal van jonge aardappels en gerookte zalm; Ruben bracht wijn mee en vrienden en buren kwamen met bloemen. En Karin was blij en intens gelukkig.

Ze was ook blij met de auto, waarin Erik haar had opgehaald.

En natuurlijk met het schone huis.

Maar toen het gewone leven weer aanbrak, was er de kwestie Lisa. Lisa, die zo netjes was en met wie Karin altijd al een beetje moeite had gehad. Maar ze moest toegeven dat het er nog nooit zo mooi in haar huis had uitgezien als nu, en dat je ook plezier kon beleven aan schone kasten en keurige stapels linnengoed. Om nog maar te zwijgen van de pas gestreken overhemden van de mannen, de glimmende ramen en de goed onderhouden planten.

Karin was zelf ooit dienstbode geweest. Daarvan had ze geleerd hoe je niet moest zijn als mevrouw. Maar niet hoe je wel moest zijn.

Dus ging ze zich de mindere voelen.

Maar het moest maar; ze moest immers toegeven dat ze moe was en het thuis niet helemaal aankon. En dat het lief van Erik was dat hij Lisa had aangenomen. Toen ze besefte dat Anton en Lisa, die altijd maar net genoeg brood op de plank hadden gehad, zichzelf en hun dromen al hadden aangepast aan het niveau waarop Lisa's loon hen bracht, begreep ze ook dat dat niet meer ongedaan kon worden gemaakt.

Ze moest zich er maar in schikken.

Toen ze wat aangesterkt was, vond ze een oplossing. Ze zei tegen Lisa dat hulp op uurbasis wel voldoende was. Ze spraken af dat Lisa elke ochtend om elf uur zou komen en om drie uur zou ophouden, als ze klaar was met opruimen, wassen en het voorbereiden van het avondeten. Op die manier had Karin net als vroeger 's ochtends de keuken voor zichzelf, met koffie binnen handbereik en buurvrouwen die langskwamen. En ook de middag was voor haarzelf; ze sliep een poosje, naaide wat en las veel.

Het gebeurde wel eens dat ze 's avonds grapjes maakte over zichzelf als mevrouw uit de hogere kringen.

Maar het grote voordeel dat ze had van de nieuwe dagindeling waren haar wandeltochten. Als Lisa om elf uur kwam en het huis en de verantwoordelijkheid van Karin overnam, begon Karin aan haar wandelingen. Ze liep langs de rivieroever naar de bouwvallige steigers die door het riet kropen, bleef stilstaan om naar het water te luisteren en keek lang naar de grappige, grijze bloempjes van de campanula die je nog juist op een stukje van de oever kon zien.

Vervolgens liep ze verder, om de rotsen heen, door een bijna dichtgegroeide, verwilderde tuin in de richting van de zee die alles geweldig en gemakkelijk te bevatten maakte.

Op de terugweg struinde ze rond over de rotsen; ze ging op een warm rotsplateau zitten en sprak met de wind en de campanula. Op een keer vond ze de weg naar Simons oude eiken en vanaf die tijd ging ze er elke dag heen; ze groette de grote bomen en sloot vriendschap met hen.

Voor het eerst in haar leven had Karin tijd en ruimte

voor veel gedachten, ook voor de moeilijke, die niet langer meer met bezigheden verdreven konden worden.

De meeste gingen over haar moeder. Ze praatte veel met de eiken over het oudje en over haar jeugd. En de eiken luisterden serieus en leerden haar dat ze het niet hoefde te begrijpen.

Dat dat niet nodig was.

Dat dat nu juist de ellende van de mens was, dat die alles wilde verklaren en daardoor alles verkeerd begreep.

Net als Ruben zeiden ze: het is niet zo eenvoudig.

De sleedoornbosjes waren gemener; die staken haar graag even met alle onrechtvaardigheden en herinnerden haar ruw aan alle slechte dingen uit haar bittere jeugd.

Dan liep Karin naar de zee, waar ze zat te kijken naar de eindeloosheid en te luisteren naar de boodschap dat het leven zoveel meer is dan sleedoornbosjes en zoveel meer smaken te bieden heeft dan alleen bittere.

Op de weilanden van Andersson was het hooi aan oppers gezet en de sterke geur kietelde haar tepels en haar schoot. Karin moest ervan blozen als een zeventienjarige, niet gewend als ze was om haar eigen lust te ervaren.

Ze plukte een boeket zomerbloemen van margrieten, korenbloemen en wuivend, kantachtig fluitenkruid, zette dat in een vaas in de slaapkamer en toen het avond werd lokte ze Erik het bed in.

Ze hadden het fijn, maar het ontging Karin niet dat hij voorzichtig was. Na afloop probeerden ze te praten. Hij zei: 'Weet je, de dokter heeft gewaarschuwd...'

Toen lachte Karin haar oude, krachtige lach en zei: 'Wat kan het ons schelen wat de dokter zegt!'

Erik moest ook lachen en durfde te geloven dat er tenminste af en toe uitstapjes in de vrijheid mogelijk zouden zijn. En met zijn hand op haar hart, dat rustig en ritmisch sloeg, viel hij in slaap als een kind dat getroost is.

Op een dag verzamelde Karin al haar moed; ze trok mooie stadskleren aan met het voornemen de tram te nemen om haar moeder op te zoeken. Het was voor haar ongewoon om zich zo aan te kleden, maar ze genoot ervan: de nieuwe witte zomerjas, handschoenen en de grote hoed met blauwe bloemen. Ze stond lang voor de spiegel en realiseerde zich dat het feit dat ze was afgevallen haar goed stond. Ze haalde zelfs een lippenstift te voorschijn om haar mond rood te maken.

Daarna ging ze langs de werf om Erik te zeggen dat ze naar de stad ging. Maar hij kwam uit de mast van de boot die ze juist aan het optuigen waren naar beneden en zei recht voor zijn raap: 'Je moet niet alleen naar haar toe gaan. Als je even wacht, dan kleed ik me om en dan rij ik je erheen.'

Karin ging op de bank bij het voorportaal zitten en realiseerde zich verbouwereerd dat Erik eigenlijk veel meer begreep dan zij dacht.

Bij haar moeder ging het beter dan ze had verwacht; haar moeder was echt blij om haar weer te zien. En bezorgd omdat ze zo mager was. Ze zei: 'Heremijntijd, wat zie jij er verschrikkelijk uit!'

Karin hoorde haar ongerustheid en was zelfs in staat om de vieze boterhammen met spek te eten die haar moeder klaarmaakte. Zodat Karin weer een beetje zou aankomen.

Ze was zelfs een beetje geroerd door de manier waarop ze in het Värmlands dialect heremijntijd zei. Erik praatte meer dan anders. Karin zag haar moeders blijdschap en bedacht dat ze altijd al op haar schoonzoon gesteld was geweest. Hij praatte over de woningen die voor gepensioneerden gebouwd werden in de wijk Masthugget en de oude vrouw raakte geïnteresseerd. Meteen begreep Karin dat haar nachtmerrie niet uit zou komen; ze zou niet gedwongen worden om haar moeder in huis te nemen als de oude vrouw zichzelf niet meer kon redden.

Karins oudste broer kwam even binnenwippen en Karin voelde dat ze op hem gesteld was. Ook dat was nieuw; haar broers waren jaren geleden al vreemden voor haar geworden.

Ze gingen tegelijk weg, want haar broer wilde Eriks nieuwe auto zien.

Op de trap zei Karin: 'Vandaag was ze echt vriendelijk, onze moeder.'

'Ze is ongerust over je geweest, hoor', zei haar broer.

Maar toen vond Karin dat het wel genoeg was geweest: 'Ik heb anders nooit gemerkt dat ze iets om me gaf.'

Haar broer keek verlegen, zoals mannen doen wanneer vrouwen gevoelige onderwerpen aanroeren. Maar niet zonder boosheid zei hij: 'Jij hebt pappa immers niet alleen van ons afgenomen, maar ook van haar. Dus helemaal alleen haar fout is het niet.'

Karin bleef midden op de trap stilstaan. Ze had hartkloppingen en Erik, die dat zag, onderbrak hun gesprek: 'Nu hou je je mond dicht. Karin mag zich niet opwinden.'

De mannen gingen haar voor, maar Karin hoorde nog juist de woorden van haar broer in de deuropening: 'Dan zul jij het wel niet gemakkelijk hebben.'

In de auto op weg naar huis legde Karin haar hand op Eriks schouder, terwijl in haar hoofd de woorden van Ruben rondspookten: niets is eenvoudig.

16

Op 6 augustus viel de bom.

Hiroshima, dat was een mooie naam; het zou wel een mooie stad zijn geweest, dacht Karin.

Er werd gesproken over 300.000 doden.

Het getal was te groot om nog te kunnen bevatten; je hoofd kon het niet opnemen en het hart, haar hart, had al genoeg te verwerken gekregen.

Erik las hardop voor uit de krant dat de wereld hierna nooit meer hetzelfde zou zijn. Nu wist de mens dat hij zichzelf en alles wat er op aarde groeide kon vernietigen.

Ook dat drong niet tot Karin door; haar wereld was al zo veranderd. Maar de jongens, die in de keuken zaten toen Erik dit voorlas, moesten rillen ondanks de warmte van de zomer. Isak dacht aan Hitler en dat je nu met gekken in de wereld nog eerder moest uitkijken. En Simon dacht eraan dat zijn wereld al eerder een verschuiving van vertrouwen naar onvoorspelbaarheid had doorgemaakt, in die nacht in het ziekenhuis toen hij bij Karin had gewaakt en had gedacht dat ze zou sterven.

De school begon weer; het derde jaar. Alles was als vanouds, geen oorlog of atoombom kon die wereld veranderen.

Daar woonde de verveling.

Ze zat in dikke lagen op de muren en droop in de hoeken naar beneden, waar ze zich ophoopte om naar de rijen banken te kruipen. De verveling rook naar krijt en zweet, kwam naar buiten uit de mond van de kerel voor Latijn en knarste tussen de tanden van de kerel voor wiskunde. Overal drong ze binnen, de verveling. Je kwam haar tegen bij Duits en bij Zweeds, dat stierf wanneer ze haar poëzie moesten ontleden.

Er waren momenten dat Simon bang werd en dacht dat hij binnenkort net zo dood zou zijn als de kerels achter de lessenaar. De verveling zou zijn longen vullen, zijn bloed vergiftigen en zijn lichaam doen verstijven.

Het is een ziekte, dacht Simon, en het ergste ervan is dat je eraan sterft zonder het te beseffen. Je gaat net zo verder als altijd: je benen bewegen en je mond brabbelt onregelmatige Franse werkwoorden.

Sommige van de gestorvenen waren in de hel beland en duivels geworden; ze haalden hun enige plezier uit gemeenigheden.

'Het zou leuk zijn geweest als Svensson iets in zijn hoofd had gehad waaraan hij de werkwoorden had kunnen vastmaken. Nu rammelen ze alleen maar rond in de leegte.' Svensson, Dalberg en Axelsson hoorden thuis op Stretered, zei de leraar wiskunde. Dat was een inrichting voor zwakbegaafden.

Larsson hoorde daar niet thuis; hij kon het met gemak. Met te veel gemak. Hij hoefde de kennis, die in hooi was veranderd en waarvoor vereist was dat de jongens herkauwers waren, niet te herkauwen. Kauwen, doorslikken, opslaan, kauwen, doorslikken, opslaan.

Vanuit de klaslokalen kroop de verveling de gang in, naar de ruimtes voor natuur- en scheikunde. Bij de deur van de bibliotheek moest ze op haar schreden terugkeren, maar ze kroop verder naar de aula.

Dat was een mooie ruimte, maar de verveling slaagde erin over de drempel te komen en ze vond voedsel in alle opbouwende praat over de vrede en over God, die vooral gedankt moest worden omdat hij het vaderland ontzien had. De verveling werd vooral gevoed door de dominee. Die kwam één keer in de week voor de dagopening en zei verbazingwekkende stompzinnigheden, terwijl vierhonderd jongens woorden zaten te repeteren van plakkerige briefjes die in hun psalmboek waren verstopt.

Misschien zou de verveling Simon ten slotte wel gebroken hebben als hij niet het geluk had gehad om in de volksbibliotheek Dickson een boek te vinden. Dat boek ging over yoga en je kon er, behalve veel andere dingen, uit leren hoe je je bewustzijn uit je lichaam kon laten treden.

Je moest je concentreren op een punt in de rechter hersenhelft, het veronderstelde raakpunt van een lijn die recht vanuit het rechteroog naar binnen werd getrokken met een lijn vanuit het rechteroor. Met een beetje oefening was het niet moeilijk om dat punt te vinden. Vervolgens bleef je twee minuten stilzitten en verzamelde daar je bewustzijn.

Het vervolg was lastiger, want nu ging het erom je bewustzijn met energie op te laden. Maar ook dat leerde Simon zich aan en algauw wist hij zijn bewustzijn voorzichtig door de voeg tussen zijn slaapbeen en zijn schedeldak naar buiten te loodsen.

En het trok de wereld in. Het vloog over de Atlantische Oceaan, zag de wolkenkrabbers van New York en zoemde lang en verwonderd rond het Empire State Building. Vervolgens trok het over de prairie naar het westen, maar bij de kust van de Stille Oceaan keerde het om, om de weg terug naar Europa te nemen. Over de Middellandse Zee ging het, naar de harem van de sultan in Istanbul, en verrukt besefte Simon dat het bewustzijn zich ook vrij in de tijd kon bewegen. Want nu was het de zeventiende eeuw en de harem was geweldig om te zien; hij werd verliefd op een buikdanseres, die als een slang in gouden sluiers kronkelde. Toen hij zover was gekomen, moest hij zijn schoolboek op zijn schoot leggen om te voorkomen dat iemand zou ontdekken dat hij een erectie had.

Karin zat op de klippen bij de plek waar altijd gezwommen werd en keek hoe de grote rivier de zee ontmoette. Ze vroeg zich af of de rivier haar water, dat nu verloren ging in het grenzeloze, ook zou missen.

Maar ze dacht van niet; ze geloofde eerder dat het als een voltooiing en bevrijding zou voelen.

En het water zelf, dat verenigd werd met de zee, wist vast dat het zijn werk gedaan had. Het was met razend geweld door de watervallen bij Trollhättan gedenderd, door de stroomversnelling bij Lilla Edet gewerveld en had zijn kracht aan de turbines van de mensen en het rustige groen van de oevers geschonken. Het droeg nog de zoetheid van zijn lange tocht door het Vänernmeer, van de steile hellingen van de rivier Klarälv en van de gletsjers in de Noorse bergen, en nog helemaal tot aan Rivö Huvud zou je die zoetheid kunnen ruiken en proeven, voordat ze verloren ging in de zilte zee.

Ze dacht aan het voorjaar, toen ook zij zich bijna verenigd had met het grenzeloze, en aan hoe ze zich had ingehouden op de nacht dat Simon aan haar bed zat.

Zij was niet zoals het water van de rivier, zij was nog niet klaar.

Hij heeft er recht op om het te weten, dacht ze.

Ze dacht er telkens weer opnieuw aan, zoals ze de hele zomer al had gedaan, en het was zo duidelijk en zo bedreigend dat ze er als een berg tegen opzag. Een steile berg, die geen enkel houvast bood.

Hij moest het weten.

Het schuldgevoel sloeg toe; hij had het allang moeten weten.

Maar ze weerde het af. Er waren redenen geweest.

Vanaf het begin waren ze immers van plan geweest om het hem te vertellen zodra hij groot genoeg was. Maar destijds in de jaren dertig was de jodenhaat in het dorp toegenomen, had hier en daar wortel geschoten, de lucht vergiftigd en haar en Erik zo beangstigd dat ze zwegen.

Ze kon zich nog een handelaar in garen en band herinneren, één in een lange rij van marskramers en venters die door de jaren heen in haar keuken koffie en een boterham hadden gekregen. Hij vond zelf dat hij beter was dan de anderen omdat hij een nichtje had dat filmster was.

Karin had een pakje naalden van hem gekocht en pas ontdekt dat de man gek was, toen Simon met rode wangen en donkere ogen de keuken binnen was komen rennen om water te drinken. Hij had als kind altijd dorst gehad, alsof hij in brand stond en geblust moest worden.

Ze kon het nog voor zich zien als een toneelstuk, scène voor scène. De jongen was blijven staan, had geknikt en beleefd gegroet. Het gezicht van de man was van haat verwrongen.

'Een jodenzwijn', had hij gezegd. 'Jezus christus, u hebt een jodenjong in uw keuken!'

De volgende scène was wazig; ze kon zich niet meer herinneren hoe ze de kerel haar huis uit had gekregen, alleen maar dat ze hem het pakje naalden had nagegooid en had gedreigd de politie te halen als hij ooit terugkwam. Maar het beeld van het bleke gezicht van de jongen die veel te vragen had, stond haar nog helder voor de geest. Net zoals de herinnering aan hoe ze aan de keukentafel gezeten had met de jongen op schoot en geprobeerd had uit te leggen wat niet uit te leggen viel.

En ze herinnerde zich de avond nog, toen Erik de vrachtauto in de garage zette en zij net niet kon voorkomen dat Simon in Eriks armen vloog en hem de vraag stelde: 'Vader, wat is een jodenzwijn?'

Erik was verstijfd, maar had zich vermand en gezegd: 'Die bestaan niet.'

Maar Karin wist dat Simon de angst in Eriks ogen gezien had. Die avond hadden ze hun besluit genomen. Het was het beste voor de jongen dat hij het niet wist.

In het dorp werd er gekletst en Karin wist nog hoe ongerust ze was geweest over de giftige tong van vrouw Ågren en hoe Simon op een dag was thuisgekomen en had gezegd dat juffrouw Ågren wilde weten waar ze hem hadden gevonden.

En toen kwam de oorlog en het voorjaar van 1940, en het zwart veranderde van sijpelende weerzin in dreiging. O, die voorjaarsnachten in april, toen de Duitsers Noorwegen innamen en ze dacht dat ze ieder moment voor haar deur konden staan om naar de jongen te wijzen.

Toen had ze ook last van haar hart gehad, dacht Karin, en ze was verwonderd dat ze daar niet eerder aan had moeten denken.

Wat had ze Rubens angst goed begrepen. En die van Olga, de moeder die ze nooit had gezien en die de waanzin binnen de muren van Lillhagen verkozen had.

Ik had met Ruben moeten praten, dacht ze.

Achter de roze vesting begon de zee grijs te worden. Nog voor het avond werd zouden ze regen krijgen en Karin stond op. Ze realiseerde zich dat het al drie uur was geweest; Lisa zou inmiddels wel naar haar eigen huis zijn vertrokken en Helen zou er al wel met de melk zijn geweest. Zelf zou ze nog eventjes kunnen slapen voordat Simon uit school thuiskwam.

Maar van slapen kwam niets terecht, want toen ze zich op bed had uitgestrekt en de deken over zich heen had getrokken, stond de berg weer voor haar.

Hij moest het weten.

Ze moest weer denken aan de oorlogsjaren, aan de avond toen Erik en zij opeens aan de brief hadden gedacht. Inge had een brief van de speelman gekregen, een lange brief in het Duits, die niemand van hen begreep. Maar ze hadden besloten dat Inge de brief moest bewaren om hem later aan Simon te geven.

Ze kon zich het telefoongesprek herinneren; Eriks stem die Inge had gedwongen om de brief te verbranden. Nadien had de angst voor de kerkarchieven Karin opgejaagd; wat stond daarin, wie had Inge als vader van het kind opgegeven?

Ze had gehoopt dat Erik, toen hij met zijn volgende verlof thuiskwam, haar gerust zou kunnen stellen. Dat hij zou zeggen dat ze spoken zag. Maar haar angst had de zijne aangestoken en hij had zijn kostbare benzinebonnen gebruikt om de lange weg af te leggen naar de kerk op het platteland waar Inge stond ingeschreven.

Dat maakte alles alleen nog maar erger. Erik had het hele verhaal verteld aan de dominee, een man van middelbare leeftijd die steeds zijn lippen had afgelikt.

'Die verdomde dominee was een fascist', zei Erik toen hij thuiskwam. 'Maar dat begreep ik pas toen hij begon te raaskallen over het belang om het arische ras zuiver te houden.'

Ze hadden ruzie gekregen.

'Ik had hem wel dood kunnen slaan', zei Erik.

In het kerkboek stond: vader onbekend.

Karin deed haar ogen open; van een middagdutje zou niets komen. Haar blik viel op de schommelstoel bij de kachel, waar ze gezeten had met Isak toen de schepen die onder embargo hadden gelegen, waren verdwenen en Isak buiten zichzelf was geraakt.

Alles had ertoe bijgedragen dat haar angst bleef voortleven. Maar de herinnering aan Isaks toestand in die dagen gaf haar ook kracht.

Daar heb ik me ook mee gered, dacht ze.

Simon kwam binnenvallen. Hij gooide zijn schoolboeken op de trap en stond voor haar, aanwezig, vol leven.

'Hallo, mammaatje. Hoe gaat het met je? Wat eten we vandaag?'

Karin lachte. Ze moest even nadenken, o ja: 'Gehakt', zei ze. 'Heb je haast?'

'Ja, ik ga dansen op Långedrag.'

Karin keek naar de knappe jongen en dacht dat ze maar wat graag jong zou willen zijn om met hem uit dansen te kunnen gaan.

Dat hij van niets weet heeft hem goedgedaan, dacht ze toen ze opstond om eten te gaan koken.

'Gaat Isak ook mee?'

'Ja. Ruben brengt hem hier en hij heeft doorgegeven dat hij graag koffie komt drinken.'

Dat komt goed uit, dacht Karin en na de maaltijd, toen Simon naar zijn kamer was gerend om zich te verkleden, zei ze tegen Erik: 'Hij moet het weten. Hij is zeventien jaar en hij heeft er recht op.'

Erik zag er opeens tien jaar ouder uit, maar hij knikte en zei: 'Ja, ik heb er ook aan zitten denken.'

'Het is niet gemakkelijk', zei Karin. 'Ik wil dat we met Ruben overleggen.'

Ze zag dat Erik dat niet wilde.

'Iedereen die ons na staat, moet het immers toch weten', zei Karin.

'Ja, dat is zo.'

Toen Ruben kwam stond de koffie klaar in de zondagse kamer dus alleen al daaruit kon hij concluderen dat het geen gewone avond zou worden. Karin en Erik begonnen te vertellen, aarzelend en aftastend in het begin, daarna steeds drukker en bijna door elkaar heen pratend. Karin had altijd al geweten dat Ruben goed kon luisteren, maar ze had nooit gedacht dat het zo'n prettig gevoel zou geven om hem het hele verhaal te kunnen vertellen. Het was oktober en buiten heerste een dichte duisternis; ze konden elkaar niet goed zien. Maar toen Erik eindelijk opstond om de lamp aan te doen, zagen ze dat Rubens ogen vochtig waren.

Hij zei niet veel, alleen maar: 'Dus het was geen toeval dat jullie Isak konden helpen.'

'We zaten allemaal in hetzelfde verrekte schuitje', zei Erik.

Het bleef lang stil. Toen zei Ruben: 'In het begin heeft het mij ook wel beziggehouden; hij ziet er immers niet erg Zweeds uit.'

Hij kon zich nog herinneren hoe Olga had gezegd: 'Larsson? Maar dat kan toch helemaal niet.'

Maar dat vertelde hij niet. Hij zei wel dat hij in de loop der jaren vaak had gedacht dat Simon op zijn ouders leek.

'Hij heeft immers dezelfde aard als jij, Karin; hetzelfde

fatsoen, als jullie begrijpen wat ik bedoel. En hij lijkt ook op Erik, enthousiast en druk.'

Dat troostte hen.

Maar hoe dacht Ruben dat Simon het zou opnemen?

Ruben zuchtte: 'Het zal niet gemakkelijk zijn. Maar ik geloof niet dat er echt gevaar bestaat. Hij staat zo stevig in zijn schoenen.'

Ruben zei ook nog dat ze het op een natuurlijke manier moesten brengen; ze moesten hem niet de waarheid in het gezicht slingeren, maar wachten op een geschikte gelegenheid.

'Wanneer is dat?' vroeg Karin verbouwereerd.

'Dat zullen jullie weten als het moment daar is', zei Ruben zo overtuigend dat ze hem wel moesten geloven.

Toen de jongens van hun dansavond terugkwamen, kwamen ze net als altijd in de keuken een biertje drinken en een boterham eten. Ruben sloeg zijn armen om Simon heen, klopte hem op de rug en zei: 'Lieve deugd, jongen, als je toch eens wist wat voor kerstcadeau ik voor je heb besteld in Amerika.'

De volgende ochtend lag de mist als watten om de huizen heen. Zoals zo vaak werd Simon 's ochtends wakker van het geloei van de misthoorns over de riviermonding. Hij vond dat ze dit keer onheilspellender dan anders klonken. Ook Karin leek al net zo ondoordringbaar als de mist, toen ze bezig was de ontbijttafel te dekken. Ze zei dat ze naar Edith Äppelgren zou gaan, voordat die helemaal gek zou worden van de mist. Simon moest de fiets maar laten staan en de tram nemen.

'Je kunt nauwelijks een hand voor ogen zien', zei Karin. Het laatste stuk naar de halte moest hij rennen; het blauwe voertuig dook al op als een spook uit de mist, maar het ontving hem in zijn warme ingewanden met vriendelijk glanzende gloeilampen.

Op de katheder in de aula stond vandaag de vaste predikant zelf. Van alle dominees die het lyceum tijdens de dagopening zegenden, was hij de stomste en de verveling kroop in Simons richting. Al tijdens de eerste regels van het onzevader slaagde Simon erin om aan zijn hoofd te ontstijgen, maar tot zijn teleurstelling ontdekte hij dat zijn bewustzijn dit keer rechtstreeks naar huis was gegaan.

De keuken lag er verlaten bij; Karin was al weg naar de Äppelgrens. Simons bewustzijn sloeg af naar de werf, maar halverwege hield hij zich in. Ze hielden pauze, Erik en zijn mannen, en Simon kon horen hoe Erik tijdens de koffie zat te pochen. Hij had het over de bom en over de wereld die veranderd was en iedereen zat aandachtig te luisteren.

Zo heeft hij het naar zijn zin, dacht Simon. Nu is hij de beste en de grootste en op zijn ergst.

Simon voelde dat hij zijn vader haatte, hem verachtte.

Net zoals zijn vader hem verachtte, de jongen met twee linkerhanden en een hoofd vol grillen waar je niets nuttigs mee kon doen.

Die nooit een fatsoenlijke arbeider zou worden.

God, wat was Simon uitgekeken op dit huis. En de werf. En het gepoch over de boten. En de politiek. En al het materiële.

Simons bewustzijn keerde om op het tuinpad en kwam daar Karin tegen in de mist, zag haar in zijn richting komen en bekeek haar met andere ogen, van buitenaf. Ze was niet bijzonder knap en eigenlijk waren de zelfingenomen trekken rond haar mond afschuwelijk. Zij, die engel, had deze dag alweer een goede daad verricht.

Hij haatte ook haar; hij realiseerde zich dat je nooit een goed gesprek met haar kon voeren, dat ze geen opleiding had en dom was en dat ze hem nooit begrepen had.

Maar toen brak het opeens los: ''k Wil U, o God, mijn dank betalen...'

En Simons bewustzijn werd gedwongen zich weer over de drempel van zijn slaapbeen terug te begeven en net als altijd wanneer er veel mensen rondom hem heen hard en vals zongen, werd hij misselijk.

Zelf zong hij geen noot.

Maar daarna begon hij vanwege zijn vreselijke gedachten buikpijn te krijgen en in het natuurkundelokaal, waar Alm steeds verder verstrikt raakte in een of ander belachelijk experiment en hij alle tijd had om na te denken, moest hij weer denken aan gisteravond, toen er een rare sfeer in de keuken had gehangen toen Isak en hij terugkwamen van het dansen.

Iets vreemds. En Erik had er moe uitgezien.

Maar de herinnering aan Erik wakkerde zijn boosheid weer aan; Simon wijdde zich opnieuw aan het verafschuwen van Erik, van diens grove vuisten en simpele waarheden.

Ook Karin moest aan Erik denken. Toen later op de dag de mist wat minder werd, trok ze er net als anders op uit.

Erik had het niet gemakkelijk gehad gisteravond. Het besluit dat ze in de oorlog genomen hadden om niet over Simons afkomst te praten, had er bij hem toe geleid dat hij er ook niet meer aan dacht. Het niet wist.

Erik was er heel goed in om iets niet te weten.

Hij was altijd gevoeliger geweest op het punt van Simons achtergrond dan zij. In elk geval was hij altijd degene die het sterkst reageerde als ze eraan herinnerd werden. Zoals die keer dat Ruben het in zijn hoofd had gehaald dat Simon violist moest worden.

Erik was haast gek geworden van kwaadheid.

Hij was iemand die zijn eigen werkelijkheid schiep, dacht Karin. Hij bouwde die zelf op, steen voor steen, en hij was iemand anders nooit iets verschuldigd. Alles wat niet in zijn kraam te pas kwam wees hij van de hand of negeerde hij. Andere mensen moesten maar zo goed zijn dat ze zichzelf veranderden, zodat ze ingepast konden worden.

Simon paste steeds slechter.

Er hing ruzie in de lucht, dat voelde Karin, ook al deden Simon en Erik om haar niet te verontrusten allebei hun best om zich te verbijten. Het ging er niet alleen om dat Simon onhandig was, nee, het ging om veel meer. Eriks werkelijkheid klopte alleen wanneer hijzelf de overhand had. Hij, de enige zoon van zijn formidabele moeder, moest meer zijn dan een ander. Want anders?

'Tja, dan zal hij wel doodgaan', zei Karin hardop, boos als altijd wanneer ze een glimp van de erfenis van haar schoonmoeder zag.

Nu had Simon Erik in veel opzichten ingehaald: in scherpzinnigheid, in kennis, in snelheid. Erik werd bedreigd en nam zijn toevlucht tot hoon.

'Pak 's aan, knul, als je tenminste niet bang bent om je handen vuil te maken.'

Simon behoorde tot de bovenklasse en daar moest hij voor boeten. Het kwam natuurlijk door school, maar er was meer. Hij was geboren als iemand uit de betere kringen, dacht Karin en meteen daarna: maar dat is belachelijk.

Zou het dan om het ras gaan; dat Simons wezen met het jodendom te maken had?

Nee, Isak behoorde ook tot de bovenklasse en hij was een jood, maar hij bezat alle eigenschappen die Erik verlangde: hij was slim en handig met schroeven en spijkers. En, het allerbelangrijkste: hij koesterde een grote bewondering voor Erik en beschouwde diens leiderschap als iets vanzelfsprekends.

De zon begon nu door te breken; het licht was zilverwit van de mist. Karin liep naar de eiken. Toen ze onder de grootste kroon stond, die zwaar en verguld was in de beginnende herfst, besefte ze dat ze zichzelf met al deze gedachten over Erik buiten schot hield. Haar eigen angst durfde ze niet bij daglicht onder ogen te zien.

Want hij zou nu wel eens kunnen breken, die navelstreng die ook haar leven voedde.

Als Simon het weet is hij vrij, dacht Karin. Zij was niet zijn moeder en daarom kon hij haar laten vallen. Ze wist immers wel dat er ogenblikken waren waarop hij zich voor haar schaamde.

Ze voelde nu pijn in haar borst, maar er kwamen geen tranen om die te verzachten.

In de spiegel thuis zag ze dat haar lippen een beetje blauwig waren. Ze nam de kalmerende pillen voor haar hart en viel in slaap. Ze droomde dat ze onder grote pijn een zoon baarde. Het was Simon die uit haar lichaam kwam en ze wikkelde hem in doeken en ging met het kind naar zijn vader.

De weg naar de man die haar op de heuvel opwachtte was lang, maar ze droeg het kind met grote waardigheid naar hem toe. En hij nam het in zijn armen en pas toen keek ze naar hem. Ze keek in zijn ogen en zag dat het Ruben was.

17

'Meneer Ruben Lentov?'

'Ja, dat ben ik.'

'Mijn naam is Kerstin Andersson. Ik ben maatschappelijk werkster bij het sanatorium Söråsen.'

De naam van een stad werd genoemd en Ruben had een vaag idee van waar die ergens lag in het hoogland van de provincie Småland.

'Ja,' zei hij, 'goedendag.'

'Goedendag.'

De stem aan de telefoon deed er alles aan om zelfverzekerd te klinken, maar slaagde daar niet in.

'Is het misschien zo dat uw vrouw van zichzelf Leonardt heet? Ik bedoel, voordat u trouwde?'

'Ja.' Nu voelde Ruben zich bedreigd.

'Olga Leonardt?'

'Ja. Hoezo?' Zijn stem klonk nu zo formeel dat de stem aan de andere kant van de lijn alle zelfvertrouwen verloor en zei: 'Kan ik haar misschien beter zelf bellen?'

'Nee', zei Ruben. 'Mijn vrouw is geestesziek.'

'O, het spijt me.'

Waar gaat dit verdomme om, dacht Ruben, maar hij wist al dat het onvermijdelijke hem nu had ingehaald. De stem ging verder alsof ze zijn gedachte had geraden.

'Wij hebben hier een meisje, een van de overlevenden uit Bergen-Belsen. Ze heet Iza von Schentz en beweert dat ze de dochter van de zuster van uw vrouw is.'

De muren van het ruime kantoor kwamen op Ruben af, de kamer werd kleiner en in zijn hoofd verdrongen de beelden elkaar. Iza, een levendig meisje van vijf jaar dat ooit in een andere wereld bruidsmeisje bij zijn huwelijk was geweest. O, God, dacht hij, God van Israël, help me. Hij legde de hoorn neer op zijn bureau en slaagde erin het raam aan de kant van de Norra Hamngata open te krijgen. Hij haalde diep adem en zag hoe de zee witte schuimkoppen had tot ver in het havenkanaal. Het stormde over Göteborg.

Toen, en het kwam van zo ver weg als uit een ander universum, hoorde hij de stem aan de telefoon.

'Hallo, hallo, bent u daar nog, meneer Lentov?'

Hij moest zich vermannen. Hij nam de hoorn weer op om vragen te stellen, maar hij wist niet wat hij moest zeggen.

'Iza', zei hij. 'De kleine Iza.'

De stem van Kerstin Andersson had haar kracht hervonden toen ze zei: 'Ik begrijp dat u tijd nodig heeft om dit te verwerken. Misschien kunt u mij later vandaag terugbellen.' Ze gaf hem een telefoonnummer. Zijn hand schreef het op en toen hij de hoorn erop had gelegd voelde hij hoe koud hij het had.

Maar toen hij naar het raam liep om het dicht te doen, had de kamer haar normale afmetingen weer aangenomen. Hij liep naar het secretariaat om te zeggen dat hij het volgende halfuur niet gestoord wilde worden. Daarna ging hij op de zwarte leren bank liggen met het *Handelsblad* over zijn gezicht.

Hij probeerde zich het kind te herinneren, haar gezicht voor zich te zien. Maar hij slaagde daar niet in.

Een van de miljoenen doden was teruggekeerd, maar ze had geen gezicht. Zou ze op haar moeder lijken? Ruben dacht er opeens weer aan hoeveel moeite het hem had gekost om Rebecca te vergeten, om gedurende al deze jaren in

Zweden niet te denken aan het meisje in Berlijn van wie hij ooit had gehouden.

Rebecca Leonardt, ze was geweldig.

Ze was getrouwd met een Duitse officier, maar Ruben slaagde er ook niet in zich Von Schentz voor de geest te halen. Wat hij zich nog wel duidelijk kon herinneren was een gesprek in een café in Parijs, waarbij Rebecca had geprobeerd haar verloving met de Duitser aan hem uit te leggen.

'Hij is aardig, Von Schentz', had ze gezegd. Met zijn hulp zou ze zich ontworstelen aan het jodendom dat haar beknelde en beklemde. 'Op de vrouwengalerij van de synagoge krijg ik geen adem.'

Hij, Ruben, had zijn vertwijfeling niet laten zien; hij was grootmoedig en begripvol geweest.

Het huwelijk had haar dus niet geholpen, dacht hij. Hij stond op omdat hij dorst had. Hij vond een flesje mineraalwater, maakte dat open en dronk ervan.

Ze was schrijfster geworden. Tot op het eind van de jaren dertig had ze brieven en boeken met een opdracht erin aan Olga gestuurd. Ruben had zich er nooit toe kunnen zetten om haar romans te lezen, maar hij wist dat ze een goede naam had.

Om in haar nabijheid te kunnen zijn ben ik met Olga getrouwd, dacht hij.

Nee.

Jawel.

De twee dochters van de rijke dokter Leonardt, van wie de ene alles had meegekregen: talent, schoonheid en een rijke geest die zich openstelde voor alles en iedereen. Terwijl de andere…

Ruben voelde nu een bijna wilde tederheid voor Olga,

het kleine zusje, dat in het grote psychiatrische ziekenhuis met poppen zat te spelen.

Het beeld van zijn vrouw en haar poppen voerde Ruben Lentov terug naar de werkelijkheid, naar de late herfst van 1945 in Göteborg, naar daadkracht en verantwoordelijkheidsgevoel.

Ik heb niet eens gevraagd hoe het met het meisje is, dacht hij. Hij ging aan zijn bureau zitten om te bellen. Maar zijn hand draaide het nummer van Karin en toen hij haar stem hoorde, begreep hij wat hij altijd al had geweten maar nooit onder ogen had willen zien, namelijk dat Karin in heel haar wezen op Rebecca leek.

'Maar Ruben!' zei Karin. 'Wat geweldig. We moeten zorgen dat ze hier in Zweden geneest en het naar haar zin krijgt.'

Dat was goed; dit was wat hij nodig had om te horen.

'Je moet eerst vragen hoe ziek ze is. Ze zal wel tuberculose hebben, aangezien ze in een sanatorium ligt. Je moet praten met de doktoren, je moet erheen gaan.'

'Ja.'

'En je moet vragen naar haar familie, naar haar moeder.'

'Ja.'

'Dat moet je aan de maatschappelijk werkster vragen, niet aan het meisje zelf. Goeie genade, Ruben, het is een wonder!'

Hij kon horen dat Karin opgewonden was. Hij dacht aan haar hart en wilde iets kalmerends zeggen, maar hij kon er alleen maar aan denken dat hij de eerste keer dat Karin op zijn kantoor kwam al had beseft dat hij Rebecca in haar zag.

'Ruben?'

'Ja.'

'We zullen ervoor zorgen dat ze weer blij is dat ze leeft.'

Allebei zouden ze zich deze woorden herinneren toen ze na verloop van tijd gingen begrijpen dat Iza een mens was met een nietsontziende en brandende levenslust.

'Hoe oud is ze, Ruben?'

Hij moest even nadenken; hij was in 1927 getrouwd, ze moest in 1923 geboren zijn.

'Ze is tweeëntwintig.'

'Mooi', zei Karin. 'Ik geloof namelijk dat jonge mensen gemakkelijker genezen.'

Hij was het gevoel dat van Karins troostende woorden uitging nog niet kwijt toen hij een telefoongesprek met Kerstin Andersson aanvroeg.

'Ze had wat vlekken op de longen, maar die zijn goed genezen', zei ze. Iza behoorde tot degenen die zouden overleven. Ze ging nu hier naar school, leerde de taal en dat ging haar gemakkelijk af; ze was enorm nieuwsgierig naar het leven in het nieuwe land.

'Maar dat u er bent, zal moeilijk voor haar worden', zei de maatschappelijk werkster.

'Hoe dat zo?'

Kerstin Andersson vertelde toen dat haar patiënten het moeilijk vonden om een grote vreugde te verwerken. Ze vertelde hem over een vrouw die een goede prognose had gehad, maar stierf toen ze een brief kreeg van haar zuster, die ook een overlevende was en nu in Palestina woonde.

Ruben probeerde dit te begrijpen.

'Is het om die reden dat u nu pas contact met mij hebt gezocht?'

'Nee', zei de maatschappelijk werkster. 'Iza heeft de hele zomer gepraat over een tante in Noorwegen, maar ze wist niet meer welke naam die kreeg toen ze trouwde, en wij hebben haar verhaal niet echt serieus genomen.'

Ze wist niet hoe ik heette, dacht Ruben. Rebecca heeft mij uitgewist, zoals ik haar heb uitgewist.

'Maar op een dag zag ze een advertentie voor uw boeken in de krant.'

Ruben wist welke advertentie dat was geweest; de nieuwe uitgaven van dit najaar uit Engeland en Amerika, die nu in zijn winkels ook weer verkrijgbaar waren.

'Ze herkende de naam en werd haast gek. Ze kreeg weer koorts en dat beangstigde de artsen. Zelf geloofde ik niet zo veel van haar verhaal, maar de chef de clinique vond dat ik het moest nagaan. Vooral om haar te kalmeren, begrijpt u. Dus toen heb ik u gebeld.'

'Weet ze er iets van?'

'Nee, ik zal vanmiddag proberen er met haar over te praten.'

'Ik was van plan om dit weekeinde langs te komen.'

'Dat is goed, maar wacht u even tot u weer van mij hebt gehoord.'

'Ja. Is er iets dat ze graag zou willen hebben, denkt u?'

Er werd gelachen aan de andere kant van de lijn. 'Alles wil ze hebben', zei Kerstin Andersson. 'Kleren, schoenen, make-up, snoepgoed, boeken, tassen, kousen. Ze willen alles.'

Ruben kon er niet om lachen. Hij schraapte al zijn moed bijeen voor zijn laatste vraag: 'Is er iets bekend over haar moeder?'

De stem werd nu zo ernstig dat de telefoonhoorn in zijn hand loodzwaar werd: 'Ja, ze is vergast in Auschwitz. Haar beide kinderen hebben haar afgevoerd zien worden naar de gaskamers. Iza's broer is een week na de bevrijding in Bergen-Belsen gestorven.'

'O, nee.'

'Ja, dat is heel moeilijk voor Iza. Maar heel veel mensen hebben het op de drempel opgegeven. Bovendien heersten er veel ziektes, onder andere vlekkenkoorts.'

Kerstin Anderssons stem klonk vermoeid en het bleef even stil voordat ze vroeg: 'Uw vrouw, is ze erg ziek?'

'Ze heeft geen contact meer met de buitenwereld; ze zit in een psychiatrisch ziekenhuis. Maar u hoeft zich niet ongerust te maken. Ik heb een zoon en vrienden; ik zal goed voor Iza zorgen.'

'O, ik vroeg het niet om die reden. Ik wilde alleen maar weten wat ik tegen het meisje moet zeggen.'

Ruben slaagde erin op het eind van het gesprek nog iets aardigs te zeggen; het was hem duidelijk dat hij met iemand had gesproken die het niet gemakkelijk had.

Even later belde Erik om te zeggen dat hij Ruben aanstaande zaterdag wel met de auto naar het sanatorium wilde brengen. De treinverbindingen in Småland waren slecht en hij wist dat Ruben een hekel had aan lange autoritten op het platteland.

'Ik vind het wel', zei Erik. 'Ik heb in mijn jeugd zelf in een sanatorium daar gelegen.'

Ruben bedankte hem. Hij voelde zich op alle manieren opgelucht. Maar hij was verbaasd: 'Heb jij de tering gehad?'

'Ja, eventjes, nadat ik in mijn jeugd liefdesverdriet had gehad.'

Het woord liefdesverdriet klonk onwennig uit de mond van Erik, maar hij zou wel geen ander woord kunnen bedenken. Ruben realiseerde zich hoe goed ze elkaar kenden en hoe weinig ze in feite van elkaar wisten.

Kerstin Andersson legde de hoorn met een klap op de haak en bleef zitten. Ze wist dat het vrouwenpaviljoen al bruiste van opwinding, want misschien had Iza familieleden in Zweden die stinkend rijk waren. Iza's hoop had de hoop die alle anderen ook koesterden aangestoken.

Ze is zo breekbaar als een rietstengel, dacht Kerstin. Maar doodgaan doet ze vast niet; ondanks alles heeft ze immers geen persoonlijke band met haar oom. Iza kon zich hem niet herinneren.

Maar een familieband was een teken dat je erbij hoorde en zelfs meer dan dat: het was een schakel terug naar de wereld. Kerstin stond op en liep naar de boekenkast om het verslag dat ze bijgehouden had van haar gesprekken met Iza te voorschijn te halen. Ja, nu wist ze het weer. De vader van Iza was een Duitse officier die zichzelf met zijn dienstwapen had doodgeschoten toen de Gestapo kwam om zijn vrouw en kinderen op te halen.

Ze kon zich Iza's verbijsterde woorden herinneren: 'Hij stierf, snapt u, vlak voor onze ogen.'

Het was alsof het meisje het vergeten was en het zich nu plotseling weer herinnerde; de eerste van de duizenden doden die ze had gezien.

Er was ook nog een klein zusje geweest, maar zij was al tijdens het transport gestorven.

'Gelukkig maar voor haar', had Iza gezegd. 'Maar moeder begreep het niet; we moesten het kind uit haar armen trekken.'

Vervolgens het bekende verhaal, maar ze waren er in die hel in geslaagd om bij elkaar te blijven, Iza en haar broer. Toen hij bij de bevrijding stierf, was Iza ziek geworden. Ze had tussen dood en leven gezweefd.

Kerstin zuchtte. Terwijl ze haar map terugzette, dacht ze

wat ze zo vaak dacht: dat ze niet goed tegen deze baan op-
gewassen was. Rond Iza hing een spanning; ze was voornamer dan de anderen. In het sanatorium bevonden zich
vooral Poolse vrouwen die in de getto's van Lodz en Warschau waren opgegroeid en Iza daagde hen uit met haar
mooie Duits, haar poepchique naam en haar maniertjes.

En met haar meedogenloosheid, dacht Kerstin met tegenzin.

Maar ze zag er net zo uit als de anderen, vreselijk.

Ik moet Lentov erop voorbereiden dat ze zich volpropt
en dat haar haar uitvalt, dacht Kerstin.

Ze ging Iza zoeken en vond haar in het klaslokaal met
een boek. Een Zweedse roman van Vilhelm Moberg.

'Is dat niet te moeilijk voor je?'

'Nee, het is een verschrikkelijk spannend boek.'

Kerstin dacht aan de enorme ijver waarmee het meisje
zich een weg in de taal baande en in alles wat Zweeds was.
Ze moest denken aan hoe Iza de krant las. Ze begon op de
eerste bladzijde en las vervolgens alles: advertenties, rouwbe-
richten, aankondigingen voor radioprogramma's, bericht-
jes over weggelopen honden en verloren portemonnees en
contactadvertenties waarin jonge en oudere mensen gezelschap zochten, evt. huwelijk. Alles verwonderde en verte-
derde haar; ieder woord dat ze niet begreep vroeg ze. Ze
dwong de verpleegsters, de hulpen, Kerstin, zelfs de dokter,
om het haar uit te leggen.

Het gebeurde wel eens dat ze net zo verbaasd als Iza naar
de eigenaardigheden van de Zweedse samenleving keken.

'Ik ben een monter wichtje van tweeëntwintig lentes dat
houdt van zemelenpap en lange wandelingen. Ben jij degene die mij kan temmen? Antwoord ter attentie van Wilde
Kat.'

'Maar dat is toch belachelijk', zei Iza met glanzende ogen. En dat was het eigenlijk ook.

Kerstin verzocht Iza mee te gaan naar haar kantoor. Ze gaf haar een stoel maar bleef zelf staan toen ze haar zonder omhaal vertelde dat Ruben Lentov zich haar en haar moeder nog wel kon herinneren en dat hij graag voor haar wilde zorgen.

Iza's triomfantelijke gevoel kende geen grenzen.

'Ik wist het wel', gilde ze. 'Ik wist het wel, maar u wilde mij niet geloven.' Ze kon zich niet meer inhouden en vloog de gang in. Uit ziekenzaal na ziekenzaal klonk haar geroep.

'Ik heb een oom in Zweden, een rijke oom, die voor me gaat zorgen.'

Overal steeg de opwinding en bloeiden dromen op.

Vergeten was het feit dat ze poepchique was, want er was een wonder gebeurd en een wonder kon hun allemaal gebeuren.

Nu krijg ik weer op mijn kop, dacht Kerstin Andersson toen ze de hoofdzuster zag aankomen, plechtig als altijd maar grimmiger dan anders. 'Ik heb toch gezegd dat we de patiënten niet mogen opwinden. Vanavond hebben ze allemaal weer koorts en dat is uw schuld.'

Kerstin rende achter Iza aan.

'Nu ga je met mij mee. Trek je jas en je laarzen aan, dan gaan we het park in.'

'Je tante is ziek, geestesziek.'

'Hoe komt dat?' Iza bleef plotseling stilstaan.

'Hoe bedoel je? Zoiets weet je toch niet.'

'Maar dat is toch belachelijk', zei Iza. 'Hier, waar het vrede is en waar je eten hebt en een rijke man, een beetje rondlopen en dan gek worden.'

Ze was boos. En bang, want ze begreep dat dat haar positie veranderde. Ruben Lentov was geen bloedverwant van haar; zij was het nichtje van zijn vrouw.

'Maar u zei dat hij voor mij wilde zorgen?'

'Ja. Hij is absoluut een man op wie je kunt vertrouwen.'

Iza kalmeerde wat. Haar stem klonk minder scherp toen ze vroeg: 'Is het waar dat hij rijk is?'

Kerstin dacht aan haar arme studentenjaren op het Sociaal Instituut in Göteborg en aan hoe zij en haar medestudenten binnenslopen in die elegante boekwinkel midden in de stad, waar zachte vloerbedekking lag en het rook naar mooie boeken.

'Ik geloof van wel', zei ze.

Ze vertrokken vroeg die zaterdagochtend in Rubens oude Chevrolet, die tijdens de oorlog opgeslagen had gestaan en die nu in de bochten van de smalle weg naar Borås spon als een tevreden kat, blij grommend dat ze weer naar buiten mocht om zich te bewegen.

'Wat een karretje', zei Erik. 'Zo maken ze ze tegenwoordig niet meer.'

Maar de auto zoop benzine en in Borås begon het te sneeuwen. Erik ging tanken en toen hij hoorde dat het weer in de richting van Ulricehamn nog slechter zou worden, kocht hij sneeuwkettingen.

Op de achterbank zaten Simon en Isak, die na enig twijfelen toch besloten hadden om mee te gaan om het nichtje te bekijken dat uit het dodenrijk was teruggekeerd. In de kofferbak lagen Olga's bontmantel, een prachtige, nieuwe handtas in lakleer, een zakje met schoonheidsmiddelen die Karin gekocht had, chocoladekoekjes en een stapel boeken.

Ze leest alles wat ze in handen kan krijgen, had de maatschappelijk werkster gezegd.

Ze slingerden Borås uit en begonnen de weg naar het hoogland van Småland te beklimmen, naar het sneeuwrijk. Hoge, blauwige heuvels, mijlenverre bossen, witte sparren.

'Het is hier mooi', zei Ruben, die, als hij zich eens een enkele keer buiten de stad begaf, bijna altijd verwonderd was over hoe geweldig Zweden was.

Erik mompelde iets over versleten banden en schakelde terug naar de tweede versnelling, maar na een tijdje moest hij toch stoppen om de sneeuwkettingen om te leggen. Isak hielp hem en Ruben en Simon liepen een stukje het bos in om te plassen. Stampend met zijn voeten om zich warm te houden stond Ruben te kijken naar Erik, die geroutineerd de ketting rond het laatste wiel legde.

Opeens kon Ruben zich herinneren hoe Otto von Schentz eruit had gezien.

Toen ze verder reden bleef hij denken aan de Duitser, de vader van Iza. Misschien was hij nog in leven en dook hij ergens op in een Russisch krijgsgevangenenkamp.

Ja, ja.

Het was stil in de auto; ze voelden zich nu alle vier niet op hun gemak. Ze dachten aan de beschrijvingen die ze hadden gelezen en de foto's die ze hadden gezien en ze beseften dat niets daarvan voor hen werkelijkheid was geworden.

Tot nu.

Toen waren ze er. Ze reden het erf op. De zon scheen en de sneeuw glinsterde en rond hun auto zwermden echte mensen, die dik waren, geamuseerd en nieuwsgierig. Duidelijk levendiger dan gewone mensen in Zweden, kinderlijker ook, want ze gaven openlijker blijk van hun vertrouwen.

Of ze eten bij zich hadden. Brood?

Nee, hadden ze dan honger? Kregen ze niet genoeg te eten?

Erik voelde hoe hij langzaam boos werd, maar daar kwam de maatschappelijk werkster al aan, een lang meisje met grijze ogen, die kort uitlegde dat iedereen hier dubbele rantsoenen van alles kreeg, maar dat ze bodemloze putten waren.

'U ziet wel hoe rond ze zich eten.'

Simon vond haar afschuwelijk, maar de patiënten lachten om haar en zeiden dat dat nog het ergste was; dat ze nooit genoeg konden krijgen van eten. Ze spraken een mengelmoes van Duits en Zweeds.

Erik kon hen gemakkelijk verstaan en algauw zat hij met een tarwebrood en een koffiekan te midden van tien dikke vrouwen. Hij had een gevoel van onwerkelijkheid, maar hij was vrolijk en in een goed humeur.

In de kamer van de maatschappelijk werkster wachtte Iza op Ruben. De laatste dagen was ze veranderd. Ze was stiller geworden en had geprobeerd minder te eten. Ze had haar haar gewassen en vertwijfeld gehuild toen het in bossen uitviel. Urenlang had ze in haar eentje in het leslokaal geprobeerd zich te herinneren hoe je moest optreden en praten en hoe je je moest gedragen in de salons van welopgevoede mensen. Van een verpleegster had ze nagellak geleend en daardoor voelde ze zich beter, want ze had mooie handen.

Maar ze durfde zichzelf niet te bekijken in de grote spiegel in de gymnastiekzaal.

Die ochtend had de koortsthermometer bijna 38 graden aangegeven en de zuster had boos gekeken, maar Iza was blij want in haar zakspiegeltje zag ze dat de koorts haar wangen en ogen deed glanzen.

Ze leek op Olga. Niet op Rebecca, maar op Olga. Dezelfde nerveuze begeerte rond de mond, dezelfde licht gebogen neus en hetzelfde smalle, hoge voorhoofd. Ze had zclfs hetzelfde fijne, nauwelijks zichtbare blauwe adernet aan de slapen. En hetzelfde rusteloze enthousiasme, dezelfde honger die niet gestild kon worden.

'Kleine Iza', zei hij.

Ze zag in één oogopslag dat ze zich niet zou hoeven in te spannen, dat zijn schuldgevoel zo groot was dat hij haar zou accepteren zoals ze was.

'Ik wil hier weg', zei ze. 'Nu meteen.'

'Dat kan ik me voorstellen', zei Ruben. 'Maar dat moet de dokter beslissen.'

'Ik haat hem', zei ze en hij was verbijsterd over de intensiteit waarmee ze sprak en over haar haat. 'Het is een nazi, net zo'n klootzak als de Duitsers in het kamp.'

Zou ze gelijk hebben, dacht Ruben geschrokken.

Maar hij wilde er niet op doorgaan en koos een ander gespreksonderwerp. 'De maatschappelijk werkster heeft over Rebecca verteld', zei hij.

'Ik wil er niet meer aan denken.'

'Dat begrijp ik.'

Haar antwoord kwam bliksemsnel: 'Nee, daar kunt u niets van begrijpen.'

En Ruben boog zijn hoofd.

'Weet je iets over je vader?'

Zijn vraag klonk aarzelend, maar hij moest het toch weten. De vraag raakte Iza recht in haar ziel; ze stelde zich nu open en was echt en verwonderd als een kind.

'Hij heeft zichzelf doodgeschoten', zei ze. 'Vlak voor onze ogen. We stonden daar en opeens schoot hij zichzelf dood.'

Haar ogen keken terug in de tijd, naar het ogenblik waarop het onbegrijpelijke begon.

'Waarom? Wanneer?' vroeg Ruben met fluisterende stem.

'Toen de Gestapo ons kwam ophalen, moeder en ons.'

Nu keerden haar ogen terug naar de kamer en naar hem en ze begon te lachen: 'Moet u zich voorstellen, wat een laffe klootzak.'

Ruben durfde haar niet aan te kijken.

Na een poosje deed hij de deur open om Isak te roepen. Hij vroeg of de jongens de cadeautjes uit de auto wilden halen. Iza keek haar neef nauwelijks aan en naar Simon keek ze al helemaal niet; ze had alleen maar oog voor de cadeaus.

'God, wat een prachtige bontjas.'

Ze rukte hem uit de zak en probeerde hem aan te trekken. Het ging maar net en hij kon niet dicht.

'Ik word weer slank', zei ze. 'Echt waar, echt waar.'

Toen Simon haar uit haar jas hielp, zag hij het nummer, de slordig getatoeëerde cijfers op haar arm.

Het was een moment buiten de tijd, een seconde die alles inhield wat je ooit moest weten. Hij las het hoge getal en zag de vele doden en hij wist dat zij de levenden niet verantwoordelijk zouden stellen.

Dat ze waren opgehouden te fluisteren in de wind.

Maar ook dat het de doden waren die de stilte op aarde schiepen en alles wat nooit te begrijpen viel.

Toen zijn blik van de arm van het meisje naar haar ogen gleed, zag hij dat ze kwaad was en hij wist dat haar kwaadheid zijn leven werkelijk zou maken en dat hij alles moest verdragen.

Isak had de cijfers ook gezien, maar hij zei: 'Waarom

heb je blote armen midden in de winter?'

Maar ze luisterde niet naar hem, want ze had de fantastische laktas te pakken, en de lippenstift en het parfumflesje.

Toen kwam de maatschappelijk werkster om te zeggen dat de chef de clinique met Ruben wilde praten. De nazi, dacht Ruben. Toen hij achter het lange meisje aan liep door de gangen voelde hij zich niet op zijn gemak. Hij klopte aan en stond oog in oog met een oude, joodse vriend.

Olof Hirtz!

Ze waren allebei even verbaasd.

'Ik had alleen nog maar gehoord over een rijke oom.'

'En mij werd verteld over een nazistische dokter.'

Ze omhelsden elkaar.

Hirtz was een vooraanstaand onderzoeker die gespecialiseerd was in tuberculose. Hij was getrouwd met een psychiater en Ruben wist zich te herinneren dat hij altijd in de psychologische kant van de tuberculose geïnteresseerd was geweest, in het verband tussen tbc en verdriet en een gebrek aan levenslust.

Toch moest Ruben het vragen: 'Wat doe je hier?'

'Ik heb verlof genomen in ziekenhuis Sahlgren', zei Olof. 'Ach, je wilt immers wat doen voor deze mensen. Bovendien vormt dit interessant onderzoeksmateriaal.'

Zijn woorden waren met opzet cynisch; hij onderstreepte dat met een grimas.

'Maar dit kunnen toch geen representatieve gevallen zijn? Ik bedoel, ze hebben de ziekte onder extreme omstandigheden gekregen.'

Ruben zocht aarzelend naar woorden.

'Dat dacht ik in het begin ook', zei Olof Hirtz. 'Maar ik begin daaraan te twijfelen.'

Hij begon nu enthousiaster te praten.

'Deze mensen waren immers gewone mensen; ze groeiden op, hielden van elkaar, haatten elkaar, hadden goede en slechte moeders, een kil thuis, een warm thuis, broers en zusters, arme ouders, rijke.'

'Jawel, dat snap ik, maar... Maar daarna...'

'Ja, ze zijn in de hel terechtgekomen, zijn tot het uiterste vernederd en mishandeld en ze hebben allemaal op een andere manier gereageerd vanuit de achtergrond die ze hadden, vanuit de kracht die ze als kind hadden meegekregen.'

'Maar zo verschillend zijn ze niet, bedoel je?'

'Jawel, maar ze zijn dat op een duidelijker manier. En ze zijn ook anders omdat ze op de proef zijn gesteld. Ze hebben kennis, waar ze zich vaak zelf niet bewust van zijn, van wat echt is en wat schijn. Wij gewone stervelingen komen daar immers meestal niet achter.'

'Dat is waar', zei Ruben.

'Misschien dat we het ervaren bij de uiterste grens, wanneer we op het punt staan te sterven, bedoel ik. Als we tenminste niet zo versuft zijn door medicijnen dat we die ervaring mislopen.'

Olof klonk kwaad, dus Ruben zei maar niet wat hem voor op de tong lag, namelijk dat het er dan immers ook niet meer toe deed. Hij herinnerde zich dat Olof Hirtz zeer gelovig was en Ruben wilde nu geen discussie over de uiterste dingen.

'Iza', zei hij. 'Ik ben natuurlijk hier gekomen om over Iza te praten...'

'Ze zal zich wel redden', zei Olof. 'Eigenlijk verbaast het me dat ze tuberculose heeft gekregen, want zij behoort tot degenen met een geweldige levenshonger, degenen die overleefden puur door levenswil. Misschien is het typerend dat de ziekte pas laat opkwam. Toen Iza in quarantaine lag in Malmö en de ziekte ontdekt werd, was die net ontstaan.'

'Dat begrijp ik niet helemaal.'

'Zolang de strijd voortduurde, had ze kracht. Toen het over was, kon ze aan haar vermoeidheid toegeven. En toen stierf haar broer en lukte het haar niet langer om al haar gevoelens van verlatenheid uit haar kinderjaren te verdringen.'

'Wat bedoel je?'

'Iza heeft het niet gemakkelijk gehad als kind.'

Ruben voelde zich tot in het diepst van zijn hart geraakt.

'Maar haar moeder was een fantastische vrouw.'

'Dat kan zijn. Maar Iza was heel erg de dochter van haar vader en hij…'

'En hij?'

'Tja, een Pruisische officier…'

De woorden bleven onuitgesproken in de lucht hangen en Ruben vermoedde dat Olof meer wist dan hij wilde vertellen.

'Hoe dan ook, ze moet hier deze winter nog blijven', ging Olof verder. 'Tegen het voorjaar moeten we de situatie opnieuw bekijken; misschien moet ze wel geopereerd worden. Een van haar longen is vergast, maar dat wist je misschien al?'

Nee, Ruben wist niets over de behandeling van tuberculose, maar hij schrok van het woord. Vergast!

'Je kunt ons volledig vertrouwen. Betere verzorging dan hier kan ze niet krijgen.'

'Nee, daar ben ik van overtuigd.'

Met deze woorden werd de oude warmte die ze voor elkaar voelden hersteld. Ze praatten nog wat over gemeenschappelijke vrienden en over boeken die Olof graag wilde hebben en die Ruben beloofde te zullen sturen.

Toen Ruben in de deuropening stond, zei Olof: 'Je kunt Iza helpen door haar dingen te weigeren en door eisen aan haar te stellen. Je moet oppassen met je plechtige houding.'

'Hoe bedoel je?'

'Dat jij een beetje besmet bent door dat christelijke ontzag voor lijden en dat de overlevenden van de concentratiekampen daar bepaald niet mee geholpen zijn.'

Ruben had verwacht dat ze tekeer zou gaan als hij haar zou vertellen dat ze nog een hele tijd in het sanatorium moest blijven.

Maar dat gebeurde niet. Ze haalde haar schouders op; waarschijnlijk had ze het wel verwacht.

Ruben zei toen, en hij probeerde ferm te klinken: 'De chef de clinique is een oude vriend van me, een bekende wetenschapper en een humanist. Hij is geen nazi, hij is joods.'

'Ik weet misschien meer van nazi's dan u', zei Iza. 'En joden veracht ik.'

'Net als de nazi's deden', zei Isak en zijn woorden troffen haar als een zweepslag. Ze werd bang en zei dat ze het zo niet bedoeld had en dat ze moe, zo moe was van al het gepraat en dat ze koorts had.

Ook op de terugweg werd er in de auto niet veel gepraat. Eigenlijk sprak alleen Erik in het begin over hoe sterk de wil van een mens is om te overleven en hoe verbazingwekkend al die blijdschap van de zieken was.

'Ze geloven echt in de toekomst', zei hij.

Ruben knikte, maar hij dacht dat een leven dat alleen maar gericht is op overleven waarschijnlijk kracht ontleent aan die grote eenvoud.

Simon zat zich op de achterbank te schamen voor Erik. Isak luisterde niet.

Ze reden naar het huis aan de rivier, waar Karin op hen wachtte met de maaltijd: kalfsvlees met ingelegde komkommer en aardbeiencompote.

'Hoe was ze?'

'Ze zat vol leven', zei Erik. 'En kwaadheid.'

'Ze is kapot,' zei Ruben, 'druk en kapot.'

'Het was een vreselijk kreng', zei Isak terwijl hij zijn vork op de vloer liet vallen. Karin keek van de een naar de ander. Ze moest denken aan de geestverschijningen uit de witte bussen en aan hoe zij het gevoel had gehad dat ze dood hadden moeten zijn, zoals zijzelf eigenlijk had moeten sterven, en aan hoe ze besloten had om te overleven, net zoals Iza. Maar ze zei niets. Erik snauwde: 'Jij maakt je er wel heel gemakkelijk vanaf, Isak.'

Ruben dacht aan hoezeer het meisje op Olga leek en hij zweeg. Wat later, toen Karin alleen was met Simon, vroeg ze het nog eens: 'Maar wat is het dan voor meisje, Simon?'

Simon keek Karin lang aan, terwijl hij dacht: dat zul jij nooit kunnen begrijpen. Maar hij probeerde haar een antwoord te geven: 'Levendig', zei hij, zoekend naar woorden. Hij vond er twee. Eén mooi woord: 'Geforceerd', zei hij.

En even later een woord dat hij op zijn Göteborgs uitsprak. 'Open', zei hij. 'Ze staat open voor alles, ze is hongerig. En soms heeft ze net zo'n blik als Isak toen had, je weet wel.'

Karin knikte.

Leeg, dacht ze. Misschien dat ogen die te veel hebben gezien, leeg moeten worden.

18

Als een complete verrassing kwam Ruben drie dagen voor kerst midden op de dag met een gehuurde vrachtauto naar het huis aan de riviermonding.

Hij glom helemaal van vrolijkheid.

'Wel heb ik ooit', zei Karin, en dat waren de juiste woorden, dat hoorde ze wel aan zijn gelach.

De chauffeur hielp hem om een grote, zware houten kist met Amerikaanse stempels waarop HANDLE WITH CARE stond af te laden.

Ruben had de hele ochtend bij de douane doorgebracht, maar hier was hij dan eindelijk, met zijn kerstcadeau voor Simon.

Toen de vrachtauto weer verdwenen was, liep Ruben naar de werf om Erik om hulp te vragen.

'Wat heb je daar nou in godsnaam?' vroeg Erik.

'Ik word er helemaal zenuwachtig van. Ik ga eerst maar eens koffiezetten', zei Karin, maar Lisa was al in de weer met de ketel.

Ze dronken eerst koffie. Ruben bleef stralen van blijdschap over zijn verrassing en begon de vrouwen te commanderen: 'Dames, naar boven om de kamer van Simon op te ruimen.'

'Die is verdorie opgeruimd', zei Lisa.

'Dat bedoel ik niet. Alles aan de lange wand tegenover het bed moet aan de kant.'

Karin werd aangestoken door Rubens vrolijkheid en begon hard te lachen.

'Je kunt het krijgen zoals je het hebben wilt, Ruben', zei

ze, en Lisa en zij gingen naar boven om de kamer opnieuw in te richten.

'Dit krijgen we nooit de trap op', zei Erik, maar toen hij de zaak had opgemeten en de hoeken had berekend, concludeerde hij dat het waarschijnlijk toch wel zou gaan.

'Heb je een elektricien op de werf?'

'Nee, dat soort dingen doe ik zelf', zei Erik met van nieuwsgierigheid glimmende oogjes. 'Is het een apparaat?'

'Ja, zo zou je het misschien wel kunnen zeggen.'

Het kostte hun veel zweetdruppels en ruim een halfuur voordat ze de kist de trap op hadden gekregen. Dat was maar goed ook, want Lisa en Karin hadden tijd nodig om de boekenkast naar de korte wand te verplaatsen en alle boeken eruit te halen en weer terug te zetten.

Toen de mannen boven op de overloop even uitbliezen, kregen ze allebei een biertje. Daarna stortten ze zich op de kist en braken het deksel met een koevoet open.

'Voorzichtig', zei Ruben.

Er kwamen houtwol en papier uit de kist en Lisa dacht dat ze, als ze dat had geweten, nog even zou hebben gewacht met het schoonmaken van de bovenverdieping. Maar toen stond hij daar dan toch eindelijk, de afschuwelijke radiogrammofoon in vlammend, glimmend walnotenhout met protserige geelmetalen randen en een verzilverd weefsel voor de geluidsboxen.

'Hij is niet mooi', zei Ruben.

'Jazeker wel', zei Karin. 'Hij is prachtig. Maar waar is hij voor?'

Erik glimlachte van oor tot oor toen hij de stekker in het stopcontact stak en aan Ruben vroeg of hij hiervoor een elektricien nodig had.

'Wacht', zei Ruben. Hij drukte op een toets en draaide

aan een knop. Het radiosymfonieorkest schalde door de kamer alsof de leden ter plekke aanwezig waren in hun rok-kostuums.

Het huis hield de adem in. Nog nooit eerder had het iets dergelijks gehoord. Maar het zou er wel aan wennen. Eriks gezicht ontspande zich, Karin zat op Simons bed te hijgen van verbazing en Lisa, die juist met de stofzuiger de trap opkwam, liet die van schrik bijna vallen.

'Nu is dit niet het belangrijkste', zei Ruben. 'Waar is in vredesnaam de grammofoon?'

Maar niemand hoorde hem door de harde muziek.

Ruben zette het geluid zachter en keek tevreden naar de verbouwereerde gezichten: 'Zeg luister eens, Erik Larsson. Jij hebt toch zo veel verstand van techniek? Zoek jij alsjeblieft uit waar de grammofoon zit en sluit die eens aan.'

Erik knikte, hij had het begrepen.

'Dit ding moet open kunnen', zei hij, terwijl hij de zijkanten aftastte van het meubel dat Victorola heette, want dat stond erop.

'Zet hem uit!' riep Karin. 'Straks ontploft hij nog!' Dat werd een anekdote waar ze in dit huis nog vaak en lang om zouden lachen.

'Mens, je bent gek', zei Erik en Ruben moest ook even op bed gaan zitten om bij te komen van het lachen. Hij had in lange tijd niet meer zo'n plezier gehad.

Nu kon Erik goed omgaan met voorwerpen, zelfs met de nieuwste en onbekendste. Dus het duurde niet lang voordat hij de knop gevonden had waardoor de halve bovenkant open kon als een deksel. De draaischijf, zwaar en stevig, zat op zijn plaats. Maar de pick-up lag samen met de gebruiksaanwijzing netjes in onderdelen in een kartonnen doos.

Ruben vertaalde de gebruiksaanwijzing langzaam, maar Erik trok de brochure ongeduldig uit zijn handen. Hij wierp een blik op de tekeningen, zette de pick-up in elkaar en monteerde hem op de juiste plek.

'Nu', zei Ruben, terwijl hij een grammofoonplaat te voorschijn haalde. 'Deze is voor jullie, die twee andere zijn voor Simon.'

Door de lelijke luidsprekers zong de tenor Jussi Björling voor hen over Zweden op een manier die de stemming in de kamer plechtig maakte.

'Verdomme, wat mooi', zei Erik. Ruben zag dat hij tranen in zijn ogen had staan en opnieuw realiseerde hij zich dat er veel is dat je niet van elkaar weet.

Later gingen ze naar beneden naar de keuken. Ruben zei dat ze nu op de jongens moesten wachten en dat hij, zodra ze op de oprit waren, naar boven zou rennen om een plaat van Berlioz op de pick-up te leggen.

'Wat is dat?' vroeg Karin.

Ze moesten weer om haar lachen. Zelf moest ze ook lachen en ze zei dat het maar goed was dat ze niet zo gauw op haar teentjes getrapt was.

'Ik had gerookte zalm en wijn meegenomen', zei Ruben. 'Maar waar is die gebleven?'

'Die zal wel in de vrachtauto zijn blijven liggen', zei Karin en toen moesten ze weer lachen.

'We kopen wel nieuwe', zei Ruben. 'Want feest zal het worden.'

Terwijl Karin de tafel dekte, vertelde hij dat hij met Isak tijdens de kerstdagen naar Kopenhagen zou gaan om zijn broer daar te bezoeken. De dag voor Kerstmis zouden ze samen met Iza vanaf vliegveld Torslanda vertrekken. Iza had verlof gekregen van het sanatorium.

'Toen ze in de oorlog bij mij woonden,' zei Ruben, 'hebben we het er vaak over gehad dat we de vrede zouden vieren in Kopenhagen. Mijn broer droomde daarvan.'

Karin knikte. Ze begreep wel dat Ruben niet in staat was om alleen voor het meisje te zorgen en dat hij de steun van zijn familie nodig had en probeerde van Iza een gemeenschappelijke joodse aangelegenheid te maken.

Het zal niet gemakkelijk worden, dacht ze, terwijl ze aan Rubens angstige schoonzuster dacht.

'Isak had er niet veel zin in', zei Ruben. 'Je weet dat hij moeite heeft met de familie in Denemarken, om nog maar te zwijgen over Iza. Maar hij heeft zich laten overhalen; ik geloof vooral omdat hij zo graag eens wil vliegen.'

Je kon een speld horen vallen in de keuken. Karin moest aan Iza denken. Ze hadden elkaar nu ontmoet. Karin had in de onnatuurlijk grote ogen van het meisje gekeken en gevonden dat Simon ongelijk had. Iza had geen lege ogen; ze waren vol van alles wat ze gezien had, alle vernederingen en gruwelijkheden. En in de diepte ervan brandde een vuur; haar ogen vertoonden een honger die door niets en niemand gestild zou kunnen worden, maar die degene die op haar weg kwam, zou kunnen verteren.

Ze begrijpt dat zelf niet, had Karin gedacht. Ze denkt dat ze alles dat haar is afgepakt weer terug zal kunnen nemen.

'En wat hebt u gedaan in de oorlogsjaren?' had ze aan Karin gevraagd. 'Aardappels verbouwen en u druk maken over de warme maaltijd?'

'Ja. Wat zou jij in mijn plaats hebben gedaan?'

Karin was niet boos of verdrietig geworden. Maar ze had aangevoeld dat het meisje tweedracht zou zaaien en toen Karin naar Simon keek en zag hoe gebiologeerd hij door haar was, was ze bang geworden.

Ruben zette zijn gedachten over Iza uit zijn hoofd; dit was een dag van blijdschap. Juist toen hij dat dacht, reed de vrachtwagen het erf weer op en de chauffeur klopte aan met de zalm en de wijn.

'Dit bent u zeker vergeten', zei hij.

Even later hoorden ze de fietsen van de jongens op de oprit en Ruben rende de trap op alsof hij gelanceerd werd. Hij pakte de grammofoonplaat en draaide de volumeknop helemaal open.

De jongen krijgt er nog een beroerte van, dacht Karin, maar hij stond al in de hal. Hij hoorde de muziek de trap afgolven en bleef stokstijf staan. Hij keek zo gelukkig dat hij helemaal straalde. Langzaam liep hij de trap op naar zijn kamer, waar hij met zijn jas nog aan op bed ging liggen.

In de keuken werd niet veel gesproken toen de muziek het huis vulde. Het leek alsof ze begrepen dat Simon nu een andere wereld was binnengegaan, en een ander land, dat van hem was en waarnaar hij altijd verlangd had.

Ruben begrijpt hem, dacht Erik. Hij schaamde zich toen hij eraan terugdacht hoe Ruben jaren geleden had gewild dat Simon zou leren vioolspelen.

Ik wist het immers ook, dacht hij met een gevoel van onbehagen. En van onrust, door de muziek die vreemd en bijzonder was en die door het huis bleef stromen.

Ten slotte werd het stil en Simon kwam de trap weer af. Vanuit de deuropening van de keuken keek hij Ruben aan en na een poosje zei hij: 'U bent gek geworden, oom Ruben.'

Die woorden drukten alles uit, niet alleen dankbaarheid voor het cadeau, en Ruben had het gevoel dat hij een onderscheiding kreeg. Zoals zo vaak kwam heel even een verboden gedachte bij hem op: als dit mijn zoon was geweest.

Pas laat in de avond, toen Erik Ruben en Isak naar huis had gebracht, en ze in de keuken de muziek van de bovenverdieping hoorden, konden ze uiting geven aan de vraag die hen al de hele dag bezighield: wat had die grammofoon gekost?

'Alleen al aan vracht vanuit Amerika', zei Erik. 'Snap je, alleen al aan vrachtkosten en douanekosten...'

'Maar hij is toch rijk', troostte Karin hem en Erik bedacht dat de werf Ruben een goed rendement opleverde voor het kapitaal dat hij erin had gestoken.

Dat zei hij ook tegen Karin en zo verwerkten ze het, het hele probleem van wat die muziekmachine Ruben gekost had.

Die Kerstmis zagen ze weinig van Simon. Af en toe maakte hij korte uitstapjes in hun wereld om te eten of om Karin te helpen in de keuken. Op kerstavond was hij fysiek aanwezig om de pakjes van zijn beide grootmoeders, met de zelfgebreide sokken en andere dingen die hij niet wilde hebben, open te maken, maar hij had niet zo'n hekel aan de oude mensen als anders.

Op kerstochtend, die niet schitterde maar als een grauwe deken om het huis lag, deed hij de afwas, terwijl Erik de radiogrammofoon demonstreerde voor de buren, die zeiden dat het net was alsof Jussi Björling zelf bij hen in de kamer stond.

Simon werd niet boos op Erik om zijn opschepperij en ook haatte hij de stapels borden met aangekoekte stokvis- en papresten niet. Alles was precies zoals het wezen moest en toen Erik klaar was met de buren en in de keuken alles weer keurig netjes op zijn plaats stond, keerde Simon terug naar Berlioz' *Symphonie Fantastique*.

De eerste keren dat hij de plaat afspeelde, bevond hij zich weer in het rijk van de grote grassen en hij zag de man die de verboden taal sprak, de oorlog, het tempelgebouw en de dood door de horens van de grote stier.

Maar na enige tijd verbleekten die beelden en Simon voelde het enorme verdriet in de langgerekte tonen van het begin en de pijnlijke schoonheid toen het eerste deel in zijn volle pracht losbarstte. Midden in de bevrijdende storm werd hij zich bewust van de bonzende duisternis op de achtergrond, de ernst die de wereld ordende. En van de macht, die bang maakte en heerlijk was. Hij ervoer de ruimte en het hemelrijk, dat geweldige hemelrijk, zonder dat hij het kon benoemen of zien, net zoals het licht dat vanuit het westen wit en bevrijdend naar binnen vloeide. Daarna volgde het spel van de zon met de wind in de zee van gras en daarna kwamen de beelden weer, gekleurd door een tedere blijdschap.

Vervolgens raakte hij vervuld van een niet te verwoorden weemoed.

Hij speelde het eerste deel weer af, steeds opnieuw, en deed een eigenaardige ontdekking. Als hij zijn gedachten liet gaan, hun de vrije loop liet en tegelijkertijd zijn gevoelens ervoer zonder ze te benoemen, trad er een samensmelting op. En dan hielden ze op, hieven elkaar op.

De eeuwigheid, dacht hij. Het hemelrijk. Maar zodra hij begon te denken ging alles verloren.

Hij speelde het eerste deel nog een keer af, en hij verdween. Maar keerde weer terug naar de vloer waarop hij lag en hij wist dat hij het herkend had; hij herinnerde zich de eiken en het land dat niet bestaat maar er wel is.

Opeens moest hij denken aan de filosofieleraar, een van

de weinigen die erin slaagden de verveling terug te dringen. Hij had over het denkvermogen gesproken. Is dat onbeperkt, had hij gevraagd. Of is het juist ons denkvermogen dat ons beperkt?

Simon had toen gevonden dat dat dom was; natuurlijk moest je met je denkvermogen het universum veroveren.

De leraar had verteld over Einstein en Bohr en over de theorie van het niet-objectiveerbare. Hij had iets grappigs gezegd, iets waar ze om hadden moeten lachen, maar wat? Simon begon in zijn schriften te zoeken; hij kon zich nog herinneren dat hij het had opgeschreven omdat het zo tegenstrijdig was geweest.

Hij vond het schrift. Het waren een paar citaten, maar hij had niet de moeite genomen om erbij te schrijven wie wat had gezegd: 'Elke poging om het niet-objectiveerbare te begrijpen, leidt tot zelfbedrog. Je denkt eraan, het volgende moment heb je je er een idee over gevormd en daarmee heb je het alweer verloren.'

Wat verder naar onderen stond, slordig geschreven en moeilijk te lezen: 'Het denkvermogen kan alle denkbare vragen over de zin van het leven stellen. Maar het kan geen enkele beantwoorden, want de antwoorden liggen buiten het denkvermogen.'

'Maar dat is waar', zei Simon hardop en met een verbouwereerde stem.

Toen speelde hij het eerste deel nog eens af.

Het kostte hem bijna de hele kerstvakantie om de symfonie te veroveren, om die tot een bekende weg naar de bron van zijn eigen innerlijk te maken.

Voordat hij 's avonds insliep dacht hij met heimelijk plezier aan de tweede grammofoonplaat, die hij nog niet had afgespeeld: de eerste symfonie van Mahler. Die is gemakkelijk, aardser; ik denk dat je die wel zult gaan waarderen, had Ruben gezegd.

Op de avond voor Driekoningen, als Karin en Erik naar een feest moesten, zou hij haar gaan beluisteren.

Ergens in de loop van die avond dacht hij dat hij haast gek werd van het plezier in de muziek, van de humor, het jonge en onbeteugelde, van de vrijheid die door het grote bos vloog. Deze keer was het gemakkelijker om de beelden los te laten, maar hij deed het bijna met een gevoel van gemis omdat ze zo vol vrolijkheid waren.

Toen hij op Driekoningen tegen de middag ook bij Mahler voorbij de inhoud kwam, voelde hij zich een koning: machtig en zeker van zijn overwinning.

Ook boos, vol woede. Maar zonder schuldgevoel, zonder angst.

Precies op dat moment kreeg Erik er genoeg van. Hij negeerde Karins smekende blik en schreeuwde onder aan de trap: 'Kan die verdomde muziek nou niet eens even op-houden?'

Simon zette de grammofoon uit en vloog de trap af.

Nu, dacht hij, nu.

Hij stond in de deuropening naar hen te kijken. Hij was lang en dun en zijn ogen vlamden; het leek wel alsof ze van de muziek nog donkerder waren geworden. Maar toen hij zich tot Karin wendde, klonk zijn stem eerder verdrietig dan kwaad: 'Wat hebben jullie verdomme tegen mijn muziek? Waar zijn jullie bang voor?'

Hij kreeg tranen in zijn ogen toen hij terugdacht aan die keer dat ze hem hadden belet om viool te spelen en hij zei: 'Waar hebben jullie eigenlijk ruzie over gemaakt op die avond dat Ruben wilde dat ik op muziekles zou gaan?

Waarom was dat zo vreselijk?'

Buiten in de schemering sneeuwde het. De sneeuwvlokken waren zo groot als kinderhanden en zoals altijd wanneer de sneeuw kwam, lag het huis ingebed in grote stilte.

Alledrie luisterden ze ernaar en Karin wist dat nu het moment was aangebroken waarover Ruben gesproken had. Ze zag aan Erik dat hij het ook besefte, maar niet wilde; dat hij, als zij hem niet vast zou spijkeren in de keuken, elk moment kon opstaan om ertussenuit te knijpen naar de werf. Ze zei: 'Daar zullen we nu met je over praten, Simon. We gaan met de koffie naar de zondagse kamer.'

Simon wist op dat moment dat er iets ongelooflijks op hem afkwam. Hij werd zo bang dat hij er misselijk van werd en ook hij probeerde eronderuit te komen. Hij zei tegen Erik: 'Kunnen we geen ritje met de auto maken?'

Maar ze gingen allebei naar de zondagse kamer, waar ze gezeten in de ongemakkelijke leunstoelen Karin hoorden rammelen met het theeblad. Erik keek Simon niet aan, maar tegen Karin zei hij, toen ze met de koffie binnenkwam: 'Zorg ervoor dat je een pilletje voor je hart neemt voordat we beginnen.'

19

Het moment was zo groots dat er geen ruimte was voor verhullende woorden.

Kijk, het zat zo dat Erik en zij geen kinderen konden krijgen, zei Karin. Dat hadden ze nooit gekund. Simon was geadopteerd; hij was bij hen gekomen toen hij drie dagen oud was.

Simons ogen gleden weg van Karins gezicht naar het raam. De sneeuw bleef vallen en het schemerde. Alles wat er nu gebeurde stond buiten de werkelijkheid.

Ik heb het altijd al geweten, dacht hij. Op de een of andere manier heb ik het altijd geweten. Ik hoor hier niet thuis.

Het was een oude gedachte, die hoorde bij de onwerkelijkheid, bij zijn fantasieën.

'Maar wie ben ik dan?'

Karin nam een slokje koffie, slikte dat hoorbaar door en Simon voelde dat hij hen al heel lang verafschuwde, Erik met al zijn opschepperij en Karin omdat ze een simpele ziel was. Maar ook dat gevoel hoorde thuis in zijn fantasieën, in de geheime wereld die hij voor zichzelf schiep als hij boos en verdrietig was.

Karin begon te vertellen over de speelman, de joodse speelman, van wie ze zo weinig wisten.

Mijn moeder speelt een rol in mijn dagdromen, dacht hij. Het is belachelijk en op de een of andere manier ook schandelijk.

'Inge dacht dat het de watergeest was', zei Karin.

'Inge?' zei hij.

Dat klopte niet, dat paste niet in zijn dromen. Hij voelde

zich ijskoud worden. Hij keek rond in de zondagse kamer en besefte dat het ongelooflijke zich ondanks alles toch in de werkelijkheid afspeelde.

Nee.

'Ze was toen jong en knap', zei Erik.

'Ze werden verliefd op elkaar in het bos bij de waterval', zei Karin. 'Maar ze konden niet met elkaar praten.'

Het absurde verhaal kalmeerde hem; het kon toch niet waar zijn. Hij keek Karin smekend aan, maar hoorde zichzelf vervolgens vragen: 'Weet Inge niet hoe hij heette?'

'Nee', zei Erik.

'Hij heette vast Simon', zei Karin. 'Hij was muziekleraar aan de volkshogeschool aan de andere kant van het meer, maar hij kwam uit Berlijn en was joods.'

'Een jodenzwijn', zei Simon en ook dat was weer werkelijkheid, want in die woorden lag een bevestiging.

De sneeuw viel en de mensen bleven zwijgen, totdat Simon zei: 'Maar ik lijk toch niet op Inge?'

'Nee, je lijkt op je vader. Tenminste, als je Inge mag geloven.'

'Maar we zijn wel familie, jij en ik?'

'Ja', zei Erik. 'Naaste familie.'

'Vader', zei Simon en nu wilde hij dat ze ophielden, wilde dat ze zouden zeggen: wat kan het ons schelen, we gaan weer terug naar de werkelijkheid zodat alles weer wordt zoals het wezen moet. Maar hij zei: 'Waarom hebben jullie niets gezegd?'

Ze praatten nu door elkaar heen: de sluimerende jodenhaat, het nazisme, de Duitsers die in Noorwegen zaten en die ook mensen die half joods of voor een kwart jood waren zochten.

Toen pas besefte Simon dat alles waar was.

'Ik herinner me een telefoongesprek, het was in het voorjaar van 1940. Ik hoorde je zeggen dat iemand een brief moest verbranden.'

O God, dacht hij, toen al wist ik dat het om mij ging.

'We waren zo bang.'

Het was Karin die dat zei, maar Simon kende geen medelijden met haar.

'Dus er was een brief?'

'Ja.' Dat was Erik weer. 'Inge kreeg een brief uit Berlijn, maar niemand van ons kon hem lezen. We besloten om hem voor jou te bewaren, voor als je groter was.'

'Iemand had hem toch wel kunnen vertalen!' Simon schreeuwde bijna.

'Jawel, maar daar op het platteland was het zo'n schande en we hadden aan Inge beloofd dat we niemand iets zouden vertellen.'

Het klopte niet, dat besefte Karin zelf ook, maar Simon ging door: 'Is de brief verbrand?'

'Ja, voorzover wij weten wel.'

Erik vertelde het verhaal over de kerkarchieven, over de nazistische dominee. Maar Simon hoorde alleen het woord kerkarchief en vroeg: 'Wat stond er?'

'Vader onbekend', zei Erik en het oude gevoel van verbittering trof hem weer.

'Ik heb jou verraden aan die verdomde nazi, begrijp je wel.'

Het was nu zo stil dat je de sneeuw kon horen vallen en Simon had het koud; hij had het zo koud dat hij rilde.

Maar hij keek hen aan, hij keek van de een naar de ander: 'Dus ik moet jullie dankbaar zijn? Nog dankbaarder?'

Karin kon geen woord uitbrengen; haar tong was net schuurpapier.

'Voor ons was je een godsgeschenk.'

Dat waren de woorden van Erik en Simon was zo verbaasd dat hij even uit zijn shocktoestand loskwam. Vanwege dat woord, dat zo ongewoon was uit de mond van zijn vader, en vanwege de grote waarheid die dat woord bevatte. Hij wist dat immers zelf ook en hij slaagde erin te zeggen: 'Vergeef me, vader.'

Karin nam een slok koffie en wilde vertellen over de nachten met de baby, over de gedachten die ze had, die sterke, wonderlijke gedachten dat alle kinderen kinderen van de aarde zijn. Maar in plaats daarvan zei ze: 'Je was pas drie dagen oud.'

'Dat zei je al.'

Weer een lange stilte. Toen zei Simon: 'Weet iemand dit?'

'Ja, Ruben. We hebben er met hem over gepraat.'

'Wat zei hij?'

Karins iele stemmetje hield op met overslaan toen ze eraan terugdacht: 'Hij zei dat kinderen horen bij degenen die hen liefhebben en verzorgen.'

'Hij zei nog meer. Hij zei dat je op Karin lijkt, dat je naar haar aardt', zei Erik.

Simon had het nu zo koud dat hij zat te klappertanden en Karin ging zijn dikke trui voor hem halen. Toen ze die over zijn schouders wilde leggen, deinsde hij terug voor haar aanraking en ze legde hem over de stoelleuning. Hij trok hem aan en keek naar Erik: 'Dus ik hoef niet zo goed te zijn als jij.'

'Maar lieve hemel, Simon, je bent veel beter.'

Simon zag dat zijn verbazing echt was.

Ten slotte was het alsof er niets meer te zeggen viel. Simon leek kalm maar bleef rillen van de kou. Dat komt door die verdomde zondagse kamer, dacht Erik.

In de keuken dronk de jongen water, glas na glas. Toen hij in de deuropening stond en hen aankeek, zei hij: 'Ik heb het op de een of andere manier altijd al geweten.'

Even later hoorden ze de grammofoon boven weer spelen. De onbegrijpelijke muziek vulde het huis. Maar algauw werd het stil en Karin sloop de trap op om naar hem te kijken. Hij sliep als blok.

Dat was bijna een teleurstelling, vond Karin.

Erik zei: 'Nou, dat is goed verlopen.'

Allebei waren ze zo moe dat ze zonder avondeten in bed vielen.

De volgende dag was een gewone schooldag en het was een gehaaste boel in de keuken rond het ontbijt. Het tussenrapport; Simon vond het en Karin tekende voor gezien.

Maar dat was eigenlijk niet waar; ze bekeek Simons rapporten nooit.

'Gaat het goed met je?'

'Ja hoor, moeder. Maak je niet ongerust.'

Maar al na een paar uur kwam hij thuis, met hoge koorts.

Dat was niet zo verwonderlijk, want de halve stad had griep. Karin stopte hem in bed, kookte water met honing en nam zijn temperatuur op. Bijna veertig graden; ze werd bang: 'Je hebt toch geen pijn in je nek?'

Hij kon nog net zijn hoofd schudden en naar haar glimlachen. Daarna sliep hij.

Met alle moeders uit die tijd deelde Karin de angst voor kinderverlamming. Die lag als een kille dreiging over alle hoge koorts of pijn in de nek. Dus belde ze de oude huisdokter die zei dat het klonk als griep en dat ze hem de volgende dag opnieuw moest bellen als de koorts niet wilde zakken.

Er rende een meisje naast hem in het rijk van het hoge gras. De vogels bouwden een nest in haar haar en ze zei: 'Mooi, hè?'

Hij begeerde haar en hij kreeg haar; hij mocht alles met haar doen, als hij maar voorzichtig was met het vogelnest. Hij kleedde haar uit en zoog aan haar tepels; hij kuste haar hele lichaam en zijn begeerte was vurig als het voorjaar. Hij kon niet genoeg van haar krijgen en hij zag dat ze mooier was dan welke aardse vrouw dan ook. Het gras speelde het tweede deel uit Mahlers eerste symfonie. De maat van de muziek kende dezelfde golfbewegingen als het meisje en toen hij naar het onbekende opsteeg, sloegen de trommels als bezetenen en hij werd uitgewist en ging over de grens naar het land waar niets vorm heeft en waar alles tastbaar en volmaakt is.

Zij was bij hem en vroeg hem zonder woorden of hij begreep wat hij altijd had geweten.

Toen zag hij dat er een ei in haar vogelnestje lag. Het was schitterend wit en van binnenuit straalde het bijna. Hij wist dat het ei leven betekende en dat het jong dat binnenkort uit de schaal te voorschijn zou komen zijn vorm aan zou nemen, en hij hield van het ei; het was net zo kostbaar als het leven.

Toen kwam Karin met bouillon. Ze zei dat het belangrijk was dat hij goed dronk en dat ze, als hij niet gauw opknapte, de dokter zouden laten komen. Hij slikte gehoorzaam, luisterde naar haar woorden over het lekkere voedsel en dwong zichzelf te eten; hij dacht dat dat goed was voor het ei, voor het jong dat nu gauw zou worden uitgebroed.

Hij wilde terug naar het gras, naar die eindeloze zee van gras en naar het meisje met het vogelnestje in haar haar.

Maar hij kon haar niet vinden en toen hij rondrende en haar naam riep, was zijn angst net zo enorm als de graszee. Maar ze had geen naam, dat wist hij wel, en toch hoorde hij die over de vlakten rollen en weerkaatsen tegen de heuvels in de verte.

Hij werd haast gek van angst; begreep ze dan niet dat hij haar en het ei terug moest vinden wilde niet alles te niet gaan. Het leven, zijn mogelijke leven, zou dan verloren zijn.

Maar ze was verdwenen.

Hij stond nu aan de voet van een klip en hij zag dat daarboven, vlak bij de hemel, een grote vogel was gaan zitten. Hij wist dat het de vogel van de wijsheid was en hij dacht dat de vogel wist waar het meisje met het ei was. Met zijn laatste krachten beklom hij de berg, terwijl hij bad: lieve God, laat mij de vogel niet opschrikken.

Maar de vogel bleef zitten. Het was alsof ze op hem had gewacht en toen hij dichterbij kwam, zag hij dat ze zat te broeden en hij begreep dat het ei dat ze met haar warmte in leven hield, zijn ei was, zijn leven.

Het volgende moment hoorde hij een viool een wonderlijke melodie vol weemoed spelen, en toen hij langs de berghelling naar beneden keek, zag hij het meisje. Hij zag dat ze nu een man was, een jonge muzikant die wegwandelde met zijn viool, en dat de eenzaamheid rondom diens gestalte groot was.

De grote vogel bekeek Simon door de ogen van Karin en toen besefte hij dat zij de vogel van het verdriet was, niet van de wijsheid, en dat hij niet bang hoefde te zijn voor zijn ei en voor het leven dat zich aan de binnenkant van de tere schaal en de dunne vliezen bevond.

De vogel van het verdriet was trouw en liefdevol. En sterk; het jong zou geen kwaad overkomen.

Nu riep de vogel: 'Maar Simon, rustig maar.'

De vogel gaf hem een aspirientje en de koorts stierf weg in een enorme zweetaanval, en de vogel trok hem koele kleren aan en droogde zijn lichaam en zijn voorhoofd.

Karin was zich wezenloos geschrokken en wist de dokter over te halen langs te komen hoewel het al tien uur 's avonds was. Hij voelde, kneep, scheen met zijn lampje, luisterde en kalmeerde haar.

Het was niet meer dan een ongewoon felle griepaanval.

'Is er iets met hem gebeurd?' vroeg de dokter toen hij wegging. 'Hij vertoont tekenen van shock.'

Karin greep naar haar voorhoofd en besefte dat ze een idioot was geweest dat ze daar zelf niet op was gekomen.

Erik zette het oude logeerbed in Simons kamer en Karin sliep die nacht naast de jongen. Maar hij sliep de hele nacht rustig en was zelfs eerder wakker dan zij. Zo lag hij naar de vogel van het verdriet te kijken, die over zijn leven gewaakt had.

Daarna moest hij weer in slaap zijn gevallen, want toen hij voor de tweede keer wakker werd stond Erik in de kamer met thee en brood. Simon at met smaak en Karin en Erik zuchtten van opluchting. Simon keek naar Erik en dacht: het is goed dat je bent die je bent, aards en nietsontziend.

En beperkt; je hebt een stukje grond afgeperkt en dat tot het jouwe gemaakt.

Het lukte Simon om op zijn eigen, nog trillende benen naar de badkamer te lopen. Toen hij terugkwam had Karin het beddengoed verschoond.

'Ik weet niet meer voor de hoeveelste keer', zei ze en dankbaar dacht ze aan Lisa, die gauw zou komen om voor de was en het huis te zorgen.

Ze vond voor zichzelf nog een sprei en een deken om op

het logeerbed te leggen en ze ging erbovenop liggen, alsof ze wist dat ze nu met elkaar zouden kunnen praten, Simon en zij. En de woorden kwamen; ze vormden vanzelf zinnen.

Ze vertelde over de winter waarin ze 's nachts was opgestaan om hem extra voeding te geven, over hoe ze met de baby in haar armen in de keuken had gezeten en sterke, vreemde gedachten had gehad.

'Ik moet enorm overmoedig zijn geweest', zei ze. 'Ik was er zo zeker van dat ik je alles zou kunnen geven wat je nodig had om een sterk en gelukkig mens te worden.'

Toen kon Simon zeggen: 'Maar daar heb je ook gelijk in gekregen.'

Karin moest daar even om huilen. Ze vond ook woorden om uitdrukking te geven aan alle blijdschap die hij haar geschonken had, en hoe hij hun de kracht had geschonken om zich aan de greep van de schoonmoeders en de beperkingen voor arme mensen te ontworstelen, en grond te kopen om een huis te bouwen.

'Ze vonden dat wij het te hoog in de bol hadden en dachten dat het slecht met ons zou aflopen', zei ze. 'Maar we wisten allebei dat we voor jou een huis buiten de stad moesten hebben.'

Een nest aan zee, dacht Simon.

Ze vertelde hem over de marskramer, de jodenhater met de pakjes naalden; hoe hij, toen hij Simon zag, had gesist: jodenjong.

'Ik kreeg van schrik bijna een beroerte', zei Karin. 'Weet je dat nog?'

'Nee.'

Simon dacht aan alle zwervers die af en aan liepen daar tussen de huizen, en hij wist alleen nog dat er iets geks met hen geweest was, iets dat hem bang maakte.

Maar hij wist nog wel hoe hij op school werd uitgescholden. Jodenzwijn. En hoe bleek Erik was geworden en hoe hij hem had leren vechten.

'Ja, eigenlijk vond ik dat vervelend', zei Karin. 'Maar je had er wel wat aan. Dat was een goede les voor mij, want ik besefte toen dat ik je niet steeds kon beschermen en dat je sterk genoeg moest worden om je zelf te kunnen te redden.'

Zo spraken ze dagenlang met elkaar en beleefden een jeugd opnieuw.

Op de ochtend van de zevende dag scheen de zon over de sneeuw en Simon verdween net zoals anders in zijn muziek, terwijl Karin langs de rivier in de richting van de zee liep.

Ze bleef lang staan kijken naar het eilandje Vinga, dat als een luchtspiegeling in de glazen helderheid van de winter lag.

'Ik heb gedaan wat ik kon', zei ze tegen de zee.

Toen ze weer naar huis liep was ze moe, maar niet op de oude, hopeloze manier. Haar hart sloeg rustig en ritmisch.

Sterk.

Het zal genezen, dacht Karin, het zal nu eindelijk de rust vinden om te genezen.

Een paar dagen later kwam Ruben op bezoek. Isak ging naar de werf, dus Karin had gelegenheid om te zeggen dat ze het verteld hadden. Niemand was eraan gestorven, maar Simon had tijdens een griepaanval liggen ijlen.

'Het zou goed zijn als jij ook eens met hem praatte', zei ze en Ruben knikte. Hij liep de trap op naar Simons kamer.

Tijdens de maaltijd konden ze met zijn vijven praten over Simons achtergrond; het lang versluierde, zorgvuldig verborgene en ontzettend gevaarlijke was nu bespreekbaar geworden.

Dat was een opluchting.

Maar Erik, die niet alleen verstopt had maar ook geprobeerd had te vergeten, kneep zijn mond dicht toen Karin zei: 'Ik dacht dat we misschien zouden moeten proberen uit te vinden of Simons vader nog leeft.'

'Hij was musicus', zei Ruben geestdriftig. 'Veel kunstenaars hebben Duitsland verlaten voordat het te laat was.'

Hij dacht aan de joodse organisaties die nu volop bezig waren om families die uiteen waren gevallen weer met elkaar in contact te brengen.

Maar Simon zag de rug van de jonge muzikant die de berg af wandelde met zijn viool en hij zag dat hij op weg was naar de gaskamers, waarvan je de schoorstenen al kon zien aan de horizon.

'Hij is dood', zei hij. 'Hij is een van de cijfers op Iza's arm.'

Simon klonk zo beslist dat niemand het in zijn hoofd haalde om er iets tegen in te brengen. Alleen Isak dacht: hoe kan hij dat verdomme nou weten?

Karin was de eerste die weer sprak: 'Hij was vast een goed mens.'

Goed. Simon moest om haar glimlachen. Hardop zei hij: 'Hij was eenzaam en verdrietig.'

Maar toen kon Isak zich niet langer inhouden: 'Hoe weet jij dat? Misschien was hij wel vrolijk en uitgelaten.'

Simon moest lachen: 'Ja, dat misschien ook wel.'

'Ik moest denken aan de erfelijkheid', zei Karin, maar toen begon Ruben aan een lange uiteenzetting over alles wat tegenwoordig bekend was over de betekenis van het milieu waarin je opgroeide.

'We erven bepaalde lichamelijke kenmerken en bepaalde talenten, zoals bijvoorbeeld bij Simon dat hij muzikaal is', zei hij. 'Maar goedheid zit niet in de genen, Karin. Goedheid hangt af van hoe geborgen je je als kind hebt gevoeld.'

Simon luisterde maar half. Hij moest vooral denken aan wat Ruben boven op zijn kamer had gezegd, namelijk dat alle adolescenten dromen dat ze als kind verwisseld zijn en dat iedereen door dat gevoel van opstandigheid tegenover zijn ouders heen moet, en hen verafschuwt en veracht.

'Ik heb vaak zitten piekeren over waarom ik niet net zo handig was als Erik', zei hij. 'Maar die aanleg kon ik dus niet van hem geërfd hebben.'

Toen moest Ruben lachen: 'Maar Inge dan, je biologische moeder. Ik heb altijd gehoord dat ze als een kerel zorgt voor de boerderij en de dieren.'

Simon vond dat het gesprek geen prettige wending nam, maar net als de anderen moest hij glimlachen.

'Heb je je nooit afgevraagd waarom Isak niet net zo belezen is en niet net zoveel van boeken houdt als ik?'

'Nee', zei Simon.

'Misschien is het wel zo dat elke zoon zijn vader moet overwinnen', zei Ruben. 'En dan ligt het voor de hand om een terrein te kiezen waarop de vader niet superieur is en waarop de zoon de vader ruim voorbijstreeft.'

In de lange nawinter kwam het voor dat Simon pijn had van een angst die vanaf de buik naar zijn hals sloop en die hem het ademhalen bemoeilijkte.

Hij dacht aan Inge, maar schoof de beslissing om haar op te zoeken voor zich uit. Hij dacht aan wortels, aan het feit dat hij die niet had, maar hij begreep het niet goed.

En hij moest denken aan het meisje dat in het sanatorium op hem wachtte zoals een spin wacht op een vlieg. Rustig, in de wetenschap dat hij zich zou laten vangen, dat het alleen maar een kwestie van tijd was.

20

En toen brak de laatste zomervakantie aan. Daar zouden ze nog vaak aan terugdenken. Simon, omdat hij voor de gek werd gehouden en Isak, omdat hij de liefde leerde kennen.

Iza was in het voorjaar uit het sanatorium ontslagen en bij Ruben ingetrokken. Ze vond het huis benauwd, de stad saai en Ruben zelf hopeloos, net zoals zijn kennissen, mannen van middelbare leeftijd die hun kennis uit boeken haalden. En ze weigerde mee te gaan naar Karin en Erik.

'Karin is een koe, net zoals mijn moeder was', zei ze. Ze zag niet hoe Ruben reageerde.

Hij probeerde haar in contact te brengen met andere joodse gezinnen in de stad, wendde zich smekend tot moeders en dochters. Maar ondanks goede voornemens kon niemand Iza uitstaan en haar angst groeide, terwijl ze op de Aveny en de Kungsgata probeerde verlichting te vinden door dingen te kopen. Isak was zo bang voor haar dat hij al voordat de vakantie begon, verhuisde naar de Larssons en de werf.

Karin zei smekend tegen Ruben: 'We moeten begrip voor hem hebben; het meisje herinnert hem aan wat er is gebeurd.'

Ze herinnert hem ook aan iets anders, dacht Ruben. Aan Olga. Hij voelde dat zelf immers ook. Dat rusteloze heen en weer gedraaf op hoge hakken door het huis, dat gerinkel van armbanden en kettingen, die zware geur van parfum die overal hing, maar vooral die onrust die voortdurend in de kamers voelbaar was.

Eigenlijk was er maar één ding dat Iza interesseerde en dat was Simon.

'Hij heeft iets mystieks over zich', zei ze. Ruben probeerde nog om het af te wenden: 'Hij is nog maar een snotneus die nog niet eens van school af is.'

'Ik heb anders niets tegen kleine jongetjes', zei Iza.

Ze was slank en mooi geworden, zoals ze zich had voorgenomen, en ze sprak met Simon over het kamp en de gruwelijkheden.

'Ze moet het kwijt', zei Simon tegen Ruben, toen hij hen onderbrak.

'Nee hoor', zei Ruben. 'Ze zwelgt erin en ze weet dat ze je ermee inpakt. Kijk verdomme uit, Simon, kijk uit.'

Het was gebeurd aan het eind van de middag na schooltijd. Ruben had Simon in Iza's kamer aangetroffen, had hem er zo'n beetje uitgestuurd en was met hem mee naar buiten gelopen.

Simon hing over zijn fietsstuur en keek naar de man die hij meer dan wie ook bewonderde en hij voelde zich zo vertwijfeld dat zijn ogen er donker van werden.

'Ik kom er niet onderuit, oom Ruben.'

Maar toen hij naar huis fietste was hij zijn eigen angst en die van Ruben al vergeten. Hij voelde alleen nog maar zijn hang naar haar, naar haar rode lippen en haar lekkere lichaam met al zijn ongelooflijke herinneringen.

Een week later, vlak voordat de school was afgelopen, werd Iza voor nazorg naar een kuuroord in Zwitserland gestuurd. Olof Hirtz, haar arts en de vriend van Ruben, regelde alles; ook de therapie bij een bekende psychoanalyticus in Zürich. Iza was tevreden; ze wilde de wijde wereld in. Simon kon nog wel even wachten, vond ze, want ondanks alles had ze Rubens woorden toch goed in haar oren geknoopt.

'Was het nodig?' vroeg Karin, toen ze van Iza's vertrek hoorde.

'Jij weet net zo goed als ik dat het hard nodig was', zei Ruben.

Simon voelde zich voor de gek gehouden, maar zijn teleurstelling had ook een element van opluchting in zich. Nadat het meisje vertrokken was, klaarde de lucht rondom hem op.

Na midzomer gingen Simon en Isak zeilen. Ze zaten bijna een maand op zee en voeren langs de kust van Bohuslän naar het noorden, het Oslofjord in. Ze kwamen aan in de stad waar de laarzen van de nazi's gemarcheerd hadden.

'Ik kan ze bijna nog horen', zei Isak en Simon bleef ook staan om te luisteren naar het ritme van laarzen die in de maat marcheerden.

'We gaan weer weg, Isak.'

Van de stad zagen ze dus niet veel, zelfs het Osebergschip niet, waar Isak over gedroomd had, of het Nansenmuseum, waar Simon naartoe had gewild.

Ze kwamen thuis, vol trots over hun vlassige baardjes en bruin als indianen. Smerig waren ze ook, geloogd door de wind en het zoute water. Karin lachte luid van blijdschap, maar stuurde hen meteen naar de badkamer waar ze scheermesjes voor hen klaarlegde.

'Als jullie baarden willen, moeten jullie toch echt wachten tot het wat gelijkmatiger groeit', zei ze, en nadat ze eens goed in de spiegel hadden gekeken moesten ze haar gelijk geven.

Ze haalden de boot aan land, ontdeden haar van aanslag en maakten haar ook vanbinnen schoon, want nu zouden Erik en Ruben een lange tocht gaan maken. Ze wilden Karin ook meenemen, maar zij zag ervan af. Ruben dacht dat ze zich zorgen maakte over haar hart; Erik dat ze de jongens niet zonder toezicht wilde achterlaten.

Maar Karin wilde niet boven op Rubens lip zitten.

En toen, op een warme zomeravond, gingen de jongens dansen op een steiger op Särö.

Isak kwam Mona tegen.

En Isak zag meteen dat zij een van die zeldzame wezens was die de wereld begrijpelijk maken.

Ze had de vorm van een peer; haar zwaartepunt lag onder haar taille, en haar rechte, een beetje dikke benen verbonden haar altijd, waar ze ook was, met de aarde en haar middelpunt.

Niemand had ooit opgemerkt dat ze grenzeloos mooi was; niet voordat Isak het zag en het de hele wereld liet zien. Ze keek hem aan met de ogen van Karin, hoewel die van haar gek genoeg blauw waren, en ze hield vanaf het eerste ogenblik van hem.

Op een grootse, rustige wijze.

Ze had de plaats van haar moeder moeten innemen om voor twee kleinere kinderen te zorgen, en dat had haar geholpen om de wereld als iets concreets te beschouwen. Op de dag dat haar moeder stierf, werd haar een grote wond toegebracht, maar ze was toen al veertien jaar en net zo stabiel, betrouwbaar en ongecompliceerd als haar moeder was geweest.

Bovendien was er niet veel tijd geweest om zich in rouw te storten of te piekeren over het noodlot, want kleine kinderen moeten op tijd verzorgd worden, iedere dag en ieder moment opnieuw.

Het had mis kunnen lopen als er niet een tante was geweest, maar die was er wel en zij eiste met klem voor Mona het recht op om een eigen leven te leiden.

Dus mocht de dochter van de visboer ondanks alles naar de meisjesschool. Dat voorjaar had ze die net afgesloten en ze zou meteen in ziekenhuis Sahlgren beginnen aan een vierjarige opleiding tot verpleegster.

Wat ze overal met zich meenam, was een lichte verachting voor mannen; ze had nooit kunnen begrijpen dat die het waard waren om serieus te nemen. Misschien dat ze in een of ander weekblad wel eens over de liefde had gelezen, maar daar had ze nauwelijks geloof aan gehecht en ze had nooit het idee gehad dat ze daar zelf door getroffen zou kunnen worden.

Dus eigenlijk was ze enorm verbaasd.

Dat was Simon ook. Hij was weliswaar in duizenden boeken de liefde tegengekomen, de hartstocht die mensen meesleurt en hen gek van vertwijfeling en geluk maakt. Maar ook hij had er nooit echt in geloofd en het nog nooit in het werkelijke leven gezien.

Nu zag hij het gebeuren, vlak voor zijn ogen. Het vervulde hem met verbijstering en met iets waarvan hij na verloop van tijd moest toegeven dat het afgunst was.

'Moeder, ze zijn gek', zei hij tegen Karin. 'Het leek wel alsof ze in trance waren en alleen elkaar zagen.'

'Ik hoop dat hij haar gauw meebrengt, zodat ik het wonder ook eens kan aanschouwen', zei Karin.

Maar Karin en Simon waren allebei uit Isaks wereld verdwenen.

Isak bleef slapen in de stad, in het huis van Ruben. Iedere ochtend na het opstaan haalde hij de oude Chevrolet uit de garage en reed, zonder rijbewijs, naar de kruidenierswinkel van Axelsson bij de kruising in de wijk Askim. Daar stond ze op hem te wachten en ze was nog mooier dan de dag ervoor. De auto bracht hen naar de loofbossen ten zuiden van de stad, naar de klippen bij Gottskär, het zoete water van de meren van Delsjö en de diepe sparrenbossen in Hindås. Steeds vonden ze nieuw mos om op te rusten, nieuwe weilanden om door te wandelen, nieuwe bloemen om te plukken.

Eenvoudig en zonder omhaal gaf ze zich aan hem. Hij was zacht en vol tederheid en toen hij Mona's overgave voelde, dacht hij dankbaar terug aan de dochter van de explosievenman aan de rand van de stad.

Ze was nog maagd, maar ook dat was geen moeilijke of pijnlijke zaak. Een dag later ging ze meteen naar de dokter, waar ze een pessarium uitzocht en leerde gebruiken.

Pas aan het eind van die stralende week na de ontmoeting op Särö dacht Isak eraan dat er ook nog andere mensen op de wereld bestonden en dat Karin en Simon er recht op hadden te weten dat hij nog leefde en waarvoor hij leefde.

Om nog maar te zwijgen over Ruben, die over een week weer thuis zou komen.

Hij had het meteen nadat ze elkaar ontmoet hadden tegen Mona gezegd: 'We moeten langsgaan bij, nou ja, niet echt mijn familie, maar bij mijn naasten.'

Ze knikte; ze had wel verwacht dat hij hiermee zou komen.

Maar toen hij haar wilde vertellen wie hij was schaamde hij zich opeens; hij kon niet meer denken en niet meer praten. Ze zei: 'Ik weet niet eens hoe je van je achternaam heet.'

'Lentov', zei hij, 'Isak Lentov.'

Nu sloot zij zich af; hij voelde het en plotseling werd hij door angst overmand.

'Ik ben joods', zei hij.

Toen moest ze lachen: 'Ik ben niet gek en bovendien heb ik gelezen over die besnijdenis en zo.' De angst verloor zijn greep en hij moest de auto stoppen om haar te kussen. Maar hij voelde dat ze gespannen was, en verwonderd en afwezig.

'Wat is er?'

'Lentov', zei ze. 'De rijke Lentov van al die boekwinkels?'

'Ja. Is daar iets mee?'

'Nee', zei ze. Ze bleef stokstijf zitten, moest dat wel doen, om de jubelstemming die ze binnen in zich voelde verborgen te houden. Als Mona al dromen had, dan gingen ze over geld, over rijkdom en mooie dingen.

'Het is alleen zo onbegrijpelijk', zei ze. Ze voelde zich er niet gerust op en vervolgde met een klein stemmetje: 'Wat zal je vader ervan zeggen?'

'Mijn pa zal van je gaan houden', zei Isak.

'Doe niet zo dom. Je snapt toch zeker wel dat hij wil dat je je bindt aan een rijk en voornaam joods meisje.'

'Jij kent Ruben Lentov niet', zei Isak. 'Hij zal van vreugde dansen op onze bruiloft.'

Ze was er niet verbaasd over dat hij het woord trouwen in de mond nam; dat was vanaf het eerste ogenblik vanzelfsprekend geweest. Maar ze geloofde niet in de vader die Isak voor haar beschreef.

Maar nu moesten ze naar Karin en Simon. Eigenlijk was het maar een ritje van een kwartier, maar het zou een paar uur in beslag nemen. Ze hadden elkaar ook zoveel te vertellen.

En hij kon niet uitleggen wie Karin was als hij niet durfde te praten over die keer in Berlijn, toen de Hitlerjugend aan het marcheren was.

Mona huilde als een kind en sloeg haar armen om hem heen om hem te troosten als de goede moeder die ze ook was. Ik zal hem nooit verlaten, dacht ze, nooit. Zelfs niet als Ruben Lentov hem onterft.

Daarna vertelde ze hem over haar moeder, over de dood die op een nacht kwam en al het bloed uit haar moeders onderbuik kneep, over de vele rode lakens en haar vreemde gedachten.

'Je gelooft je ogen niet', zei ze. 'Het speelt zich onder je ogen af, het sterven, en toch geloof je het niet. Vind je dat niet gek?'

Nee, Isak dacht van niet.

Na een poosje dacht hij aan Olga, dat hij ook dat moest vertellen.

'Mijn ma zit in het gekkenhuis', zei hij. 'Ze is gek geworden in de nacht dat de Duitsers Noorwegen binnenvielen.'

'De arme ziel.'

'Het is misschien wel erfelijk', zei Isak terwijl hij zich realiseerde dat hij dit, voordat hij Mona ontmoette, niet eens had durven denken. Maar hij wilde niets verbergen: 'Ik heb een nichtje dat ook gek lijkt', zei hij. 'Maar zij heeft in een concentratiekamp gezeten.'

Mona huilde weer, maar zei: 'Wij krijgen vier gelukkige kinderen.'

Maar eindelijk zaten ze er dan toch, op de keukenbank bij Karin. Ze zeiden niet veel maar ze straalden zo dat ze er de hele keuken mee verlichtten. Het is net alsof de zon schijnt, dacht Karin. Door het raam zag ze hoe het pijpenstelen regende, terwijl het in haar keuken stralend licht was.

'Jullie blijven toch zeker eten', zei ze.

'Ja, graag.'

Toen de regenbuien overgetrokken waren, gingen ze samen de tuin in om aardbeien voor het dessert te plukken. Simon was met de roeiboot het meer op gegaan om te vissen en toen hij thuiskwam was hij blij. Hij keek lang naar hen en zei: 'Jullie twee zijn het meest wonderbaarlijke dat ik ooit heb meegemaakt.'

Daar moest iedereen om lachen.

Karin nam Simon mee de keuken in, terwijl de twee verliefden verder gingen met aardbeien plukken.

'Zie je hoe ze stralen, Simon?'

'Ja, ma. Is dat nou verstandig?'

'Verstandig?' zei Karin. 'Dit zal ik je zeggen: zelfs als ik al mijn fantasie had gebruikt om iets moois voor Isak te bedenken, dan had ik nog niet dit meisje kunnen verzinnen.'

Op het aardbeienveldje zei Mona tegen Isak: 'Ik vind haar aardig.'

'Dat spreekt vanzelf', zei Isak.

'Maar Simon is jaloers.'

Toen moest Isak om Mona lachen: 'Dat is net goed.'

Vervolgens stopte hij een aardbei in haar mond en kuste die terug.

Ze bleven slapen in het smalle bed van Ruben op de logeerkamer en Karin leende Mona haar mooiste nachthemd.

Ik heb er een dochter bij gekregen, dacht Karin toen ze naar bed ging en het meisje doodleuk naar huis hoorde bellen met een smoes: 'Ik blijf bij een vriendin in de stad slapen. Wil je dat aan vader doorgeven?'

Het is vast een fijn gezin met zo'n goed meisje, dacht Karin bij zichzelf voordat ze in slaap viel.

Ze hadden een paar dagen de tijd om elkaar te leren kennen, daarna zouden Ruben en Erik weer thuiskomen. Karin slaagde erin Isak wat karweitjes te laten doen, zodat ze tenminste af en toe de gelegenheid had om onder vier ogen met het meisje te praten.

Al de eerste ochtend stuurde ze Isak naar huis met de auto: 'Je zet hem weer in de garage. Maar eerst moet je hem wassen. En geen woord tegen Ruben dat je zonder rijbewijs hebt gereden.'

Hij gehoorzaamde en Karin zei hetzelfde als Mona's eigen moeder altijd had gezegd: 'Die kerels ook.'

Toen de jongens met de auto vertrokken waren, gingen Karin en Mona naar het strand om te zwemmen. Karin dompelde zich voorzichtig onder, maar Mona zwom als vis.

Ze was open en leek niets te verbergen. Ze vertelde over haar moeder; dat kostte haar moeite. Over haar jongere broers en zusjes, die nu groot genoeg waren om zichzelf te kunnen redden. En over de visboer, haar vader.

'Daar heb je niet veel aan', zei ze. 'Hij is luidruchtig en snel verongelijkt; je trapt hem gemakkelijk op zijn tenen. En bekrompen en gierig is hij ook. Maar dat moet je op de koop toe nemen; hij is tenslotte mijn vader.'

Karin moest lachen: 'Hoe zal hij dit met Isak dan vinden?'

'Ja, dat zal wel een hoop stampij geven.'

'Omdat Isak joods is?'

'Ja, dat ook, maar vooral omdat mijn vader nu zijn dienstmeid kwijtraakt.'

'Is hij niet godsdienstig? Buitenkerkelijk? Dat zijn ze toch vaak aan de scherenkust?'

'Ja, hij roept wel eens wat over de antichrist en zo. Maar dat godsdienstige zit alleen maar aan de buitenkant.'

Mona's ogen schitterden van plezier toen ze opeens bedacht: 'Dat zal wel gauw overgaan als het tot hem doordringt hoe het met het geld zit.'

Zelfs een biologische dochter zou niet zo op mij hebben kunnen lijken, dacht Karin verwonderd maar zeer tevreden. Maar Mona fronste haar voorhoofd.

'Wat Isaks vader zal zeggen is veel erger.'

'Nee', zei Karin. 'Hij zal je graag mogen.'

'Hoe weet u dat?'

'Tja,' zei Karin, 'hoe weet ik dat.' Het bleef even stil. Daarna zei ze: 'Hij is een goed mens.'

'Wat vreemd dat u dat zegt', zei Mona. 'Maar heb ik daar wel wat aan?'

'Je zult het wel zien', zei Karin lachend.

Die zaterdag belde Erik op vanaf Marstrand. Alles was goed aan boord.

'We komen morgen, zoals afgesproken', zei hij. 'Ik ga eerst langs de werf om de proviand af te zetten. Gaat het goed met je?'

'Prima', zei Karin. 'Zeg maar tegen Ruben dat we een grote verrassing voor hem hebben.'

'Voor mij niet?'

'Nee, helaas', zei Karin. Ze moest even aan Simon en Iza denken. 'Je moet het leven nemen zoals het komt.'

Ze klonk zoals ze moest klinken, zoals ze altijd klonk. Een schikgodin die in haar keuken het levenslot van verschillende mensen zat te spinnen, verdriet had over de draden die kapotgingen of in elkaar verward raakten, maar die accepteerde dat het weefsel van het leven gecompliceerd is en niet altijd gemakkelijk uit elkaar te rafelen.

'En je hart? Neem je je medicijnen wel?'

'Erik, ik merk er helemaal niets van.'

'Dat doe je nooit', zei Erik.

Maar hij klonk blij. Ze hadden veel met elkaar gepraat, Ruben en hij; dat Karin zo was opgeknapt na het gesprek met Simon afgelopen winter. En ook de dokter was tevreden geweest bij zijn laatste bezoek.

Toen de fraaie zeilboot Oljenäset met volle zeilen rondde, slaakte Mona, die verstand had van boten, een diepe zucht van bewondering.

'Dat is mijn boot', zei Isak met stralende ogen.

Ze lieten het grootzeil vallen, maar de fok klapperde nog in de wind toen ze voor anker gingen op de rede en het kleine bootje in het water zetten. Erik bleef aan boord, terwijl Ruben naar de steiger roeide en tegen Karin riep: 'Waar is nou je verrassing?'

'Dat komt zo', zei Karin.

Wat is hij nog jong, dacht Mona. En knap, een heer tot in zijn vingertoppen. Ze had hartkloppingen en zweterige handen en ze hield Isaks hand stevig vast.

Ze konden niet horen wat Karin op de steiger zei, maar Isak kende haar goed genoeg om er zich een voorstelling van te kunnen maken en hij wist dat hij geen betere boodschapper zou kunnen hebben: 'De grote liefde, Ruben. En ze is alles wat Isak nodig heeft.'

Ruben was zo geraakt dat hij even op een paal moest gaan zitten.

Door de jaren heen had hij geleerd om op Karins oordeel

te vertrouwen en hij was al overtuigd nog voordat hij naar het meisje toeliep om kennis te maken. Het was een grijze dag dus het stralende van het jonge paar viel hem meteen op.

Hij keek naar het meisje, dat stevig in haar schoenen leek te staan, en nam met één blik de kern van heel haar wezen in zich op.

'Goeie genade. Wat moet ik zeggen?'

Hij omhelsde Mona en lachte: 'Wat ben jij een mooie verrassing.'

Daarna keek hij Isak lang aan en iedereen merkte hoe teder zijn blik was en hoe blij zijn stem klonk, toen hij zei: 'Jongen toch.'

Met de visboer ging het in grote lijnen zoals Mona al voorspeld had: hij schreeuwde van woede; ze was veel te jong! Een jood, was ze gek geworden! Wat zouden de mensen zeggen, de gemeenteleden?

Maar daarna, toen hij de naam te horen kreeg en aan het geld dacht, begon het goud een beetje te weerkaatsen in zijn gemoed en dat kalmeerde hem. 'De joden worden al tweeduizend jaar gestraft', zei hij. 'Misschien is die schuld nu wel afbetaald.'

Op de zondag voordat de school weer begon, verloofden ze zich officieel in het restaurant van de Tuinvereniging.

Op de ochtend van het feest ging Mona met Ruben mee naar Olga. Het was de eerste keer sinds vele jaren dat Ruben die zware gang niet alleen hoefde te maken.

Hij was extra dankbaar toen hij zag hoe natuurlijk en zonder angst Mona Olga tegemoet trad en hoe ze via de poppen contact met haar maakte en een glimp van leven in haar ogen wist te toveren.

Op de terugweg in de auto zei het meisje: 'Ze is niet ongelukkig. En eigenlijk is dat toch het belangrijkste.'

Ruben knikte. Hij had hetzelfde gedacht; dat Olga nu gelukkiger was dan gedurende al die jaren dat ze gezond was geweest en genadeloos overgeleverd aan de angst.

'Dat is waar', zei hij. 'Maar zelf ondervind ik daar weinig troost van.'

'Ja, dat kan ik me voorstellen', zei Mona.

Toen Ruben tijdens de borrel in het restaurant voordat ze aan tafel gingen de visboer ontmoette, realiseerde hij zich dat het leven en de tocht van de mensen daardoorheen, ondoorgrondelijker waren dan welke psychologie dan ook kon verklaren. Hoe was het in godsnaam mogelijk dat dat meisje in de schaduw van die man had kunnen opgroeien?

Erik hield een toespraak. Hij zei het kernachtig: 'Je hebt een Karin gevonden. Wees zuinig op haar, ze zijn zeldzaam.'

21

Het symfonieorkest van Göteborg speelde Gösta Nystroems *Sinfonia del Mare*.

Lenige indianenvrouwen wasten hun kinderen in de bron
van de grote rivier, waar de golf geboren werd die naar de
zee zou gaan en die de herinnering aan de geur van men-
senkinderen met zich mee zou voeren. Ook de geuren van
de rivierbomen, van modder en mos, zou de golf zich herinneren; de grote bomen, die de loop van de rivier konden
tegenhouden met hun zware wortels en die het drukke water tot rust zouden kunnen zingen, voor even, voor een
nacht, voordat het verder moest naar de nieuwe geboorte
in de zee.

Aan de monding kwam de golf de zalmen tegen die op
weg waren stroomopwaarts, bezeten door hun liefde voor
het leven.

Toch vergat de golf de spelende vissen algauw. Vanwege
de angst, de angst van het rivierwater om zich in het grenzeloze te verliezen.

Maar de golf werd niet vernietigd; ze bevroor en haar
gevangenschap in de kou ontnam haar bijna haar levenslust.

Maar op een dag kwam de lente en de golf ontworstelde
zich aan het ijs en wist dat ze het had overleefd, dat ze nog
heel was, terwijl ze tegelijkertijd deel uitmaakte van de ge-
hele zee. Ze begon aan haar lange reis en trok naar het oosten, terwijl grote schepen haar doorkliefden en reusachtige
winden aan haar oppervlakte speelden.

De golf hield van de wind; de sterke wind die zijn krachten verzamelde voor de storm en die de golf uitnodigde voor een dans. Maar ze hield ook van de zonnewind, die haar in slaap wiegde en liet dromen over de hemel, en van de enorme wolken, die door de mist en de regen ook deel uitmaakten van haar leven. Bij de zuidpunt van Groenland kwam de golf de ijsbergen tegen; ze duikelde kopje van verbazing, maar bedwong zich en klokte rond het doorzichtige groen van de gladde, steile wanden en voelde hoe het binnen in de ijsberg knapte van verlangen om weg te komen uit het bevrorene en geremde naar het grenzeloze en betrokkene.

Toen de golf verder trok, was ze gekleurd door het smeltwater en de kennis van het verdriet dat in alles ligt besloten wat zich in vorm laat verstillen.

Tussen IJsland en de Shetlandeilanden werd ze zwaar van het zout en leerde ze te bruisen; ze had plezier in de voortdurende afwisseling tussen de witte top en de groene basis. Door het Skagerrak ging ze in zware deiningen. Langzaam en sterk, zich bewust van haar kracht, rondde ze Lister.

En toen op een dag werd ze in duizend stukken uiteengeslagen op de rotsen van Bohuslän. Ze ging er een grijze dood tegemoet. Maar ze ontdekte dat ze niet kon sterven, omdat ze al deze ervaringen aan de zee moest teruggeven, voordat ze herboren zou mogen worden en met nieuwe herinneringen aan diepe fjorden en zwaar graniet weer naar het noorden zou vertrekken, met de Golfstroom mee naar de ijsvlaktes en de enorme winden.

Toen het publiek uit de concertzaal naar buiten stroomde, bleef Simon zitten. Ten slotte legde Ruben zijn hand op zijn schouder en zei: 'Wij moesten ook maar eens gaan.'

Olof Hirtz was er ook. Hij liep op hen af om Ruben te groeten. Zo kwam het dat Simon zijn nieuwe inzicht on-omwonden voor een vreemdeling onder woorden bracht: 'De golf sterft niet', zei hij. 'Ze kan niet worden vernietigd, omdat ze nooit in de verleiding komt zich af te scheiden.'

Olof Hirtz werd blij op een manier die je alleen kunt worden door essentiële ontmoetingen.

'Ga mee om bij mij thuis nog iets te eten', zei hij.

Het was maar een paar blokken lopen en algauw stonden ze in de ruime keuken van een oud huis en was Maria er, een van de indianenvrouwen bij de springbron van de grote rivier. Ze had een flinke haviksneus, een brede, vrolijke mond, donkere ogen die veel te groot waren voor haar driehoekige gezicht en een jongensachtig kort kapsel dat als een helm om haar hoofd zat.

Het is niet waar, dacht Simon, maar hij besefte dat het dat wel was; Maria was de vrouw van Olof en zelf ook arts.

'Psychoanalyticus', zei Ruben toen hij hen aan elkaar voorstelde, en dat was even verbazingwekkend als het feit dat ze een lange broek en een rood fluwelen trui aan had. Ze gaf hem een stevige handdruk en glimlachte breed en nieuwsgierig.

Terwijl Simon haar hielp om gerookte zalm, kaas, brood, boter en bier uit de voorraadkast en de ijskast te halen, hoorde hij dat Ruben Karin belde.

'Het wordt laat', zei hij. 'Dus wacht maar niet op Si-mon; misschien blijft hij bij mij slapen.'

Olof Hirtz was terug op zijn post in ziekenhuis Sahlgren waar hij zich, na het jaar in het sanatorium op het hoog-land van Småland, weer bezighield met onderzoek en on-derwijs. De kennismaking met het lijden uit de concentra-tiekampen had haar sporen bij hem nagelaten en hem ernstiger gemaakt. Ze zagen elkaar nu vaak, Ruben en hij, om over Iza te praten. Hun vriendschap had zich verder verdiept, zoals dat gaat wanneer je praat over gevoelige en persoonlijke problemen.

Ruben had hem verteld over de Larssons, over hoe Karin en Erik Isak door de jaren heen hadden geholpen, en over Simon, de jongen die midden in dat gelukkige gezin zo eenzaam was.

'Hij voelt zich tot Iza aangetrokken', had Ruben gezegd.

'Als zijn moeder zo goed is als jij denkt, dan is het misschien wel nodig dat hij zijn vingers eens een keer brandt', had Olof geantwoord en hij had er de gebruikelijke, wijze woorden aan toegevoegd dat ieder jong mens zijn eigen teleurstellende ervaringen moet opdoen.

'Het enige dat we kunnen doen, is hun de kracht toewensen dat ze hun lot kunnen dragen.'

Nu ze zo samen aan tafel zaten in de ouderwets grote keuken voelde Olof dezelfde behoefte als Ruben om de jongen te beschermen en te zeggen: 'Pas op voor Iza.'

Maar zo dom was hij niet, dus over het meisje werd met geen woord gerept. In plaats daarvan vertelde hij aan Maria wat Simon in de concertzaal had gezegd en hij zei dat hij meer en meer tot de overtuiging kwam dat de ellende van de mens berust op haar streven om zich een eigen persoonlijkheid te scheppen die haar van anderen onderscheidt.

'Maar dat is toch noodzakelijk', zei Maria.

'Het maakt dat we ons nog meer alleen voelen.'

'Maar we zijn toch ook alleen. We worden alleen geboren en we gaan alleen dood; we zijn geen golven in de zee.'

Ruben was het niet met hem eens. 'Het geeft trouwens een enorme voldoening om een persoonlijkheid te hebben', zei hij.

'Maar niet in het diepst van ons wezen', zei Olof. 'Een persoonlijkheid kan nooit de zin van het leven vinden of gemoedsrust.'

Simon keek hem met grote ogen van verbazing aan, maar Ruben gaf zich niet gewonnen: 'Er zijn ook andere dingen die het leven inhoud geven. Strijd, het plezier in het willen bereiken van een doel en daarin dan ook slagen; al die dingen waarvoor je een persoonlijkheid nodig hebt.'

'Macht en geld?'

'Dat ook', zei Ruben en toen Olof moest lachen voegde hij eraan toe: 'Dat houdt in elk geval de angst op afstand. En helpt ook een beetje tegen schuldgevoelens.'

Toen werd ook Olof weer serieus. Hij zei dat hij het laatste jaar veel nagedacht had over het feit dat het niet alleen het schuldgevoel is dat de mythe in stand houdt dat we ons van elkaar onderscheiden. Hij vertelde hun over zijn patiënten, degenen uit de kampen met longziekten, die gebukt gingen onder schuldgevoelens over het feit dat zij het hadden overleefd.

'Maar dat is toch belachelijk', zei Simon.

'Nee, maar het versterkt wel het gevoel dat je een persoonlijk lot draagt en het onderscheid met de beul wordt scherper.'

Ruben werd rood van onderdrukte woede: 'Als het door schuldgevoel komt dat ik me niet kan vereenzelvigen met de nazi's in Buchenwald, dan heb ik dat er graag voor over. Verdomme, Olof, wij mensen onderscheiden ons immers van elkaar.'

Toen moest Maria lachen. Ze gooide haar hoofd op een bepaalde manier achterover en haar lach klonk donker, alsof hij uit het oerwoud kwam. Indiaans, dacht Simon.

'Olof', zei ze. 'Ik weet dat je niet houdt van het idee van

de zondeval, maar die heeft wel plaatsgevonden en dus is de afgescheiden mens wel gedwongen om van de boom van kennis van goed en kwaad te eten. Jij weet net zo goed als ik dat ieder kind een eigen identiteit moet krijgen; een ik, waar hij of zij zich mee staande kan houden. Anders loopt het mis. Natuurlijk kun je het jammer vinden dat die identiteit of persoonlijkheid, zoals jij die noemt, zo kwetsbaar is en dat er zoveel verweer tegen angst en schuldgevoel nodig is. Maar dat doet niets af aan het feit dat het beleven van het eigen ik het noodlot of de opdracht van de mens is.'

Nu moest ook Ruben glimlachen: 'Eva,' zei hij, 'altijd is er een Eva, een aardse vrouw, die ons weer met beide benen op de grond zet.'

Ook Olof was geamuseerd, maar hij hield vol: 'Ik ben van mening dat de zondeval een misvatting is en de persoonlijkheid een bolwerk tegen bedreigingen die er niet zijn. De afscheiding heeft immers alleen maar betrekking op een klein deel van alles wat de mens tot mens maakt, namelijk op het intellect.'

'Je vergeet het lichaam', zei Maria.

'Wij zijn ons lichaam niet', zei Olof.

'Ik ben dat in hoge mate', zei Maria met een ijzige glimlach.

Zoals altijd wanneer Simon er moeite voor moest doen om iets te begrijpen, kneep hij zijn ogen samen en verwrong hij zijn gezicht tot een grimas. Ze gebruikten zo veel woorden; ze vlogen over zijn hoofd heen en weer en moesten tegengehouden worden, hij moest ze oppakken. Uit angst om erbuiten te komen staan, begon hij te vertellen over de golf die bij de indianenvrouwen geboren werd.

Ze luisterden, waren geïnteresseerd. Dat gaf hem moed en hij begon over het rijk van de grassen te vertellen.

'Op de een of andere manier ben ik altijd in dat land', zei hij. 'Mijn hele jeugd heb ik daar doorgebracht en nu bereik ik het in mijn dromen.'

Hij vertelde over het meisje met het vogelnest, het kostbare ei en de vogel van het verdriet.

Maria was zeer ontroerd: 'Wanneer heb je dat gedroomd?'

'Toen ik ziek werd, nadat ik had gehoord dat ik geadopteerd was.'

Maria knikte. Ze zei dat hij behoorde tot degenen die dunne wanden tussen het bewuste en het onderbewuste hebben en dat hij daar blij om moest zijn.

Simon begreep dat niet, maar voelde zich aangemoedigd om over Berlioz' symfonie te vertellen, de symfonie die hem naar het uur van de waarheid in het rijk der grassen had gevoerd, en over de priesterkoning die hij had herkend uit zijn kindertijd.

'Een mannetje met een grappige, ronde hoed', zei hij.

Hij wilde zo graag vertellen dat hij vermeed hen aan te kijken; hij wilde niet door hun verwondering geremd worden. Hij vertelde over de grammofoon, hoe hij de delen steeds weer opnieuw beluisterde om ten slotte helemaal geen beelden of inhoud meer te zien.

'Waar ben je dan?' vroeg Olof.

'In de werkelijkheid', zei Simon en hij was zelf zo verbaasd dat hij Olofs blik zocht om geen vaste grond onder de voeten te verliezen. Maar Olof knikte alleen maar alsof wat Simon had verteld heel gewoon was.

'Dat is goed uitgedrukt. Anderen noemen het God.'

'Néé', zei Simon. De volwassenen moesten hun best doen om niet te glimlachen om de manier waarop hij zich in vet Göteborgs met dat nee distantieerde.

'Ik doe dat wel', zei Olof en toen hij zag hoe verbijsterd Simon was, legde hij het uit: 'Ik ben niet iemand die naar de kerk of de synagoge gaat', zei hij. 'Ik probeer juist zo weinig mogelijk aan God te denken, maar ik wil steeds in Hem zijn.'

'Zoals de golf in de zee?'

'Ja, dat is een goed beeld. Daarom was ik ook zo geïnteresseerd toen je zei dat de golf niet kon sterven, omdat ze voorkwam dat ze zich van de zee afzonderde. Ik geloof dat dezelfde voorwaarde voor de mens geldt; het is nodig dat ze afstand doet van haar ik.'

'Maar eerst moet ze haar taak op aarde volbrengen', zei Maria. 'De mens moet verantwoordelijkheid nemen voor haar leven en haar wereld, het beste maken van relaties, een goede ouder zijn en een fatsoenlijke huisbewaarder.'

Simon luisterde niet naar haar; hij had zich naar Olof toegekeerd.

'Hoe raak je je ik kwijt?' vroeg hij. 'Hoe doe je dat?'

'Tja', zei Olof. 'Hoe doe je Gods wil? Dat is dezelfde vraag, niet waar?'

Voor Simon was dat niet zo, maar hij maakte geen tegenwerpingen.

'Een manier is om net zo te doen als jij, en voorbij de beelden te gaan. Maar dat is niet zo gemakkelijk, want degene die een sterk ik heeft, heeft ook veel beelden. Hij moet zich immers voorstellingen maken van al datgene waarvan hij zich onderscheidt.'

'Maar dat zou betekenen dat als je een voorstelling van God hebt, je je van hem losmaakt', zei Ruben.

'Dat denk ik wel. Je kunt alleen Gods wil doen als je helemaal geen beeld of begrip van Hem hebt. Dat is ook wat jij door de muziek geleerd hebt, Simon; jij gebruikt er alleen andere woorden voor. Maar woorden hebben geen betekenis.'

Ruben, die zag hoe de jongen in vuur en vlam stond en hoe hij zijn eenzaamheid bijna doorbroken had, zei: 'Er zijn veel mensen die dezelfde ervaring hebben beschreven als die jij hebt, Simon. Veel zoekers en mystici zijn dezelfde weg gegaan; zij kozen het gebed of de meditatie waar jij de muziek gebruikt.'

Simon was in zijn hele leven nog nooit zo verwonderd geweest. Hij moest denken aan de eindeloze uren catechismusonderricht, aan de dagopeningen op school en aan hoe hij zich altijd had afgevraagd hoe iemand zo onnozel kon zijn als de dominee op het spreekgestoelte. Was het misschien zo dat hij degene was geweest die er niets van had begrepen?

Hij vertelde over de dominees op school en vroeg: 'Dus ik ben eigenlijk de domoor?'

Ze moesten weer lachen en Ruben zei: 'Nee hoor, jij bent echt niet dom. Maar godsdiensten scheppen een systeem dat mensen dommer maakt.'

'Alle antwoorden maken dommer', zei Maria.

'Maar toch moet je de vragen stellen', zei Olof. 'Ik bedoel daarmee dat ieder mens die antwoord zoekt op vragen naar de zin van het leven, religieus is. Dat ben jij ook, Simon.'

Het bleef lang stil, alsof iedereen er tijd voor nodig had om na te denken. Na enige tijd zei Maria: 'Ik heb door de jaren heen van mijn patiënten geleerd dat je, om een ander mens te kunnen begrijpen, moet vragen in welke richting ze haar antwoorden zoekt, wat haar geheime religie is.'

'Maar velen komen niet eens op dat idee', zei Simon. Hij dacht aan Karin en Erik, die hun leven leefden als iets vanzelfsprekends.

'Veel meer mensen dan jij denkt', zei Ruben.

'Maar oom Ruben! Denk eens aan moeder, aan Karin!'

Rubens glimlach was zo warm dat de hele tafel ervan oplichtte.

'Karin behoort tot degenen die niet hoeven te vragen. Ze leeft in het antwoord.'

Ook Maria glimlachte: 'Zulke mensen zijn er', zei ze. 'Enkelingen.'

'Maar al die anderen dan, die eigenlijk maar van de hand in de tand leven', zei Simon.

'Sommigen worden vreemdelingen voor zichzelf en voor anderen', zei Maria. 'Anderen proberen het doel van hun verlangen te bereiken door te retrograderen.'

'Wat? Wat is dat?' Simon wilde zo graag alles weten dat hij bijna snauwde.

'Tja, ze proberen terug te keren naar hun jeugd, naar de tijd in het paradijs, voordat ze van hun moeder werden gescheiden.'

'Je bedoelt dat kinderen het antwoord kennen?' Simon merkte dat hij haar tutoyeerde en hij begon te blozen; hij besefte dat hij misschien juffrouw moest zeggen, maar dat leek erg belachelijk.

'Ja,' zei Maria, 'op hun eigen manier hebben kinderen een antwoord, buiten het bewustzijn om. Dat denk ik.'

De eiken, dacht Simon.

'Maar dat is geen goede manier, om te retrograderen?'

'Nee', zei ze. 'Dat brengt altijd ellende met zich mee.'

'Er zal wel geen weg terug bestaan', zei Olof en Ruben moest lachen toen hij zei: 'Jij zult je ook nog wel van school herinneren dat het paradijs werd bewaakt door engelen met getrokken zwaarden.'

Simon die nog nooit een gedachte aan het scheppingsverhaal had gewijd, herinnerde zich de steen die hij tegen de stam van de grote boom had geslingerd en hij realiseerde zich dat dat dus noodzakelijk was geweest, het afscheid dat hij had genomen toen hij elf jaar was.

Toen Maria vervolgens vertelde dat de meeste mensen in feite geobsedeerd zijn door de droom over de moederborst, voelde Simon zich niet op zijn gemak.

Maar Maria ging koffiezetten en zocht een doos chocolade en deze alledaagse bezigheden kalmeerden Simon. Ze spraken over de taal, tegelijkertijd het gereedschap en het obstakel van de mens, en dat we de dingen nooit kunnen laten voor wat ze zijn en ze altijd willen beschrijven.

'Stel je voor dat we in een open verhouding tot de wereld zouden kunnen staan', zei Olof. 'Dat we oplettend en gevoelig zouden zijn, maar het zouden laten om over alles een waardeoordeel te vellen.'

'Niet meten, wegen en beoordelen', zei Ruben.

'Precies', zei Olof en hij klonk zo somber dat Maria erom moest lachen.

'Neem een lekker stuk chocolade', zei ze. 'Ik weet dat je die zeer waardeert.'

Toen ze opstonden om weg te gaan, zei Maria: 'Simon, geloof deze kerels niet te veel. Er zijn woorden die bevrijdend kunnen zijn. En kom nog eens terug; het was erg leuk om kennis met je te maken, als ik me tenminste aan nog een oordeel mag wagen.'

Ruben belde om een taxi en wilde dat Simon met hem meeging. Maar deze had zijn fiets nog bij het concertgebouw staan en bovendien wilde hij alleen zijn.

Hij vloog op zijn fiets door de slapende stad, in de richting van de zee, naar de verste steiger bij Långedrag. Daar bleef hij staan om datgene wat er die avond gezegd was steeds opnieuw door zijn hoofd te laten gaan, totdat hij er zeker van was dat hij het niet zou vergeten.

De wind nam toe en hij kon horen hoe de zee brulde tussen de schereneilanden in de verte. Stormachtige wolken joegen langs een verwonderde maan en alle geuren die de zee kon hebben sloegen hem tegemoet.

Hoe ruikt de zee?

Toen hij weer op de fiets zat en naar huis reed met de wind in de rug, bedacht hij dat hij vannacht een gedicht over de zee zou schrijven. Hij sloop de trap op en vond op zijn kamer pen en papier. Terwijl hij probeerde de golf te beschrijven die bij de indianenvrouwen in de bron van de rivier werd geboren, bruiste de zeesymfonie door hem heen.

Maar de woorden verpulverden tot as, totdat hij zijn vraag direct benaderde.

Hoe ruikt de zee?
Keer je gezicht naar de storm
die daarginds waait en alle geuren van de zee naar je
toe brengt,
vul je neus, je longen.
Begin met concrete woorden.
Zeewier. Zout.
Nee, in die woorden ligt het antwoord niet.
Hoe ruikt de zee?
Probeer andere woorden, zwaardere:
kracht, vrijheid, avontuur.
Ze vallen neer, beperken het onbeperkte.
Stel de vraag nog een keer:
hoe ruikt de zee?
En besef ten slotte dat deze vraag geen zin heeft.

Wanneer je opgehouden bent met vragen.
Dan misschien
kun je de zee ondergaan.

Het was al over tweeën, maar Simon was niet moe. Toen hij naar de badkamer liep had hij kennelijk Mona en Isak, die in de logeerkamer sliepen, wakker gemaakt want hij kon ze horen lachen, zacht en hartstochtelijk, en hij bleef in de hal staan totdat hij Mona's half onderdrukte kwettergeluid hoorde.

Hij schaamde zich, even maar, en toen hij eindelijk in zijn eenzame bed kroop, voelde hij dat hij die verdomde Isak ontzettend haatte.

Maar toen moest hij weer aan zijn gedicht denken en hij bedacht hoe hij er de kracht van de muziek, het ritme van de symfonie, aan mee zou geven.

Simon bleef het hele laatste schooljaar schaven aan het gedicht over de zee. En Isak haten.

22

In het voorjaar van 1947 deden ze eindexamen. Het was geen grote dag, want noch Simon noch Isak had iets te maken met de wereld waarin het eindexamen tot de riten behoorde.

Het enige dat ertoe deed was dat ze nu vrij waren.

Geen dwang meer, dacht Isak.

Geen verveling meer, dacht Simon.

Het was ook geen spannende dag, want geen van beiden liep het risico te zullen zakken.

Ruben hield een feest in zijn huis in de stad en daar was Karin blij om, want een examenfeest tussen de rotsen aan de monding van de rivier zou een provocatie zijn geweest. Dat Simon buiten rondrende met die witte eindexamenpet op, de pet van de hoogmoed, was al erg genoeg. Een paar dagen lang stond hij met die pet op en ging hij ermee naar bed, maar daarna vergat hij hem.

Isak zou verder studeren aan de Technische Hogeschool. Dat was geen enkel probleem, want zijn cijfers waren ruim voldoende. Simon wilde geschiedenis gaan studeren aan de universiteit.

Erik en Karin waren niet te spreken over Simons keuze; geschiedenis, wat had dat nu voor nut en wat voor soort beroep zou hij daarmee krijgen? Maar Ruben legde het hun uit; hij had het over onderzoek doen en dat Simon over een paar jaar leraar op het lyceum zou kunnen worden.

Dat gaf Karin troost, maar Erik vond dat Isak een betere keus had gemaakt. Ingenieur, dat had hij zelf ook altijd willen worden.

'Zoals ik historicus wilde worden', zei Ruben en toen moesten ze weer lachen om de oude grap dat hun kinderen verwisseld waren.

Maar eerst moesten de jongens in dienst.

Karin was daar stiekem blij om. Simon bleef negen maanden langer buiten het bereik van Iza, die weer in het land was en nu een flat had in Stockholm waar ze naar de kunstacademie zou gaan.

Erik maakte zich zorgen over de dienstplicht; goeie genade, het waren nog maar snotjongens.

'Denk eraan dat je het als een spel ziet', zei hij. 'Neem het niet te serieus, maar gehoorzaam en bedenk dat het zo voorbij is.'

Simon knikte; hij begreep wat Erik wilde zeggen.

Maar Isak zei heel ernstig dat hij vond dat het wel belangrijk was en dat hij zeker van plan was om te leren hoe hij Zweden kon verdedigen.

Karin en Mona moesten allebei glimlachen; Karins glimlach was mild en die van Mona trots, en geen van beiden had tijdens het koffiedrinken in het prieeltje in de gaten dat Erik zich niet op zijn gemak voelde.

En het moment was ook zo weer voorbij, want Isak begon het lied van het Bohus-bataljon te zingen. Zoals altijd wanneer hij zong, kroop Simon in elkaar van ellende.

'Dat ik het al die jaren met jou heb uitgehouden is een wonder', zei hij en hij vertelde over de dagopening, als hij uit zijn dromen werd gehaald doordat Isak uit volle borst zong: 'Een vaste burcht is onze God…'

Iedereen moest lachen. Mona begon het oude gezang te zingen en daarna viel Erik in en zongen ze tweestemmig.

Simon keurde het goed: zo moest het klinken.

'Ik hoorde geen verschil', zei Isak.

Maar op de een of andere manier vond Karin het maar niets, die regel: 'Een toevlucht voor de Zijnen.'

Eriks gevoel van onbehagen werkte besmettelijk op haar.

'Voorwááárts, mars. Halt. Rechtsomkeert.'

Het onnoemelijke zat achter Isak aan, het kroop door zijn lichaam van zijn keel naar zijn middenrif, waar het pijn deed; het gleed verder in zijn armen en handen, die vanbinnen prikten alsof er duizenden spelden in zaten en het bereikte zijn benen, die weigerden te gehoorzamen.

'Lentov, in de maat verdomme...'

'Presentééér geweer!'

'Opdrukken en tijgeren. Korte instructie.'

'Neer. Op. Neer. Op.'

Het onnoemelijke zat in de lucht die hij inademde en in het ritmische gestamp van de rechte rijen. Het plakte; hij werd erdoor meegesleurd en toen het zijn hoofd bereikte, wist hij dat hij zichzelf moest uitwissen om niet dood te gaan.

Maar toen was Simon er, vlak naast hem.

'Isak, in godsnaam, je went er wel aan. Je bent er zo overheen.'

En misschien was dat ook wel zo geweest, als niet de moeder van vice-korporaal Nilsson was overleden en hij werd vervangen door een sergeant. Die heette Bylund en had zijn beroep niet toevallig gekozen, want hij hield ervan om jongens te treiteren.

Nu stond hij voor hen, de nieuwe man. Het was een lange, grofgebouwde kerel die er niet slecht uitzag, maar die een vreemde, snelle glimlach had.

De grijns van een wolf, dacht Simon, die nog nooit een

wolf had gezien. Die glimlach kwam even snel op als hij verdween. Bylund was tevreden: twee jodenzwijnen in zijn groep, dat was puur geluk.

'Jullie daar.'

'Wie, ik?'

'Ja, sergeant, verdomme.'

'Ja, sergeant.'

En toen regende het commando's: 'Opdrukken, op, neer, tijgeren, linksom, halt. Lentov wordt een schande voor de krijgsmacht, maar dat was te verwachten.'

Dat droge, ritselende lachje van hem.

Bylund was geamuseerd; deze zomer zou leuker worden dan hij had gedacht toen die stomme moeder van Nilsson doodging. Een geaccidenteerd terrein, beschermende heuvels tussen hem en de luitenant, die trouwens zelf ook niet van joden hield en vast wel wat door de vingers zou zien. Het leven lachte hem toe en Bylund lachte zijn wolvenlach terug.

Hij ruikt, hij snuift, hij is op het spoor van zwakheid, van lijken; ik ken hem, ik herken hem.

Maar Isak koos er nog niet meteen voor om uitgewist te worden. Hij hield zich die dag staande en kroop, tijgerde, werd vernederd en uitgescholden.

Simon werd haast gek van razernij. En van angst, want toen ze 's avonds in de eetzaal zaten, zag hij dat Isak steeds mechanischer werd.

Hij werd onbereikbaar.

Zoals die dag op het schoolplein.

Hij stopte Isak in de barak in bed te midden van zes anderen die hem niet aan durfden kijken en hij ging naar de luitenant. Hij slaagde erin in de houding te gaan staan en begon: 'Ja, Isak Lentov...'

'Naam en nummer.' De luitenant snauwde niet, maar zijn stem was ijskoud.

Simon slaagde erin ook zijn naam en nummer te noemen en vatte daarna kort samen: 'Isak Lentov werd als kind door de nazi's in Berlijn zwaar letsel toegebracht. Later werd hij ziek, psychisch ziek. Hij verdraagt de behandeling waaraan sergeant Bylund hem blootstelt niet.'

De blauwe ogen van de luitenant versmalden: 'Is dit een aangifte?'

'Ik wilde het… rapporteren. Het kan problemen geven.' Simon was pijnlijk burgerlijk.

'Heeft de soldaat mijn vraag niet begrepen?'

'Jawel…'

'Ja, luitenant, is het.'

'Ja, luitenant.'

'Dit is dus geen aangifte?'

Opeens zag Simon dat er verachting in de blauwe spleten school. Hij vond het leuk; die verdomde kerel vond het leuk. Simon werd overspoeld door een gevoel van vertwijfeling; hij draaide zich om en verdween.

Luitenant Fahlén onderdrukte zijn routinematige impuls om hem terug te roepen en hem te leren hoe je je van een officier verwijderde. Maar de discipline moest maar wachten tot een volgende keer.

Een verdraaid vervelende geschiedenis, dacht hij. Bylund stond bekend om zijn beruchte methodes.

Wat moesten ze verdomme ook met joden in het leger?

Larsson. Maar ook hij was nauwelijks Zweeds. Hij leek nog joodser dan die andere.

Lentov. Natuurlijk de zoon van die rijke boekenjood.

Maar hij liet de zaak rusten.

De volgende dag hield hij de groep van Bylund in de

gaten en hij zorgde ervoor dat de sergeant zich van zijn aanwezigheid bewust was. Maar daarna vergat hij de hele kwestie.

En Bylund haalde zijn achterstand weer in toen ze oefeningen in het veld hadden. Met Simon, die dat toeliet, omdat hij opeens een uitweg zag. Hij was slordig, beging een stommiteit en wist daardoor Bylunds haat naar zichzelf te leiden. Hij liet de woedende Bylund zich met hem bezighouden en drukte zich op, tijgerde en liet zich vernederen; zich er ieder moment van bewust dat Isak op die manier ontzien werd. Het was niet zo leuk voor Bylund als dat het anders geweest zou zijn, want hij voelde wel aan dat hij Larsson niet zou kunnen breken. Maar hij troostte zich met de gedachte dat de zomer nog lang was; hij had nog tijd genoeg voor Lentov.

Die avond in de barak zag Simon dat de leegte zich nu in Isaks ogen had genesteld. Misschien was het voor Isak wel niet gemakkelijker om Simon getreiterd te zien worden.

Grote god, wat moet ik doen?

Bij de steiger was een telefooncel, dat had hij gezien toen ze aankwamen. Een gewone telefoon met een automaat voor munten van tien öre. Maar hij zat opgesloten.

Hem smeren?

De wachtposten schoten met scherp, was hun verteld.

Maar hij moest een boodschap doorgeven.

De volgende ochtend liep Isak als een mechanische pop naar het appèl. Hij werd uitgescholden, maar het drong niet tot hem door. Ze zouden weer een oefening krijgen in het veld en opeens kreeg Simon een idee.

Tijdens de eerste pauze zorgde hij ervoor dat hij alleen met Isak achter een heuvelrug zat. Bylund was even uit het zicht. Simon nam een steen en sloeg die met al zijn kracht op Isaks onderarm.

'Isak,' zei hij, 'vergeef me, maar ik zie geen andere uit-weg.'

En Isak glimlachte tegen Simon alsof hij het had begrepen en alsof de pijn hem bij zijn positieven bracht.

'Nu kom je in ieder geval in de ziekenboeg terecht', zei Simon, maar Isak hoorde hem niet meer; hij was alweer verdwenen.

Simon rende naar Bylund; de juiste aanspreekvorm, in de houding gaan staan, de naam en het nummer, hij dacht overal aan. 'Nummer 378, Lentov, heeft zijn arm gebroken.'

'Wat, verdomme?'

Er kwam een onrust over Bylund, of misschien was het alleen maar een gevoel van teleurstelling dat de muis uit zijn klauwen ontsnapt was. Maar hij volgde de voorschriften op: een brancard, transport, de ziekenboeg.

Simon ging met Isak mee, maar Bylund schreeuwde: 'Larsson blijft hier.'

Simon bleef doorlopen naast de draagbaar.

'Halt.'

Simon liep verder.

'Halt of ik schiet.'

Maar Bylund schoot niet, want hij wist dat als hij zijn pistool trok, de zes overgeblevenen van de groep zich op hem zouden werpen.

Isak was nu bewusteloos. De dokter heette Ivarsson en was kapitein. Simon ging mee tot in de behandelkamer en terwijl de arm werd onderzocht – er was inderdaad sprake van een breuk – en in het gips gezet, vertelde Simon totaal onmilitair maar zeer volwassen over Bylund, over Isaks jeugd in Berlijn en over het risico van een psychose.

'Maar waarom heb je niets gezegd?' zei Ivarsson, die

meer arts was dan kapitein, zwaar verontwaardigd.

'Ik heb het gerapporteerd aan de luitenant.'

'Goeie genade', zei de dokter en Simon zag dat hij bang was.

Maar toen trok de dokter weer zijn kapiteinsgezicht en snauwde: 'De soldaat verlaat onmiddellijk het ziekenhuis.'

Simon ging naar buiten. Op het plein voor de kazerne scheen de zon. In een oogwenk zag hij dat ze hem vergeten waren en hij zag zijn kans schoon. In de kast in de barak lag zijn portemonnee. God, laat er munten van tien öre in zitten. Toen vloog hij de schutting over, naar de steiger, de telefoon.

Er zaten munten van tien öre in zijn portemonnee.

'Oom Ruben, met Simon.'

Zijn stem klonk schel en sneed door Rubens ziel.

'Je moet Isak hiervandaan halen; ze maken hem dood. Ik heb zijn arm gebroken, dus nu ligt hij in de ziekenboeg, maar hij is afwezig, je weet wel, net zoals in de oorlog.'

Hij wist nog net te vertellen dat de dokter Ivarsson heette, voordat de macht van de munten van tien öre over de lijn ophield.

Alle gevoel trok uit Ruben weg. Het bloed schoot naar zijn hoofd en hij draaide het nummer van ziekenhuis Sahlgren.

'Professor Hirtz. Het is een spoedgeval.'

'Een ogenblik, alstublieft.'

'Olof, ik ben het, Ruben. Je weet wat er met Isak is gebeurd in Berlijn.' Daarna vertelde hij in het kort wat Simon had gezegd.

'Heb je het telefoonnummer van de kazerne?'

'Ja.' Het stond in Rubens zakagenda.

'Ik bel erheen. Je hoort nog van me.'

'Dank je.'

Een minuut later al werd Olof doorverbonden: 'Dokter Ivarsson, u spreekt met professor Hirtz van het Sahlgren. Ik ben goed bevriend met Ruben Lentov, die zojuist een alarmerend telefoontje over zijn zoon heeft ontvangen.'

Ivarsson had college bij Hirtz gelopen en bewonderde hem.

'Het is een ongecompliceerde armbreuk; niets bijzonders.'

'Ik wil een psychiatrische beoordeling.'

'Hij is er niet zo best aan toe; hij is erg afwezig.'

'Hij moet direct met een ambulance hierheen worden gestuurd. Hij heeft specialistische hulp nodig.'

'Ja, professor.'

Ivarsson zag er zelf op toe dat Isak in de ambulance werd gebracht en hij gaf Simon opdracht om mee te gaan, hoewel Fahlén, die er ook naast stond, leek te willen protesteren.

Toen de auto het kazerneterrein af reed, keek de dokter de luitenant lang aan. Hij is ook een fascist, dacht hij. Ze waren zich allebei bewust van de stilte op het grote plein en beseften tegelijkertijd dat ieder van hen wist wat er was gebeurd.

Met zware stappen liep de dokter naar de regimentscommandant, die zei: 'Lentov. Die is rijk.'

'En invloedrijk.'

De regimentscommandant steunde. Die verrekte Bylund ook; waarom deed die man verdomme weer dienst?

Ivarsson wist het ook niet, maar hij vertelde dat Simon Larsson aangifte bij luitenant Fahlén had gedaan.

Fahlén kreeg het bevel om te komen.

'Hij heeft geen aangifte gedaan, niet formeel. Hij stamelde wat over nazi's en dat die jongen Bylund niet verdroeg. Ik heb het niet zo zwaar opgenomen.'

'Luitenant Sixten Fahlén', zei de regimentscommandant tergend langzaam. 'Als het tot een aanklacht komt en het een schandaal wordt, en dat wordt het zeker, dan hangt u. U hebt het regiment te schande gemaakt.'

Fahlén sloeg zijn hakken tegen elkaar en vertrok; op jacht naar Bylund. Maar de sergeant was verdwenen.

In de schemering beklom de ambulance de heuvels in de richting van het grote ziekenhuis. Simon zat bij Isak en hield zijn hand vast, maar Isak was ver weg.

De chauffeur van de ambulance vroeg bij de ingang naar professor Hirtz en werd doorverwezen. Ruben was er, maar Isak herkende hem niet en de brancard werd direct naar de psychiatrische afdeling van het ziekenhuis gebracht.

Terwijl Olof hem onderzocht, bleven de anderen in de gang staan: Ruben, Simon en de jongen die gereden had.

'Ik heb gedaan wat ik kon', zei Simon met brekende stem.

'Ik weet het, Simon.'

'Het was een sergeant', probeerde Simon nog, maar hij was niet in staat om verder te praten.

Toen nam de jongen die de ambulance bestuurd had het over en Ruben kreeg een uitgebreide beschrijving van wat er was gebeurd: van Bylund, hoe Simon had geprobeerd diens wrok naar zichzelf toe te leiden, en van Simons aangifte bij de luitenant.

'Bylund, dat is een fascist. Hij is berucht', zei de jongen, die nu zo opgewonden was dat hij stond te trillen. 'Leg hun het vuur maar eens aan de schenen, leg die klootzakken het vuur maar eens flink aan de schenen.'

'Hij had Simon Larsson bijna neergeschoten', zei hij. 'De jongens uit barak achttien zeiden dat hij bijna geschoten had, alleen maar omdat Simon met Isak meeging toen het ongeluk gebeurd was.'

'Het ongeluk', zei Ruben terwijl hij Simon aankeek.

'Ja, die armbreuk', zei de chauffeur van de ambulance, maar op dat moment kwam juist Olof Hirtz er weer aan.

'Een shock. Onmogelijk om nu een diagnose te stellen. Misschien een pre-psychose. Hij moet hier blijven.'

'Bel mijn moeder', zei Simon. Olof knikte en Ruben dacht aan hoe Karin een keer gezegd had: Isak gaat niet naar het gekkenhuis, daar zal ik voor zorgen.

'Mag ze vannacht hier blijven?' vroeg hij.

'Ja, want we leggen hem op een aparte kamer.'

Ruben ging bellen, maar hij bleef lang met de hoorn in de hand staan alvorens hij de juiste woorden vond.

'Het is het beste dat jij nu weer meegaat', zei de chauffeur van de ambulance tegen Simon. 'Anders hang je voor desertie.'

Simon knikte. Toen Ruben terugkwam, stond hij al in de deuropening.

'Ik weet niet hoe ik je moet bedanken.'

'Ach', zei Simon en verdween.

Een uur later was Karin er, met Mona, die godzijdank bij hen was geweest toen Ruben belde. Karin was bleek, maar kalm en beheerst toen ze in de stoel bij het bed ging zitten en een paar woorden met Olof Hirtz wisselde.

'Ik bel wel als er iets is', zei ze.

Ze wilde hem weg hebben, en zodra hij verdwenen was zei ze tegen Mona dat ze bij Isak in bed moest kruipen.

Op de gang begroette Olof Erik, die spierwit was en tegen Ruben zei dat het allemaal zijn schuld was.

'Ik weet immers hoe het in dienst toegaat; ik had het kunnen weten.'

'Maar hij wilde het toch zelf', zei Ruben.

Erik liet zich niet troosten. 'Ik heb totaal geen voorstellingsvermogen als het om mensen gaat', zei hij. 'Hoe zal het met hem gaan?'

'Dat weet ik nog niet', zei Olof. 'We zullen het zien wanneer hij bijkomt. Karin heeft hem immers al een keer eerder opgelapt.'

Erik zuchtte: 'Zal ik jullie naar huis rijden of blijven jullie hier ook vannacht?'

'Dank je', zei Olof. 'Ik denk dat het het beste is dat we ieder naar ons eigen huis gaan en proberen te slapen. Karin belt me wanneer de jongen bijkomt.'

In de auto op weg naar huis zei Erik: 'Als die klootzakken maar geen wraak nemen op Simon.'

Ruben voelde hoe zijn maag samenkromp en hoe moe hij was. En bang.

'Ik bel morgenochtend Ivarsson op', zei Olof Hirtz.

Dat deed hij ook, maar toen was het al te laat. Uren te laat.

23

Simon zat in de ambulance. Hij was zo moe dat zijn hele lichaam pijn deed. Gedachten had hij niet meer; die waren opgehouden op het moment dat hij Isak overdroeg aan Ruben.

'Waarom ga je niet even liggen om te slapen, knul', zei de chauffeur van de ambulance. Simon strekte zich uit op de brancard en viel meteen in slaap. Toen de chauffeur hem na een poosje wakker maakte, was hij misselijk.

Het plein voor de kazerne was leeg en verlaten en hij dacht maar aan één ding toen hij de auto uit sprong: naar de barak, naar bed.

Maar toen hij in de donkere gang bij de slaapzaal stond – verdomd, wat was het daar donker – rook hij het gevaar. Angst deed iedere spier in zijn lichaam samenballen en hij wist, nog voordat hij de schaduw van Bylund op de muur had gezien, waar deze zich bevond en dat het nu een zaak van leven en dood was.

Zelf stond hij vol in het licht dat door de deuropening naar binnen viel en snel deed hij het uit.

Net doen alsof hij het gevaar niet geraden had. Rechtdoor lopen en dan slaan.

Zijn hersens werkten op topsnelheid; ja hoor, hij kende ze nog, de oude instructies van Erik. Zijn rechtse directe was nauwkeurig, snel en vol kracht; ook de linkse hoek kwam aan. Er kraakte wat en hij had pijn aan zijn knokkels, maar hij bukte voor de slag die kwam en toen hij zich weer oprichtte zeiden zijn hersens: 'Alleen in het uiterste noodgeval, Simon, schop je iemand met al je kracht in zijn kruis…'

Hij schopte en het gebrul gaf hem bijna een geluksgevoel. Hij sloeg opnieuw, dit keer vol en effectief in de buik. Bylund stond kromgebogen voor hem en Simon sloeg nog een keer, tegen het hoofd, en de sergeant viel op de grond.

In het licht waarin de gang opeens baadde, staarden minstens vijftig paar ogen hem aan. Maar Simon zag ze niet; hij zag alleen de voortanden van Bylund in een plas bloed op de grond liggen en hij dacht: nu is hij dood. Hij voelde een woeste vreugde.

De chauffeur van de ambulance, die het licht had zien aangaan, begon orders te geven. 'Doe dat licht uit', schreeuwde hij.

Ze gehoorzaamden. Daarna klonk zijn stem uit de duisternis: 'Twee mannen dragen Bylund naar de badruimte en douchen hem. Alle anderen gaan naar bed en niemand, maar dan ook helemaal niemand van jullie heeft ook maar iets gezien. Hebben jullie dat begrepen?'

Het ja dat werd gefluisterd was vol enthousiasme. De twee die mee naar de douche waren gegaan, kwamen algauw terug om te vertellen dat Bylund nog leefde.

'Is hij hier vandaag de dienstdoende officier?'

'Tja, hij heeft met Fahlén geruild.'

'O grote god', zei de chauffeur van de ambulance. Hij had intussen Simon zijn uniform uitgetrokken en een pleister op diens kapotgeslagen knokkels geplakt.

'Leg Bylund in het bed van de officier van dienst.'

En hij herhaalde nog een keer: 'Niemand heeft iets gezien of gehoord.'

Daarna stuurde hij Simon naar bed en zei: 'Jij hebt je hand bezeerd toen je uit de ambulance sprong. Ik ben je getuige. Heb je dat begrepen?'

'Ja.'

Dat lukt nooit, dacht Simon, maar het feit dat hij Bylund in elkaar had geslagen hield hem veel meer bezig en gaf hem een immens geluksgevoel.

Ik ben net zo min goed bij mijn hoofd, dacht hij. En hij fluisterde: 'Is hij dood?'

'Verdomme nee. Hij blijft wel leven om nieuwe zandhazen te treiteren.' Behalve opluchting voelde Simon ook teleurstelling, maar algauw liet hij alle tegenstrijdige gevoelens varen en hij viel als een blok in slaap.

De volgende ochtend bij het reveil kreeg Simon de opdracht om zich bij de ziekenboeg te melden. Bij de ingang stond de chauffeur van de ambulance. Hij fluisterde: 'Je zegt niks.'

Tegen de verpleegster zei hij: 'Hier is de soldaat die zijn hand bezeerd heeft toen hij gisteren uit de ambulance viel.'

Ze was knap en ze vroeg niets toen ze zijn hand verbond. Ivarsson kwam ook even binnen kijken.

'Zijn arm moet in een mitella', zei hij. 'En hij moet een week rust houden.'

Hij keek Simon niet aan.

Dit is belachelijk, dacht Simon. Ze hebben Bylund vast nog niet gevonden.

Maar de chauffeur van de ambulance liep met hem mee naar de ziekenzaal en fluisterde: 'Ze hebben Bylund vanochtend voorzover dat ging weer opgelapt en daarna heb ik hem naar het lazaret gebracht. Vermoedelijk heeft hij een hersenschudding.'

'Maar ze zullen toch wel snappen hoe het zit.'

'Ze zijn nog niet met verhoren begonnen. Het lijkt erop dat ze van plan zijn de zaak in de doofpot te stoppen.'

Op het kantoor op de derde verdieping liep de regimentscommandant te ijsberen en hij gromde als een getergd roofdier.

'Snapte u niet, luitenant, wat voor bedoelingen Bylund had toen hij uw dienst wilde overnemen?'

'Nee, overste.'

Midden in zijn woede hield de oude man opeens halt. Hij keek de blonde luitenant lang aan en zei: 'U bent geen idioot, Fahlén. U bent iets veel ergers.'

Fahlén verdween en de oude man ging achter zijn bureau zitten om het nummer van Ruben Lentov te draaien.

'Ik hoef u misschien niet te zeggen hoezeer het mij spijt wat er met uw zoon is gebeurd. Hoe is het met hem?'

'Hij ligt op de psychiatrische afdeling van Sahlgren.'

'Het spijt me.'

'Belt u alleen maar om dat te zeggen?'

'Nee.'

Het bleef lang stil. Simon, dacht Ruben, nu gaat het om Simon.

Maar toen klonk de stem weer: 'Simon Larsson heeft sergeant Bylund vannacht bijna doodgeslagen.'

Rubens ademhaling stokte, maar zijn stem klonk beheerst.

'Dat moet zelfverdediging geweest zijn', zei hij.

'Dat is mogelijk. Maar zelf heeft hij geen schrammetje opgelopen dus het is duidelijk dat hij meer geweld heeft gebruikt dan in de situatie noodzakelijk was. Bylund ligt in het lazaret. Hij is tanden kwijt en heeft een flinke hersenschudding.'

Ruben was met stomheid geslagen.

'U begrijpt misschien, meneer Lentov, dat Larsson hiervoor de gevangenis ingaat, en ik denk voor een flinke tijd.

Als we de zaak niet in de doofpot stoppen.'

'Wat is daarvoor de prijs?' vroeg Ruben, maar hij wist het antwoord al. Dus maakten ze op een zakelijke manier afspraken: van beide kanten zou met geen woord worden gerept over wat er was gebeurd.

'Ik zal een patrouilledienst op zee regelen voor Larsson', zei de overste.

Ruben belde meteen naar de werf, naar Erik.

'Potverdomme, zeg', zei Erik. 'Wat een knul.'

Er was geen twijfel over mogelijk dat hij trots was. Ze waren het erover eens dat ze met geen woord hierover tegen Karin, Isak en Mona zouden reppen.

'Hij krijgt een of ander baantje op een boot voor de kust', zei Ruben. 'Dus het duurt nog wel even voordat hij verlof krijgt.'

Op het kantoor van de overste zat kapitein Viktor Sjövall, de commandant van de kustwacht, met een toenemend gevoel van onbehagen te luisteren naar het verhaal van de oude man.

'Verdomme', zei hij.

'U neemt die jongen onder uw hoede.'

'Ja. Het zal wel een fijne knul zijn.'

'Hij kan verdomd goed vechten', zei de overste met bewondering in zijn stem. Hij pakte Simons papieren erbij. 'Een A-student', zei hij. 'Een van de hoogste IQ's die we ooit bij de keuring getest hebben. Hij had eigenlijk officier moeten worden.'

Toen moest Sjövall lachen: 'Die lust zullen we hem wel hebben ontnomen. Als hij die ooit al gehad heeft.'

De oude man zuchtte.

Simon lag in de ziekenboeg te slapen maar werd in de middag gewekt. In grote haast werd hij uitgeschreven en naar een patrouilleboot bij de steiger gestuurd. Even dacht hij: ze willen me stiekem verdrinken.

Op de boot wachtte een man die kapitein was, maar die hem vroeg om te gaan zitten en die warme, verstandige ogen had.

'Ik ben Viktor Sjövall en de rest van je dienstplicht zul je met mij voor de kust doorbrengen.'

Simon had over de kustwacht horen praten en wist dat het een felbegeerde plaats was om je tijd uit te dienen.

'Ik weet wat er gebeurd is, Larsson.'

Hij is bijna menselijk, dacht Simon, maar hij was op zijn hoede en zei: 'Ja, kapitein.'

'Dat wil zeggen, ik weet niet wat er vannacht met Bylund gebeurd is en dat weet niemand, jij ook niet. Heb je dat begrepen?'

'Ja, kapitein', zei Simon, maar toen hij Sjövalls mondhoeken zag vertrekken, voegde hij eraan toe: 'Misschien kan ik dat een keer op een donkere nacht op zee vertellen.'

Toen moest Sjövall lachen en Simon voelde zijn lichaam ontspannen.

'Weet u misschien hoe het is met Isak Lentov, kapitein?'

'Nee, maar zodra we op zee zitten kun je via de radio wel een gesprek met thuis voeren.'

'Dank u', zei Simon, maar toen werd de warmte van de ander onverdraaglijk voor hem en hij moest zijn ogen dichtknijpen om zijn tranen te bedwingen. Viktor Sjövall zag het wel en zei: 'Dit was een beetje te veel van het goede, hè Larsson.'

'Voor Isak was het het ergst, kapitein.'

'Dat begrijp ik.'

'Ik denk dat niemand dat kan begrijpen', zei Simon. Terwijl de boot haar weg zocht tussen de eilandjes vertelde hij over de schepen die onder embargo hadden gelegen, over Isak en over de leden van de Hitlerjugend die op een ochtend in mei een kind van vier jaar hadden opgewacht.

Toen hij klaar was met zijn verhaal en naar de ander opkeek, zag hij dat de ogen van de kapitein vochtig waren en dat hij op Erik leek.

Een uur later zei de telegrafist: 'We hebben je moeder op de lijn, Larsson.'

Karin had nog nooit eerder een radiografisch gesprek gevoerd. Ze dacht dat het zonder draden over zee ging en dat je moest schreeuwen.

'Met Isak gaat het goed. Hij komt morgen thuis.'

'O, moeder toch', zei Simon.

'Hij moet verder behandeld worden door Maria Hirtz.'

De indianenvrouw, dacht Simon en hij riep terug: 'Dat is geweldig, moeder.'

Voor het eerst in dagen had Simon nu het gevoel dat hij terug in de realiteit was. Maar toen ze vroeg: 'Hoe is het met jouzelf?', kreeg hij weer een onwerkelijk gevoel.

'Goed. Ik zit nu op zee.'

Maar hij dacht: als ze eens wist, als ze ooit eens te weten zou komen dat ik bijna iemand heb doodgeslagen en dat ik dat een lekker gevoel vond...

Hij ging een eenvoudig leven leiden: een steiger, een paar barakken, boten voor patrouille en transport, wachtlopen.

Maar de onrust knaagde aan hem.

Sjövall zag dat en zei: 'Wat ben je gespannen, Larsson.'

Toen zei Simon hem de waarheid: 'Ik zou graag met mijn vader willen praten.'

De volgende dag ging Simon mee met een transportboot die op Nya Varvet moest zijn. De schipper kreeg de boodschap mee dat Larsson op Rivö Huvud aan land moest worden gezet en dat hij twee uur verlof had.

Simon belde zijn vader op via de radio om tijd en plaats af te spreken. 'Je mag Ruben best meenemen, maar Karin niet, hoor je me, vader. Karin niet.'

'Begrepen', zei Erik.

Ze waren ruim op tijd en legden de zeilboot aan de kant waar de wind vandaan kwam zodat ze vanaf zee goed te zien was. Er stond een flinke wind, die trok aan de ankerlijn.

'Dat moeten we goed in de gaten houden', zei Erik.

En toen zaten ze te wachten, Ruben en hij, en uit te kijken in de richting van Vinga. Ze wachtten op een torpedoboot, maar er kwam alleen maar een brandstofboot voor vissersschepen aan. Het duurde even voordat ze zagen dat de boot een driepuntige vlag voerde. De boot maakte een draai, kroop naast de rotsen en Simon sprong aan land.

Ze ontdekten het tegelijkertijd: hij was volwassen geworden. Al het zachte jongensachtige was verdwenen en zijn ogen straalden een nieuw, bitter besef uit.

Ze schudden elkaar de hand alsof ze vreemdelingen waren. Daarna zei Erik op de plechtige en gevoelige manier waar Simon altijd zo'n hekel aan had: 'Ik ben zo verdomd trots op je, knul.'

Simons ogen werden donkerder en hij vertrok zijn mond toen hij zei: 'Kalm aan maar, pa. Het ergste weet je nog niet, dat ik de sergeant bijna heb doodgeslagen.'

'Jawel Simon, dat weten we.'

En Simon kreeg Rubens verhaal over het gesprek met de

overste te horen, de wederzijdse bedreigingen en de afspraak.

'Verdomme', zei hij. 'Godverdomme, oom Ruben, het maakt me razend als ik eraan denk dat wanneer jij een gewone, arme donder was geweest, dat dan Isak in het gekkenhuis had gezeten en ik in de gevangenis. Is dat niet belachelijk!'

'Ja,' zei Ruben, 'dat is ook belachelijk.'

Ze gingen alledrie uit de wind zitten.

'Weet moeder ervan?'

'Nee, we houden haar hierbuiten. Je weet 't, haar hart.'

Haar hart, dacht Simon, niets anders...

Daarop legde hij zijn hoofd op Eriks knieën en sloeg zijn kapotte hand voor zijn ogen.

'Pijn aan je vuist?'

'Och, het geneest wel. Het zoute water bijt alleen ontzettend.'

Hij haalde zijn hand weg om Erik aan te kijken. Bruine ogen boorden zich in blauwe: 'Moet je je voorstellen, pa, iedere stoot zat op zijn plaats.'

Erik durfde nu zijn vingers door het haar van Simon te halen, precies zoals hij altijd had gedaan toen de jongen klein was.

Ruben liep naar de boot. 'Ik ga koffie en broodjes halen.'

Tijdens het eten vertelde Simon in detail wat er was gebeurd toen Bylund hem in de gang stond op te wachten.

'Die nieuwe tanden die hij krijgt zullen hem zijn hele leven hieraan herinneren. En ik ben verdorie heel blij met dat idee.'

Hij keek hen aan alsof hij tegenwerpingen verwachtte. Maar ze moesten lachen, net zo tevreden als hij zelf. Toen vertelde hij verder: 'Later, toen de chauffeur van de ambulance me in bed had gestopt, dacht ik dat Bylund dood was, dat ik hem had doodgemaakt. Ik was zo gelukkig alsof ik in de hemel was. Later realiseerde ik me dat ik eigenlijk helemaal niet zo veel van Bylund verschil.'

Ze moesten weer lachen en Erik zei: 'Ik denk dat we allemaal wel zo'n kleine sergeant in ons hebben.'

Dat was simpel gezegd. Zelfs Ruben had er niets aan toe te voegen; ook voor hem was het een vanzelfsprekendheid.

Toen de brandstofboot weer opdook, schudden ze elkaar de hand. 'Tot ziens', zeiden ze. Simon ging aan boord en voelde nu zelf dat hij volwassen was, de gelijke van de beide mannen.

'Hij heeft niet naar Isak gevraagd', zei Erik toen ze de zeilen van hun boot hesen en een paar reven innamen.

'Nee, godzijdank niet', zei Ruben.

Isak was tegen vieren 's ochtends in zijn bed in het ziekenhuis wakker geworden door de warmte van Mona's lichaam. Hij had haar aanwezigheid in heel zijn lichaam gevoeld, maar er niet in durven geloven.

Toen had hij de stem van Karin gehoord: 'Het is nu tijd om terug te keren, Isak.'

Hij had zijn ogen niet geopend maar gezegd: 'Leg eens uit, Karin.'

'Ja, Simon heeft je arm gebroken om je bij de sergeant vandaan te krijgen.'

Isak kon zich dat herinneren: de steen, Simons blik. Maar daarna hoorde hij de stem van Bylund weer en werd het leeg.

Karin was doorgegaan: 'Het lukte Simon om een telefoon te pakken te krijgen en Ruben te bellen.'

'Hij is 'm gesmeerd. Wat verdomd dapper dat die jongen 'm gesmeerd is.'

Karin had niet begrepen wat hij bedoelde, maar ze was doorgegaan met vertellen, erop gebrand als ze was dat hij begreep hoe de zaak in elkaar zat. Daarna begon ze vragen te stellen. Ze probeerde heel het ellendige verhaal uit hem te trekken. Stukje bij beetje, steeds opnieuw.

'Op wie leek hij?'

'Ik weet het niet.'

'Isak, je weet het wel.'

Maar de nazi's uit Isaks jeugd leken allemaal op elkaar; hij kon de gezichten niet van elkaar onderscheiden.

'Er was iets met zijn neus, Karin, hij snuffelde. En dan die lach. O God.'

Hij was van schrik begonnen te gillen. Had gehuild en hen gesmeekt om hem daar nooit weer heen te sturen, terug naar het regiment en Bylund.

Dat hadden ze beloofd.

Toen was Ruben gekomen, samen met Olof en Maria Hirtz. Isak had haar aangekeken en aan Simon gedacht, aan het feit dat Simon met haar wegliep.

Daarna moest hij weer in slaap zijn gevallen, want toen hij weer wakker werd zat alleen Maria nog bij hem. Hij had geen tranen meer, want de angst die zich in zijn borstkas genesteld had was te groot voor tranen.

'Word ik gek?'

Ze had niet haar neus opgehaald zoals Karin en hem getroost, maar gezegd: 'Dat risico bestaat, Isak.'

Toen had hij terug gewild naar het onnoemelijke, naar de stilte van de uitwissing. Maar het gezicht van Maria was anders dan dat van Bylund. Ze had hem dus niet van schrik over de grens kunnen jagen, ondanks het feit dat ze zei: 'Je moet ophouden met vluchten, Isak. Ik denk dat ik je wel kan helpen, maar je moet in je angst blijven.'

'Maar dan ga ik dood', had hij geschreeuwd.

Dat alles was nu langgeleden, weken geleden. Hij had het ziekenhuis verlaten en was naar Karin en Erik toe gegaan, maar de kracht die zij en hun huis altijd uitstraalden, werkte niet langer bij hem.

Soms lukte het hem om zich de angst een paar uur van het lijf te houden. Dat gebeurde als hij op de werf nodig was en zijn handen hem gehoorzaamden. Maar vaak wist hij niet wat hij met hen aan moest en kon hij er uren naar zitten kijken.

Mona kwam steeds langs. Hij zag dat ook zij steeds banger werd en in een helder moment realiseerde hij zich dat hij dat tenminste wel kon doen: haar bevrijden.

Hij gaf haar zijn ring terug en vroeg haar of ze weg wilde gaan. Maar ze gehoorzaamde hem niet en hij haatte haar. Zoals hij Karin haatte, om de donkere ongerustheid in haar ogen en Ruben, die verouderd was en iedere dag meer in elkaar kromp.

's Avonds kwam Maria. Ze zaten op Simons kamer en soms gebeurde het dat hij zijn best deed om een draad te pakken in de kluwen van de angst die in zijn borst zat en pijn deed. Maar wanneer ze aan de draden trokken werd er niets opgelost; alles werd alleen maar ingewikkelder en nog onverdraaglijker.

Op een dag ging hij ervandoor. Hij kwam op het schiereiland Onsala terecht. Op een middag stond hij daar op de rotsen waar Mona en hij nog maar een jaar geleden met elkaar gevreeën hadden. Hij realiseerde zich dat de jongen die daar met het meisje vree, zichzelf nooit gekend had;

dat het iemand anders was geweest, die gelukkig was en hoopvol. Lang dacht hij erover om er een eind aan te maken, om recht van de rotsen naar beneden te duiken.

Maar hij was een goede zwemmer.

Hij moest denken aan een kat die Simon en hij een keer verdronken hadden. Ze hadden het beest in een zak met stenen gestopt en die ver de rivier in gegooid. De kat had in hun dromen nog lange tijd gegild.

Hoewel het een oud, verwilderd beest was geweest dat een ongeluk had gehad en waarvoor het het beste was als het doodging. Dat had Erik gezegd, toen hij hun vroeg om het te doen.

Dromen, Maria zeurde over dromen.

Ik heb in mijn hele leven nog nooit gedroomd, dacht Isak.

Hoe hij weer op de provinciale weg kwam wist hij niet, maar toen hij een kruidenierswinkel zag, ging hij er naar binnen om Karin te bellen.

'Goeie genade, Isak. Ruben heeft net met de politie gesproken.'

'De politie? Hoezo?'

'Je bent drie dagen weggeweest.'

Hij was verwonderd, maar daar schoot hij ook niet veel mee op.

'Ik kom nu naar huis.'

Hij kreeg een lift tot Käringberget en daarvandaan ging hij te voet verder. Ze zaten hem al in de keuken op te wachten. Hij durfde hun niet onder ogen te komen, dus draaide hij zich om in de deuropening om naar boven te gaan. Maar hij hield zich in en ging terug om tegen Karin te zeggen: 'Het is het beste als je het nu maar opgeeft,

Karin, en me in het gekkenhuis stopt.'

Maar Karin keek hem strak aan: 'Maria zegt dat je beter wordt; hoe slechter je eraan toe bent, des te zekerder is het dat je beter wordt.'

'Zij is ook niet goed wijs', zei Isak.

Maar toen Maria de volgende dag kwam vroeg hij toch: 'Hoeveel erger wordt het nog?'

'Dat weet ik niet', zei ze. 'Maar ik zou graag willen dat je op mij vertrouwde.'

Hij voelde dat hij dat al deed en zei dat ook tegen haar.

Opnieuw trokken ze aan een draad; dit keer van de herinnering aan hoe hij de kat had verdronken. Maar de kluwen raakte alleen maar meer in de war, werd hard en de draad brak af: 'Ik kan het niet', zei hij.

Toen ze wegging zei ze dat ze hem ook weer konden opnemen.

'Waarom?'

Ze zei hem de waarheid: zodat hij niet weg kon lopen om zichzelf iets aan te doen. Hij voelde hoe hij verstijfde en die nacht had hij een droom. Hij stopte Maria in een zak die hij vulde met graniet. Ze huilde en smeekte hem om haar in leven te laten, maar hij verdronk haar en toen de zak zonk realiseerde hij zich dat hij nooit meer aan draden zou hoeven trekken.

Dat luchtte hem enorm op.

's Ochtends herinnerde hij zich zijn droom, maar hij wist dat hij die nooit aan haar zou durven vertellen. Toen Lisa het huis schoonmaakte en Karin haar wandeling ging maken, bleef hij in bed liggen.

Hij besefte dat hij weg moest en dit keer zou hij de boot nemen. De zee op naar het westen, dacht hij. Er zat een gevoel van vrijheid in die gedachte en een ogenblik lang kende hij geen angst meer. Hij kon zijn eigen fiets niet vinden en pikte toen die van Simon maar uit de garage, waarvan hij de band eerst nog even moest oppompen. Maar algauw was hij bij de steiger op Långedrag. Daar lag ze: Kajsa, zijn zeilboot.

Wat een idioot was hij dat hij niet eerder aan haar gedacht had.

Hij voer naar het westen, langs Vinga, recht naar het westen, de zonsondergang tegemoet. Toen de zomernacht, die geen duisternis kende, zich rondom hem nestelde, was er alleen de zee en de boot; hij kon het land niet meer zien.

Hij moest aan het roer in slaap zijn gevallen, want opeens was er een vissersboot en een kerel die riep: 'Heb je hulp nodig, jongen?'

De zeilen klapperden als een gek en hij kreeg de boot niet in de wind.

'Ik heb averij aan het roer', schreeuwde hij.

Ze gooiden een lijn over om hem op sleeptouw te kunnen nemen en hij dacht: het heeft zo moeten zijn; ik zal me ook niet doodzeilen. Ze sleepten hem voorbij de scheren en in de vroege ochtend bereikten ze de vaargeul van Korshamn. De schipper wees in de richting van de werf en de kraan op de noordkant van het eiland Brännö en dacht dat hij daar wel hulp voor zijn roer zou kunnen krijgen.

Hij maakte de lijn los en riep bedankt over het water, dat nu zo stil was alsof het de adem inhield. Inmiddels wist hij natuurlijk dat er niets mis was met het roer, maar hij schaamde zich ervoor om dat te laten zien dus roeide hij naar de werf, waar hij een uur of twee bleef liggen.

Op dit uur van de dag was er nog geen levende ziel aanwezig en daar was hij blij om.

Ten slotte hees hij het fokzeil en zeilde vlak langs de rotsen, totdat hij in de luwte een baai vond waar hij het anker uitwierp en in de roef kroop om te slapen. Ik deug er niet eens voor om zelfmoord te plegen.

Laat in de avond werd hij gewekt door de regen die op het dek kletterde en zijn humeur was slechter dan ooit. Hier was geen kruidenierswinkel, dus hij kon ook niet naar huis bellen om ze gerust te stellen.

Ik ga naar het gekkenhuis, dat is voor iedereen het rustigst, dacht hij toen hij de zeilen hees. Hij koerste op Långedrag af, maar omdat hij slordig was kwam hij te ver noordelijk uit en bij Kopparholmen ramde hij de omheining die Göteborg in 1914 had moeten verdedigen.

In de boot klonk een knal alsof er een kanon werd afgeschoten. De boot lag op de omheining te trillen alsof ze in haar eer was aangetast. Isak kwam over zijn schrik heen en begon te handelen.

De boot lag niet erg vast en met behulp van een bootshaak wist hij haar vlot te krijgen. Hij voer met volle zeilen naar de werf, naar Erik.

Ze begon water te maken.

Even schoot de gedachte door zijn hoofd: nu kan ik omdraaien, de zee weer op gaan en met haar zinken. Maar de boot was duur en onvervangbaar; ze was ooit gebouwd toen hij ziek was, en ze vormde zijn levensverzekering.

Dus voer hij door naar de monding van de rivier.

Ze zaten zoals gewoonlijk in de keuken op hem te wachten, maar vanavond waren ze met meer mensen dan anders: Olof en Maria waren er, en Mona, die vreemd in elkaar gedoken zat.

Maar Isak keek alleen Erik maar aan: 'Ik heb Kopparholmen geramd. De bodem is kapot; ze is zo lek als wat aan bakboord vooruit.'

Toen knapte er iets bij Dirk. 'Jij verdomde, verwende nietsnut', schreeuwde hij. 'Jij bent de meest egoïstische klootzak die er op de wereld rondloopt.'

'Erik', zei Karin waarschuwend, maar hij hoorde haar niet. 'Wie denk je wel dat je bent, de prins op de erwt soms, dat je daar maar rondvaart voor de kust als een idioot zonder ergens anders aan te denken dan aan je eigen zwakke zenuwen.'

'Zwakke zenuwen', schreeuwde hij. 'Dat kan verdomme niet erger zijn dan Karins zwakke hart. Je zult moeten zien te leren leven met je zenuwen, net zoals zij dat moet met haar hart.'

Isak hief zijn handen op en strekte ze in Eriks richting alsof hij om genade smeekte. Maar Erik was niet meer te stuiten.

'Hoe denk je dat Karin eraan toe is met haar hart, als ze zich hier steeds zorgen over jou loopt te maken. Om nog maar te zwijgen over Ruben, die binnenkort nog instort. Of Mona.'

Erik was nu zo razend dat zijn stem oversloeg.

'Ik heb het uitgemaakt met Mona', fluisterde Isak.

'Uitgemaakt.' Erik schreeuwde zo hard dat de theekopjes op tafel ervan begonnen te rinkelen. 'Je denkt zeker dat je een soort god bent, hè, die het zomaar kan uitmaken met een ander. Jullie horen bij elkaar, wij horen allemaal bij elkaar en alleen jij bent zo verdomd stom dat je dat niet snapt en je verantwoordelijkheid niet neemt.'

Isak dacht: nu komt het weer, de uitwissing; nu verdwijn ik. Maar de lichtblauwe ogen van Erik lieten die van Isak geen moment los en de razernij die erin zichtbaar was, dwong Isak om te blijven. Razernij, maar ook iets anders.

Vertwijfeling.

Isak hield van Erik en bewonderde hem.

'Alsjeblieft', zei hij.

'Niks alsjeblieft', schreeuwde Erik. 'Ik zal godverdomme wel eens een kerel van je maken.'

'Erik.' Nu schreeuwde Ruben ook en er klonk zo'n enorme smeekbede in zijn stem door dat Eriks woede hem even in de steek liet. Maar Olof greep in door te zeggen: 'Ga door, Erik. Je hebt helemaal gelijk.'

Eriks stem had zijn normale klank weer hervonden toen hij zich naar voren boog om tegen Isak te zeggen: 'Ik zal een baan voor je regelen bij Götaverken op de werf, knul. Op de werkvloer, waar je vaders geld je niet vrij kan kopen als je in de problemen zit. Want nu ga jij volwassen worden, Isak Lentov, daar zal ik voor zorgen.'

Het bleef stil in de keuken, totdat Karin zei: 'Heb je wel eten gehad, jongen?'

'Er wordt hier niet gegeten voordat de boot op het droge is', zei Erik. 'Kom, Isak, dan halen we haar uit het water voordat ze zinkt.'

Vijf minuten later werden de schijnwerpers op de werf aangestoken. Erik dook weer op in de keuken om te zeggen dat ze hulp nodig hadden.

Ruben ging mee, Olof ook. Maria hield Erik in de deuropening staande en zei: 'Dit is goed, Erik. En regel in godsnaam die baan voor hem.'

'Je kunt op me vertrouwen', zei Erik. Hij wierp een lange, tevreden blik naar Karin.

Isak sliep die nacht niet veel. Hij stond voor het raam van zijn oude jongenskamer en voelde net zoveel angst als daarvoor.

Maar hij voelde zich niet langer onwerkelijk.

Keer op keer moest hij weer denken aan wat Erik gezegd had: dat hij moest leren leven met zijn zenuwen zoals Karin met haar hart.

Verdomme nog aan toe, het zou hem lukken.

De volgende dag belde hij Mona op: 'Durf je het nog aan?'

Al aan het ontbijt begon Erik plannen te maken voor Göta-verken.

'Je moet je diploma niet laten zien', zei hij. 'Dat je de lagere school helemaal hebt afgemaakt is al erg genoeg, maar je zult natuurlijk wel iets van schoolpapieren moeten laten zien.'

'Maar als ze dan vragen wat ik na de lagere school heb gedaan?'

'Je hebt hier op de werf gewerkt, verdorie. Je krijgt van mij natuurlijk een getuigschrift.'

En het was immers waar dat Isak Erik op de werf had geholpen tijdens de jaren op de middelbare school. Met Karins hulp slaagde Erik er diezelfde avond nog in om het getuigschrift zodanig te formuleren dat hij, zonder te hoeven liegen, suggereerde dat Isak jarenlang volledig bij hem gewerkt had.

Isak repareerde ondertussen Kajsa, die er godzijdank niet zo slecht aan toe was als hij de vorige avond had gevreesd. Twee boorden moesten worden vervangen, maar tegenwoordig hadden ze op de werf genoeg mahoniehout.

'Te zijner tijd moet je het betalen', zei Erik. 'Binnenkort verdien je je eigen boterham.'

Isak dacht dat het een grapje was, maar Erik keek niet alsof hij een grap maakte.

'Ben je nog steeds kwaad op mij?'

'Nja, ik geloof dat ik het meeste nu wel kwijt ben. Wat ik wilde zeggen was eigenlijk alleen maar dat je je verantwoordelijkheden moet nemen, ook al voel je je vanbinnen nog zo klote.'

'Jij bent nooit bezig geweest om gek te worden.'

'Jawel', zei Erik. 'Ik denk de meeste mensen wel. Maar zoals ik al zei: je moet ermee leren leven.'

'Ja, de boodschap is aangekomen', zei Isak.

Ruben belde naar de werf: 'Hoe is het?'

'Beter, geloof ik.'

'Dus het is goed geweest dat je zo woedend werd?'

'Ja, dat zeiden ze toch ook, de dokters.'

'Er staat vandaag in de krant dat ze bij Eriksberg leerlingen zoeken.'

'Dat kan me niets schelen', zei Erik. 'De knul moet naar Götaverken. Die werf staat bekend om zijn goede sfeer.'

'O, dat wist ik niet.'

Erik wist nog net de woorden die op het puntje van zijn tong lagen binnen te houden: er is zo veel dat jij niet weet, directeur Lentov.

Maar hij zei: 'Het gaat nu de goede kant op, Ruben. Ik voel dat het nu de goede kant opgaat.'

Voor het eerst sinds lange tijd hoorde hij Ruben lachen.

'Dat heb je een keer eerder tegen mij gezegd, Erik. Weet je nog?'

'Nee', zei Erik. 'Heb ik toen gelijk gekregen?'

'Ja, absoluut.'

'Je ziet 't.'

'Je moet solliciteren bij de machinehallen', zei Erik tijdens het avondeten. 'De werf schreeuwt om mensen. Ze hebben vooral gebrek aan revolverdraaiers.'

Op de sollicatieafdeling liep alles gesmeerd. Ze namen zijn getuigschrift aan, knikten, stelden een paar vragen over de werf van Larsson – mooie boten maakten ze daar – en zeiden: 'Het is hier wat groter en we hebben niet zo veel hout.'

Toen een medische keuring: diep ademhalen, nooit problemen met je hart gehad, astma, tbc? Mooi, bloeddruk ook goed, de volgende alstublieft.

Nog een formulier. Dat was het moeilijkste, maar Isak vulde alles in. Bij religie had je verschillende alternatieven: luthers, katholiek, joods, ander geloof.

Hij zette een kruisje bij joods.

Niet liegen, had Karin gezegd.

Dienstplicht afgemaakt? Hier had je alleen maar ja en nee, maar Isak schreef met vaste hand: vrijstelling. Nationaliteit: Zweeds. Geboorteplaats: Berlijn.

Na een poosje waren zijn formulieren op de plek aangeland waar ze moesten wezen en kwamen ze weer terug, en in de wachtkamer werd zijn naam afgeroepen. De man achter de balie zei dat hij maandag om zeven uur kon beginnen, als leerling bij Egon Bergman in Machinehal Twee.

Er werd een uurloon genoemd en toen hij verwonderd keek, zei de man achter de balie dat het grootste deel gebaseerd was op stukloon dat hij al na een maand zou ontvangen.

Isak zei maar niet dat hij er helemaal niet op had gerekend dat hij betaald zou worden.

Toen hij wegging was hij bang, maar het was een concreet soort angst die in zijn knieën en maag huisde. Op de veerboot terug naar huis kroop die angst omhoog naar zijn keel en kon worden benoemd: als ik dit niet red, dan is het afgelopen met me.

'Ik hou je vast, wat er ook gebeurt', had Mona de avond tevoren tegen hem gezegd. Ze was niet te vermurwen.

Maar hij kon immers niet op haar kracht leven.

Vrouwen kun je niet vertrouwen, dacht hij.

Die gedachte verwonderde hem zo dat hij een poosje bij zijn fiets bleef staan. Hij was niet goed bij zijn hoofd; hij, die al die jaren Karin had gehad, die zo betrouwbaar was als een rots.

Maar één keer had ze gedreigd hem in de steek te laten door bijna te sterven.

Isak, zei hij tegen zichzelf, door ziek te worden laat een mens je niet in de steek.

En Mona; hij wist immers met heel zijn wezen dat ze net zo was als Karin, dat hij net zo rotsvast op haar kon vertrouwen.

Hij schaamde zich.

Maria zat altijd te zeuren dat hij over zijn dromen moest vertellen en zich gekke gedachten moest proberen te herinneren. Dromen deed hij niet, maar nu had hij in elk geval een vreemde gedachte gehad waarvan hij verslag kon uitbrengen, dacht hij, toen hij van de veerboot kwam en op zijn fiets stapte om naar huis te trappen. Naar Erik en Karin, om te vertellen dat hij de baan had gekregen.

Maar toen hij de Karl Johansgata bereikt had, keerde hij om in de richting van de stad. Ruben, dacht hij. Vader mag het 't eerst weten. Ruben was blij, maar Isak zag wel dat er een zekere angst in zijn blik school en dat hij hetzelfde dacht als Isak zelf: zou hij het redden?

'Daar heb je ook alleen maar mannen en vast een harde discipline', zei Ruben, maar toen hij de angst van Isaks gezicht aflas, wilde hij dat hij dat niet had gezegd.

'Isak,' zei hij terwijl hij zijn arm om de schouders van zijn zoon probeerde te leggen, 'het zal goed gaan, je hebt immers altijd al goed met je handen kunnen werken. En mocht het toch te zwaar voor je zijn, dan hebben we altijd nog de Technische Hogeschool die op je wacht. Als je die hebt afgemaakt kun je gemakkelijk banen krijgen die... minder riskant zijn.'

Isak haalde zijn vaders arm weg.

'Vader', zei hij. 'We liegen anders ook niet. Jij weet ook heel goed dat als ik dit niet red, het afgelopen is met me.'

'Nee!' Ruben schreeuwde het uit.

Maar de pijn in de ogen van de jongen sneed recht in zijn ziel. Isak zag het en even voelde hij zich schuldig, maar daarna draaide hij zich om en hij rende het kantoor uit naar zijn fiets.

Mona had heel het weekeinde dat tussen Isak en de grote dag van maandag in lag dienst in het ziekenhuis. Dat was prima; hij wilde toch alleen zijn. Hij nam de boot en zeilde voor de wind tussen Vinga en Nidingen door. Hij reefde niet, hoewel er buiten de scheren een flinke wind stond.

Bijna zonder er zich bewust van te zijn, zocht hij naar een boot met een driepuntige vlag, naar Simon. Maar zover het oog reikte was er geen militair vaartuig te bekennen en in verboden wateren durfde hij niet te komen.

Ik ben kinderachtig, dacht hij. Dit is wat ik kan. Voor het eerst van mijn leven ben ik alleen en moet ik mezelf redden.

Het gezicht van Bylund dook op in het wateroppervlak achter de boot. De snuffelende neus, de trillende neusvleugels, maar het volgende moment zag Isak dat hij recht op de vuurtoren van Böttö afstevende en dat hij moest gijpen.

Hij wist dat de wind te hard was en dat Erik hem uitgescholden zou hebben, maar het gijpen lukte en toen hij de boot weer voor de wind kreeg, dacht hij dat hij zich vast wel zou redden, zelfs als Egon Bergman op Bylund leek.

Toen hij naar Långedrag koerste en voor anker ging, was hij zich weer helemaal bewust van de wereld om hem heen; hij bedacht dat het slechts de zee was die hem zout in zijn gezicht wierp. Hij maakte zijn boot tot in de kleinste hoekjes schoon. Niemand kon zeggen dat alles niet keurig netjes op zijn plaats stond, zoals het een goede zeeman betaamt.

Toen hij thuiskwam belde hij Mona in het ziekenhuis: ja hoor, het ging goed met hem. Nee, hij was niet zenuwachtig.

Ze hadden al gegeten, maar Karin warmde gehaktballetjes voor hem op. Hij at als een wolf en viel vroeg in slaap.

Hij sliep de hele nacht.

Om zes uur maakte Erik hem wakker. Karin smeerde zijn boterhammen en hij moest van haar ook wat drinken. Het werd niet meer dan een halve kop koffie. Ze pakte zijn brood, een overall en stevige schoenen in een rugzak. Om half zeven zette hij zijn fiets tussen duizenden andere bij Sänkverket en om twintig voor zeven stond hij te midden van honderd andere slaperige mannen, samengeperst als sardientjes in een blik, op een pont die naar de grote werf aan de andere kant van de rivier werd getrokken.

Al op de pont voelde hij het: er werd weinig gezegd, maar de sfeer was vriendelijk. Maar hij durfde er nog niet in te geloven.

De werf dook voor hem op, maakte zich los uit de ochtendmist. Rechts aan de waterkant had je de stapels, waar de enorme schepen groeiden. Aan de buitenkant van de schepen kon hij de beide dokken zien, gigantisch, een van de twee was ongelooflijk groot.

Spoorrails, werkplaatsen, magazijnen, een wirwar van grote en kleine gebouwen.

Hoe moest hij hier de weg vinden?

'Ik moet naar Machinehal Twec', zei hij tegen een lange man die het dichtst bij stond.

'Achter de timmermanswerkplaats en dan het spoor over', zei de man, die nog slaperig keek.

'Je kunt wel met mij meelopen', zei een ander. 'Ik werk daar. Ben je nieuw?'

'Ja, ik begin als leerling bij Egon Bergman.'

'Onsala', zei de man, die groot en dik was.

Isak wilde niet vragen wat hij bedoelde. Toen de pont bij de steiger aanlegde keek hij op naar het gezicht van de man. Een paar bleekblauwe ogen keken terug. Ze lagen ingebed in vet en waren nieuwsgierig en licht geamuseerd. 'Mij noemen ze Kleintje', zei de man.

'Lentov', zei Isak.

'Leerling draaier?'

'Ja.'

Isak begreep dat men hier spaarzaam met woorden was. Hij draafde achter de dikke aan langs de timmermanswerkplaats naar de machinehal en voordat ze een trap oprenden naar de verkleedruimtes, ving hij een glimp op van een eindeloze wereld van staal en machines. Hij kreeg een eigen kast en deed snel zijn overall aan. Op het moment dat ze de trap afliepen naar de werkplaats ging de fluit.

Meer dan vijfduizend mannen begonnen tegelijkertijd. Isak had even het gevoel dat hij in het gebulder zou verdrinken.

Onsala zei: 'Je lijkt al bijna volwassen. We krijgen hier meestal alleen snotapen. Vijftienjarigen, die hun vingers nog niet in bedwang hebben.'

Hij had intens blauwe ogen die diep weggezonken lagen in een smal, intelligent gezicht. Af en toe, als hij glimlachte, lichtte het van binnenuit op.

Maar niet vaak.

Hij was achtentwintig, een enthousiaste revolverdraaier, trots op zijn vak en op de werkvloer stond hij bekend om zijn precisie, zijn vermogen om gelijke toleranties van een duizendste millimeter aan te houden. Hij kreeg nu extra loon om leerlingen op te leiden, maar hij deed dat zeker niet alleen voor het geld. Hij hield ervan een ander iets te leren en af en toe voelde hij een stil geluk als hij een jongen mocht opleiden die verstandige handen had en die heel speciale passie voor nauwkeurigheid.

Toen Isak na een poosje zelf de draaibank mocht instellen en de machine zijn eerste flens produceerde, wist Onsala dat hij dit keer geluk had gehad.

Machinehal Twee was een landschap, onoverzichtelijk en chaotisch. Maar rond Onsala, zijn draaibank en zijn leerling, hing een aureool van tastbaarheid, ja zelfs van geborgenheid.

Die eerste ochtend moesten ze tegen elkaar schreeuwen.

'Ze zijn in de montagehal met een dieselmotor aan het proefdraaien', schreeuwde Onsala. 'Over een paar uur is het voorbij en dan kunnen we weer normaal praten.'

Isak knikte.

'Hoe zei je dat je naam was?'

'Lentov.'

'Lento?'

'Nee, Lentov', schreeuwde Isak, want hij moest niet liegen over zijn joodse naam die in de stad bekend was.

'Tov, zoals in tovenaar', gilde hij zo hard dat het het gebulder doorkliefde en de mannen bij de andere draaibanken bereikte.

Er lachte iemand en een ander riep wat.

'Hallo, tovenaar.'

Op Onsala's gezicht verscheen een van zijn zeldzame glimlachjes en hij zei: 'Dat ging snel dit keer.'

Maar Isak begreep niet meteen dat hij een bijnaam had gekregen en dat met de nieuwe naam de jood verdwenen was.

Na een week besefte hij dat het jodendom hier geen betekenis had, in positieve noch in negatieve zin. Hij had hier Mozes kunnen heten en een haviksneus kunnen hebben zonder dat het ertoe deed.

Dat begreep hij op een dag toen Onsala tegen hem zei dat hij naar de gieterij moest gaan om ruwijzer te halen.

'Dat is zwaar en smerig werk', zei hij. 'Maar je moet onderaan beginnen, jongen.'

Hij riep Isak, die al wegrende met de bestelling, na: 'Je moet vragen naar De Jood.'

Isak slaagde erin om gewoon door te lopen, maar hij was blij dat hij zijn rug al naar Onsala had toegekeerd.

In de gieterij stond een kerel van twee meter met een licht-roze huid en sneeuwwit haar boven een jeugdig gezicht. Een albino, dacht Isak. Net als de dominee die vroeger op school de dagopening verzorgde.

'Ik moest naar De Jood vragen', zei Isak met vaste stem.

'Dan zit je goed, want dat ben ik', zei de man met een brede grijns, toen hij zag hoe verbaasd Isak was.

Isak moest ook lachen. Hij moest denken aan Kleintje, de dikke reus, die hem de eerste dag de weg had gewezen en die een carrouseldraaier was die in hoog aanzien stond.

Onsala was niet iemand die een ander vaak prees en grote woorden kwamen er voorzover bekend nooit over zijn lippen. Zijn tevredenheid drukte hij uit door te brommen en tegen Isak bromde hij vaak.

Het gevoel dat hij een nederlaag had geleden begon langzaam zijn greep op Isak te verliezen. De angst zat nog wel in zijn borst en liet af en toe nog wel eens van zich horen, maar overdag had hij er weinig ruimte voor en 's nachts lag hij in een diepe slaap, moe als zijn lichaam was. Twee avonden in de week ging hij naar Maria toe. Niet dat ze iets bereikten, maar hij begon het plezierig te vinden.

Na veertien dagen zei Onsala: 'Je wordt een goede draaier. Ik hoop dat je blijft.'

Ik blijf hier mijn hele leven werken, dacht Isak. Maar toen schoot hem weer te binnen wat zijn vader had gezegd en hij zei: 'Mijn vader wil dat ik naar de Technische Hogeschool ga.'

'Maar dan moet je eerst toelatingsexamen doen', zei Onsala.

Isak wist dat hij nu eigenlijk de waarheid zou moeten zeggen, dat hij eindexamen had gedaan op het lyceum en dat het dus niets bijzonders was; je moest alleen maar een heleboel vervelende uren uitzitten in een schoollokaal. Maar hij was blij dat hij niets gezegd had, want Onsala voegde eraan toe: 'Goeie genade, jongen, wat zou ik graag verder hebben willen leren. Maar ja, daar was geen geld voor en nu is het te laat. Als jij de kans krijgt, dan moet je die grijpen.'

'De Technische Hogeschool', zei hij met verlangen in zijn stem.

Isak schaamde zich.

Verder had hij geen problemen met de gesprekken; hij kende het gepraat uit Karins keuken en van Eriks werf. Net zoals daar werd er ook hier levendig en af en toe fel gediscussieerd over politiek. Maar hier liep een scherpere grens tussen sociaal-democraten en communisten.

Isak werd lid van de vakbond.

Tot Rubens enorme verbazing kocht hij boeken uit de serie *De mens in beeld*, en hij las ze ook nog.

Langzaam begon in hem het besef te rijpen hoe belangrijk geld was. Voor hem was geld altijd net zo vanzelfsprekend geweest als de lucht die hij inademde, maar hier betekende het een zaak van leven en dood.

Het begon al bij de draaibanken. In zijn enthousiasme van beginneling had Isak er in het begin een beetje moeite mee om een vast ritme aan te houden. Maar kennis van het stukloon was net zo belangrijk als vakbekwaamheid en het was voor iemand een schande, een enorme schande, als hij een stuk verprutste. En algauw zat het bij hem net zo diep als bij alle anderen en verdiende hij dertig, vijftig, soms zelfs wel eens honderd procent boven op zijn gewone loon. Hij paste zich aan en leerde al snel om er rekening mee te houden. Af en toe was er gedonder over een baan waarvan het stukloon slecht was en het werk vies en zwaar. Maar de bazen waren zo redelijk en open mogelijk, al had je natuurlijk wel eens een ploegbaas in een donker pak met een stropdas en alles erop en eraan, die niet geliefd was.

Maar de meesten werden gerespecteerd door de mannen.

Bij de grote carrouseldraaibanken waar cilindervoeringen met een diameter van anderhalve meter werden gedraaid, werden geen fouten gemaakt. Maar aan de oudere draaibanken, waar schroeven en bouten in alle maten werden gedraaid, kon je pech hebben. Eskilsson draaide op een dag een hele partij in de soep en Isak was verbijsterd over de hatelijkheden die uit Eskilssons teleurstelling voortkwamen en over de woede die hij ventileerde in lange vloeken...

Maar toen hij hoorde dat Helge Eskilsson zelf voor de in de soep gedraaide partij gekort werd op zijn stukloon, kon hij het beter begrijpen. Helge had thuis vier kinderen rondlopen en een grote hypotheek op een huis dat hij pas had gekocht in Torslanda.

In de oorlog, zeiden ze vaak. En ze vertelden Isak hoe aan iedere draaibank met drie ploegen was gewerkt en hoe ze een stroom aan granaathulzen hadden geproduceerd. En ze vertelden over de schepen De Mannelijkheid en De Eerlijkheid en het pantserschip Oskar II, die voortdurend op de grote werf in reparatie waren.

'Tjonge, jonge,' zeiden de mannen, 'die schepen zouden van pure schrik uit elkaar zijn gesprongen als ze alleen maar een Duitse onderzeeër hadden gezien.'

Op een dag, het was vlak voor de lunch, was Isak onderweg naar Onsala met een nieuwe tekening. Hij stak juist het spoor over toen hij werd tegengehouden door een knaap die nauwelijks ouder was dan hijzelf en die zei: 'Hé, hallo, ben jij niet Isak Lentov?'

Isak herkende hem niet. Maar de man, die als voorman op de transportafdeling werkte, draafde met Isak mee naar de draaibanken en naar Onsala, terwijl hij vertelde dat ze elkaar in dienst hadden ontmoet en dat hij degene was geweest die de ambulance had gereden toen Isak zijn arm had gebroken en naar ziekenhuis Sahlgren gebracht moest worden.

In de middagpauze – er zaten veel mensen in de barak

waar ze aten – zei Onsala: 'Dus je bent in dienst geweest, Tovenaar?'

Er viel natuurlijk geen stilte, want er was niets geks aan die vraag. Maar Isak had het gevoel dat de aarde ophield met draaien en dat de tijd stil bleef staan. Hij moest aan Karins woorden denken: niet liegen, nooit liegen. Dus zei hij: 'Nee, ik ben wel opgekomen, maar daarna ben ik ziek geworden.'

'Dan zullen ze, nu je beter bent, wel zitten te wachten om je weer in hun klauwen te krijgen', zei Eriksson.

'Nee, ik ben vrijgesteld.'

'Wat was dat dan voor ziekte?' De stem van Onsala klonk niet wantrouwend, hooguit ongerust.

Hij mag mij, dacht Isak.

Opeens, en voor het eerst van zijn leven vrijwillig, vertelde Isak het hele verhaal, het hele, trieste verhaal.

'Tja,' zei hij, 'ik ben joods. Ik ben opgegroeid in Berlijn…'

Het werd rustig in de barak. Nu stond de tijd wel stil. Toen Isak aan het einde van zijn verhaal was gekomen, aan hoe hij in sergeant Bylund de nazi's herkend had en toen was ingestort, kon je een speld horen vallen.

De stilte maakte Isak bang. O God, dacht hij, God van Israël, waarom praat ik zo veel?

Maar daarna proefde hij de stemming rondom hem en hij voelde dat die er een was van een intens medeleven dat de hele barak met warmte vulde.

Ten slotte zei Kleintje, de grote carrouseldraaier: 'Hier heb je verdorie mijn cake, Tovenaar.'

Meestal moesten ze lachen om Kleintje met zijn lunchpakket en zijn cake, maar deze keer vertrok niemand een spier. Het leek alsof ze vonden dat Kleintje het enige gezegd en gedaan had dat er op dat moment te zeggen en te doen viel.

Toen de fluit ging gaven sommigen Isak een hand. En toen ze terugliepen naar de machinewerkplaats, gebeurde er iets dat nog nooit eerder was gebeurd: Onsala legde zijn arm om de schouders van een leerling.

's Middags, bij Maria, vertelde hij over de middagpauze en dat hij opeens alles verteld had. Ze was blij: 'Goed zo, Isak, we zijn een stap verder.'

'Ze waren allemaal zo verdomd aardig.'

'Ik begrijp het', zei Maria, maar ze was verbaasd.

'Mensen zijn vaak heel geschikt als je ze alleen ontmoet', zei ze. 'Maar in groepen worden ze er vaak niet beter op, want dan zijn ze banger.'

'Niet in de machinehal.'

'Wat worden ze hierna?' vroeg Maria. 'Ik bedoel, hoe is hun loopbaan meestal?'

'Er is geen loopbaan. Je wordt niets anders dan een goede draaier; dat is een mooi vak en heeft veel aanzien.'

'Dus ze wedijveren niet met elkaar? Het zijn geen concurrenten?'

'Nee.' Isak vertelde over het stukloon en de ongeschreven wetten die daarbij hoorden.

Toen het uur bijna afgelopen was, schoot hem te binnen dat hij de rare gedachte had gehad dat je niet op vrouwen kon vertrouwen.

'Dat was op de dag dat ik aangenomen werd', zei hij. 'Ik vond het zelf belachelijk, maar ik bleef maar denken dat alle vrouwen onbetrouwbaar zijn.'

'En wat dacht je daarna?'

'Ik dacht aan Karin en aan Mona, en dat je op hen rotsvast kunt vertrouwen.'

'Maar er is toch een andere vrouw in je leven geweest, ik bedoel: voor Karin?'

Het bloed stroomde naar zijn gezicht en hij begon te blozen.

'Moeder...'

Na een poosje zei hij: 'Ik denk nooit aan haar.'

'Nee, dat heb ik begrepen', zei Maria. 'Maar ze is wel in je herinneringen.'

'Nee, ik herinner me niets.'

Maria boog zich over haar bureau naar voren en keek hem strak aan: 'Waarom kreeg je slaag van je grootvader? Waarom wilde je die dag in Berlijn weglopen?'

Hij bleef haar aankijken; de vraag had hem niet van zijn stuk gebracht. Hij heeft het zichzelf ook afgevraagd, dacht Maria.

'Ik weet het niet', zei Isak.

'Er is daar bij je grootouders iets met je gebeurd, en ik denk dat het vaker voorkwam. Die verschrikkelijke angst die je hebt, die was er al voordat de nazi's je te pakken kregen, dat weet ik zeker. Dat moeten jij en ik uitzoeken, snap je?'

'Maar ik weet het gewoon niet meer.'

'Bezoek je je moeder nooit?'

'Nee. Mona gaat soms en ze wil dat ik meega.'

'Dat moet je doen, Isak.'

Isak besefte dat hij dat niet wilde, dat hij dat absoluut niet wilde, maar Maria zei: 'Je durft het niet.'

'Dat is waar. Het is al erg genoeg dat ik Iza af en toe moet zien.'

'Waarom?'

'Heeft Ruben dat niet verteld? Het zijn net tweelingen, zij en moeder.'

'Nee', zei Maria. 'Misschien ziet hij dat niet zo.'

'O jawel', zei Isak. 'Maar vader is immers zo'n zielig type dat denkt dat alles, alle tegenslag, zijn schuld is.'

Wat is hij scherpzinnig, dacht Maria.

'Simon is net zo', zei Isak. 'Soms denk ik wel eens dat zij veel gekker zijn dan ik.'

'Daar heb je misschien wel gelijk in', zei Maria. 'Maar het gaat nu om jou. Heb je er wel eens bij stilgestaan dat je moeder je nu niet langer kwaad kan doen? Dat zij alleen maar een verwarde, oude vrouw is en dat jij nu sterk en volwassen bent?'

Toen begon Isak te zoeken naar een zakdoek die hij niet had. Hij kreeg er een van Maria, die zweeg; ze troostte hem niet.

Toen ze uiteengingen had Isak een besluit genomen: 'Ik zal met Mona meegaan om haar op te zoeken', zei hij.

'Goed. Daarna kom je weer bij mij.'

'Ik beloof het.'

Ze zeiden niets, niet tegen Ruben en niet tegen Karin. Al vroeg op zondagochtend gingen ze gewoon stiekem weg om met trams en bussen het lange traject naar psychiatrisch ziekenhuis Lillhagen af te leggen.

Toen ze door de gangen liepen, bleef Isak strak voor zich uit kijken; hij wilde geen enkele gek zien. Olga had een eigen kamer. Ze was aangekleed en geparfumeerd en ze zag er mooi uit. Terwijl ze in haar stoel met haar poppen zat te spelen, ze uitkleedde en weer aankleedde, rinkelden haar armbanden net zoals ze altijd gedaan hadden.

Ze herkende hem niet en Mona ook niet, maar daarop was hij voorbereid. Mona had gezegd: 'Ze herkent alleen Ruben soms in een flits.'

Mona had verwacht dat Isak een gevoel van medelijden en tederheid zou hebben. Zelf vertrouwde hij op de woorden van Maria dat hij niet langer bang hoefde te zijn. Maar toen hij in Olga's ogen keek, schoten die onrustig heen en weer zoals ze altijd hadden gedaan, en hij werd gegrepen door zo'n razernij dat zijn hele lichaam erdoor werd beheerst en het hem niet lukte die onder controle te krijgen.

'Verdomde heks', zei hij.

Olga zou de woorden wel niet gehoord hebben, maar ze voelde de spanning in de lucht en richtte haar aandacht op de pop. Terwijl haar vingers hardhandig aan de pop trokken zei ze: *'Mein süsser, süsser Knabe.'*

Ze trok aan het haar van de pop en kneep erin met een glimlach rond haar mond. Maar haar stem jammerde, en met die eigenaardige stem ging ze door met brabbelen. Ze klonk tegelijkertijd klagelijk en intens tevreden.

Isak besefte dat hij de kamer uit moest. Terwijl hij de deur uit vloog en de gang door, hoorde hij Mona roepen: 'Wacht in het park op mij. Ik kom zo.'

Toen hij onder een boom in het gras zat, voelde hij hoe intens zijn woede was en hij realiseerde zich dat hij een grote schijtlaars was. Verdomme, om zich zo te gedragen. Wat zou Mona wel niet denken en wat zou Ruben zeggen als hij er ooit achter kwam. Om nog maar te zwijgen over Karin.

Toen Mona bij hem kwam, was ze niet boos en ze maakte hem ook geen verwijten. Haar ogen stonden natuurlijk wel verdrietig en ze zei: 'Jij gaat nu meteen naar Maria toe.'

Ze was thuis, godzijdank was ze thuis. Isak was op weg naar de onwerkelijkheid; de wereld begon wazig voor hem te worden en de angst die hij binnen in zich voelde, was van dien aard dat hij wist dat hij dood zou gaan als hij er niet aan wist te ontkomen.

Mona ging mee naar boven en vertelde in het kort wat er gebeurd was. Maria was blij. Ze liet Isak haar spreekkamer binnen en zei: 'Nu komt er eindelijk schot in.'

Ze bleef hem zo strak aankijken dat hij zich niet los kon maken en stap voor stap, zonder barmhartig te zijn, voerde ze hem terug naar Berlijn en zijn vroege jeugdjaren. Isak voelde haar kracht en hij besefte dat hij nu moest doorzetten of sterven.

'Ik herkende haar weer', zei hij. 'Ik herkende haar gezicht, haar blik en haar snuffelende neusvleugels. Ze lijkt op Bylund.'

'Ja.'

'Ik werd dan altijd zo boos. Ik werd helemaal gek en ik rende dan gillend in huis rond. Zij kon mij niet stil krijgen en ze trok me aan mijn haar, ze kneep me en jammerde, maar de hele tijd was ze vrolijk. En daarna…'

'Daarna?'

'Daarna verdween ik', zei Isak. 'Ik verdween, net zoals ik dat in dienst heb gedaan. Maar toen…'

'Maar toen?'

'Toen kwam grootvader thuis en hij begon me te slaan.'

'Je moeder was wel het toppunt', zei Maria.

'Ja.' Hij schreeuwde het uit, want nu kwam het weer, de grote razernij die alles werkelijk maakte en hij schreeuwde dat hij haar de ogen wilde uitsteken en haar borsten afsnijden en een stok in haar kut steken.

Maria moedigde hem aan.

'Dat is goed, Isak', zei ze. 'Geef haar er maar van langs.'

De pijn was onverdraaglijk, maar hij wist die toch te verdragen en de wereld had voor hem niets van haar scherpte verloren.

Eindelijk begon Isak de dingen te begrijpen.

24

De hitte trilde tussen de kale eilandjes. De mannen die de lange kust van het land van de grote duisternis bewaakten en van de zon hielden, leerden om haar te vrezen.

Ze hadden de zon altijd opgezocht en geleerd om ieder zonnestraaltje te benutten, maar nu hadden ze alle zeilen die ervoor in aanmerking kwamen tussen henzelf en de onbarmhartige zon gespannen en ze zaten in de schaduw daarvan bij elkaar te klitten als vliegen aan een vliegenvanger.

Iedere ochtend kwam de zon op boven land en tegen de middag had ze haar kracht in de spiegelende zee verveelvoudigd en goot ze zonder scrupules haar verschroeiende vermogen over hen uit. Ze verwarmde de rotsen en de steigers zodanig dat die brandden onder hun voeten. Er was geen enkele boom die bescherming bood, geen enkel groen sprietje om de blik op te laten rusten.

Het was augustus en er heerste een hittegolf.

'Binnenkort kookt het hele verdomde Kattegat', zeiden ze, maar de zee bruiste alleen maar van de kwallen. In een baai verwijderden ze al die slijmerige monsters zodat ze even in het water konden springen om een minuutje verkoeling te vinden. Maar de zee zette haar branderige zout op hun uitgedroogde lichamen af en maakte het alleen maar erger.

Op de dag dat ze gebroederlijk de laatste pot Nivea deelden, moesten twee roodharige jongens naar de ziekenboeg aan land worden gebracht.

Simon had het iets gemakkelijker dan de meeste anderen; hij werd donkerbruin en zijn huid leek wel leer.

'Je ziet eruit als zo'n verrekte woestijnsjeik', zei iemand op een avond en Simon moest lachen. Zijn stralend witte tanden staken plotseling schril af tegen al het bruin. Hij dacht aan verre voorvaderen en hun omzwervingen door de woestijnen van de Sinaï onder een zon die nog onbarmhartiger was dan deze, en aan de leren huid die ze hadden ontwikkeld om te overleven.

Tot verbazing van zijn kameraden las hij 's avonds in de bijbel en dat gaf hem geheel ten onrechte de naam godsdienstig te zijn. Er arriveerde een pakket van Ruben met *De geschiedenis van Israël* in twee delen, geschreven door Bendixon. Dus bracht Simon zijn avonden door met Jesaja en Jeremia, Ezra en Nehemia en deed hij vruchteloze pogingen om de mythen van de feiten te onderscheiden.

Zijn dromen waren vol bomen, geheimzinnige aardse reuzen, waarvan de kronen bescherming en schaduw boden. Hoge espen tekenden hun kanten patroon af tegen de hemel, oude eiken schonken kracht en wijsheid en wijdgerokte sparren nodigden uit om te midden van vogelenzang en bosgeluiden te komen rusten.

Toen hij door het geschreeuw van de meeuwen en het gevloek van zijn kameraden gewekt werd en zag hoe de zon aan haar dreigende tocht langs de hemel begon, bedacht hij dat hij, zodra hij verlof kreeg, zou rondlopen in de bossen bij het lange meer, waar het boerderijtje van Inge op een vlak stuk van een heuvel genesteld lag.

In de nacht dat het onweer losbarstte werden ze gek; ze renden naakt de barakken uit en de rotsen op om hun huid, haar, monden en ogen te laten drinken. Ze stelden zich open voor de wolkbreuk en bleven staan totdat ze het koud begonnen te krijgen en een van hen zei: 'Verdomme, wat lekker. Mij hoor je nooit meer klagen over de kou en de duisternis.'

Dat was een uitspraak die hij in december, toen het om drie uur 's middags volkomen donker was, de zee brulde en de ijzige wind hen tot op het bot verkilde, nog vaak moest horen.

Simon had nu twee keer verlof gehad. De eerste keer was het net een feest geweest en Karin had al zijn lievelingsgerechten gekookt. Hij had zaterdagochtend zullen komen, maar hij kreeg de kans om er al op vrijdagmiddag tussenuit te knijpen met een boot die naar Nya Varvet moest. Dus trof hij Karin alleen aan in de keuken. Ze had een schaal doperwten op haar schoot. Hij liep recht op haar af en legde zijn hoofd in haar schort. Hij ademde haar geur in en voelde hoe ze met haar handen over zijn nek ging.

Op dat moment dacht Simon dat dat retrograderen toch ook zijn bekoringen had. Tenminste voor eventjes.

Want daarna namen ze elkaar eens goed op en hij zag dat er veel veranderd was; ze was kleiner dan hij zich herinnerde, en ouder en afgeleefder. Hij werd vervuld door een groot gevoel van tederheid; een haast pijnlijke behoefte om voor haar te zorgen en haar blij te maken.

De vogel van het verdriet, dacht hij, de goede vogel van het verdriet.

En Karin zag dat de jongen die nu voor haar stond volwassen was, dat hij een hardheid en kracht bezat die maakten dat zij zich verlegen voelde.

Een man, dacht ze en in die gedachte lag zowel vervreemding als verdriet.

Maar daarna vermande ze zich; ze zei tegen zichzelf dat ze niet goed wijs was. Wat had ze dan gedacht? En dit was toch precies wat ze gewild had, dat Simon volwassen en zelfstandig zou worden?

Het weekeinde na het onweer gehoorzaamde Simon aan zijn dromen over de bomen. Vanaf de steiger bij de kazerne belde hij Karin op om te zeggen: 'Zeg ma, ik was van plan om eens bij Inge langs te gaan.'

Aan de stilte kon hij horen dat ze bang was. Maar toen klonk haar stem weer, net zo vol vertrouwen als anders. 'Doe dat maar, mijn jongen.'

'Ik krijg een lift van een kameraad die in die buurt woont en die door zijn broer met de auto wordt opgehaald.'

'Dat is goed geregeld, Simon.'

En na weer een stilte vroeg ze: 'Moet ik haar bellen om aan te kondigen dat je komt?'

'Ja, dat zal wel het beste zijn', zei Simon.

Achter de kruidenier, waar het bospad dat naar het meer liep uitkwam op de provinciale weg, stapte hij uit.

'Vind je het wel?'

'Geen probleem.'

'We halen je zondag tegen vijven weer op.'

'Goed. Tot ziens en bedankt.'

En daar liep hij dan onder de kronen van de loofbomen. De grote bomen kalmeerden hem.

Zijn; niet doen, dacht hij.

Hij zag dat de bomen van de hitte te lijden hadden gehad; er waren al wat bladeren gevallen en die lagen als tovergoud te blinken op het mos. De lange voorbereiding voor de winter was begonnen. De bomen begonnen langzamerhand hun bloedsomloop af te sluiten om te gaan slapen; ze zouden dan alleen maar in hun dromen leven.

Hij kwam bij een open plek, een kaalslag, waar men uit respect voor zijn rechte houding en leeftijd één eik had laten staan. Het was warm. Simon deed het jasje van zijn uniform uit en rolde dat op tot een kussen. Hij ging liggen en keek omhoog naar de kroon van de boom die nog donkergroen was en bijna ondoordringbaar.

De boom had vrede met zichzelf, het soort vrede dat alle levende wezens hebben wanneer ze het raadselachtige nemen zoals het is.

Hij sliep een poosje in de groene schaduw, voordat hij verder liep naar het meer en het huis waar Inge op hem wachtte. Ze had schoongemaakt; het was er netjes en mooi. Toen hij uit de bosrand opdook, werd ze vuurrood en ze vroeg: 'Je wilt zeker wel koffie?'

Inge wist nu al maanden dat Simon het wist en ze had zich veel voorstellingen gemaakt van het moment dat hij door het bos zou komen en ze elkaar zouden ontmoeten en konden praten over wat er was gebeurd.

Gedurende heel zijn jeugd had ze afstand van hem gehouden. Bang had ze vanuit haar ooghoeken af en toe een tersluikse blik geworpen op de kwikzilverachtige jongen. Maar toen Karin en Erik hier in het voorjaar waren geweest en haar hadden gezegd dat ze het hadden verteld, had ze haar afstandelijkheid afgebroken zoals je een schutting afbreekt wanneer die niet langer bescherming biedt tegen de wind.

Ze was blij dat hij deze maanden nog niet was gekomen; zij had die tijd nodig gehad om zich voor te kunnen stellen wat er nu zou gebeuren. Maar ze had zich niet gerealiseerd dat hij zo volwassen zou zijn en zo knap en dat hij zo op zijn vader zou lijken.

Bij de koffie voerden ze een gesprek dat niet wilde vlotten. Ze hadden het over het weer: de hittegolf en de regen die te laat was gekomen. Ze had de koeien weggedaan, vertelde ze. En een baantje op school gekregen, in de kantine.

'Dat is wel een eind', zei Simon.

'Jawel, maar dat geeft niets.' Ze ging met de fiets, totdat het begon te sneeuwen. Dan nam ze de prikslee. En de weg werd tegenwoordig sneeuwvrij gemaakt.

Hij begreep dat ze blij was met haar werk, vanwege de mensen die ze ontmoette en het gevoel van gemeenschap.

Er was bij Inge geen spoor van verbittering te bespeuren, en ook niet van verdriet, zoals bij Karin. In al haar nuchterheid straalde ze meer een gevoel van verwondering uit.

De lucht betrok en de wind liet al even iets van de kilte van de naderende herfst voelen. Ze gingen naar binnen.

'De bladeren beginnen al te verkleuren', zei Inge. 'Heb je dat gezien?'

'Ja.' Hij dacht aan het tovergoud op het mos en hij lachte zijn nieuwe, witte glimlach tussen al het bruin. Ze hield haar adem in en hij verzamelde al zijn moed om te vragen: 'Lijk ik op hem?'

'Ja', zei Inge. 'Goeie genade, als hij hier naast je zou staan, zouden jullie met moeite uit elkaar te houden zijn.'

Maar toen realiseerde ze zich dat dat niet waar was. Simon was wat grover en langer; hij straalde meer kracht uit en minder droom.

Er hing nu een spanning in de lucht. Maar toch voelden ze zich allebei vooral opgelucht; dat hij had durven aanroeren waar ze toch over moesten praten. Inge zocht een uitweg voor haar zenuwachtigheid door bezig te zijn; ze ging hout kloven om het fornuis in de keuken aan te steken.

'Het is hier koud, vind je niet? Ik heb deeg gemaakt, dus een beetje warmte van het vuur komt goed van pas.'

Simon had het niet koud. Hij keek rond in het huisje alsof hij het voor de eerste keer zag en hij voelde de geborgenheid en gezelligheid die altijd onder lage plafonds in oude huizen te vinden is. Verwonderd besefte hij dat het hier mooi was, met dat gezeefde licht dat door die spijlramen naar binnen viel en dat de kleden, die op de brede planken van de vloer lagen, deed oplichten.

Ze maakte ook de kachel in de woonkamer aan; omdat ze toch bezig was, zo leek het. Het werd nu zo warm dat hij het jasje van zijn uniform uittrok. Hij ging in hemdsmouwen in de schommelstoel zitten en vroeg: 'Is hij hier vaak binnen geweest?'

'Gut nee', zei Inge. 'Hier lagen vader en moeder te sterven. We gingen hier nooit naar binnen; we zagen elkaar bij de beek.'

'Het was zo'n verschrikkelijk mooi en warm voorjaar', zei ze en met die woorden kwam er weer rust over haar. Ze ging aan de grote tafel in de woonkamer zitten en begon te vertellen.

Ze vond de juiste woorden. Die hele zomer dat ze op Simon had zitten wachten had ze bedacht hoe ze het zou vertellen en nu kwamen de woorden vanzelf.

Ten slotte kwam ze toe aan de laatste avond.

'Ik begreep dat hij afscheid van me nam, want zijn viool klonk die avond zo verdrietig. Dus ik was eigenlijk niet zo verbaasd toen hij niet meer terugkwam.'

Weemoed lag als een dunne, blauwe sluier over haar stem.

'Ook niet verdrietig?'

'Jawel', zei ze. 'Maar ik wist het de hele tijd al, begrijp je. Wij tweeën waren niet voor elkaar bestemd. Hij was te voornaam voor mij.'

Simon zag voor zich hoe ze zich naar de aarde gebogen had en het juk op zich had genomen zoals boerenvrouwen dat altijd hadden gedaan; nederig en dankbaar voor wat was geweest.

'Hij was niet echt van deze wereld', zei ze. 'Ik heb zelfs een tijdlang gedacht dat ik het allemaal gedroomd had. Maar toen begon jij in mijn buik te groeien.'

'Het heeft even geduurd voordat je begreep dat je in verwachting was?'

'Ja, heel lang. Ik denk dat ik het niet durfde te snappen. Toen Karin in november kwam was ik al groot en zwaar, en eigenlijk begreep ik het pas toen zij het zei.'

Je bent in verwachting, Inge, had Karin gezegd. Inge kon het nog horen en weer voelde ze de enorme angst in haar lichaam toen ze het tot zich door liet dringen, de schaamte over het kind dat in haar groeide.

Verloochend, dacht Simon. Maar hij was niet verbaasd; hij kon zich dat gevoel herinneren uit de dromen die hij zijn hele jeugd had gehad. Verloochend en daarna in de steek gelaten tussen de betegelde muren van het ziekenhuis dat ver verwijderd was van de bomen, het geruis van de kronen en het licht boven het meer.

'Nadien kreeg ik een brief', zei Inge.

'Ik weet het, maar Erik heeft je in de oorlog gedwongen om die te verbranden.'

'Daartoe kon Erik mij echt niet dwingen', zei ze, zo onwankelbaar als de grond waarop ze stond.

'Hij belde me op in het voorjaar van 1940. Hij was hysterisch, maar bij mezelf dacht ik dat ik, als de Duitsers kwamen, nog tijd genoeg zou hebben om de brief te verbergen in de spleet van de eikenboom achter de stal. Maar de Duitsers kwamen niet. Dus hij ligt nog in de secretaire, waar hij altijd gelegen heeft.'

Simon kreeg hartkloppingen.

Inge haalde een sleutel te voorschijn en maakte de oude secretaire open. Ze trok een laatje open en pakte een messing bus met een deksel erop.

'Ik besefte dat ik de brief misschien in de eik zou moeten verstoppen, maar ik heb hem eerst in deze bus gedaan', zei ze.

Ze kreeg het deksel niet los. Ze gingen naar de keuken om een mes te halen om hem open te wrikken.

Duitse postzegels, afgestempeld in Berlijn op 4 maart 1929. Geopend, maar nooit gelezen.

'Ik kende de taal immers niet. We hebben nooit met elkaar kunnen praten', zei Inge en Simon dacht: waarom is het leven zo onbegrijpelijk, zo onvoorstelbaar triest.

'Ik heb de kamer op zolder voor je klaargemaakt en het bed opgemaakt', zei ze. Hij besefte dat ze veel had gedaan sinds Karin had gebeld. Ze had schoongemaakt, haar mooiste, blauwe jurk gestreken, een deeg bereid en het bed op de zolderkamer opgemaakt.

'Ga maar naar boven, dan kun je even op jezelf zijn', zei Inge. 'Je moet alleen zijn als je de brief leest. Je kent toch Duits?'

'Ja hoor', zei Simon terwijl hij de trap opliep die kraakte onder zijn voeten. Hij ging languit op de gehaakte sprei liggen met de brief op zijn borst. Grote god. Hij had een droge mond en ging naar beneden om een beetje water te halen. Hij bleef lang staan kijken hoe Inge de broden, die uitgegist waren, in de oven schoof.

'Je hebt zeker geen bier', zei hij.

'Gut nee', zei Inge. 'Ik ben er niet meer aan toegekomen om naar de kruidenier te gaan, snap je, en ik heb er ook geen moment aan gedacht dat je nu een man bent, die bier wil drinken.'

Daar moesten ze om lachen. Inge haalde sap te voorschijn, zwartebessensap, van de oogst van dat jaar. Simon had dus de smaak van zijn jeugd in zijn mond en de geur van zijn jeugd, van versgebakken brood, in zijn neus, toen hij op zolder moed verzamelde om de brief te lezen.

Het was een liefdesbrief, vol romantische woorden. Bosnimf, mijn bosnimf, zo noemde hij haar. Hij hoopte dat hij in het najaar weer terug kon komen, want hij had opnieuw een betrekking gezocht op de volkshogeschool. Maar hij moest weten of ze op hem wachtte, of ze net zo naar hem verlangde als hij naar haar. Of ze wilde schrijven, een teken van leven wilde sturen. Duizend kussen. Simon Haberman, een adres in Berlijn.

Teleurstelling golfde door Simon heen. Intussen probeerde hij zichzelf voor te houden wat hij dan had verwacht, waarop hij dan had gehoopt. De joodse speelman kon immers niet weten dat zijn liefde vrucht had gedragen en dat er een klein jongetje was.

Simon legde het kussen over zijn gezicht en liet de tranen komen. Na ongeveer een half uur hielden ze op, maar zijn melancholie was zo groot als de zee, vond hij.

Toen hij naar de commode liep om zijn gezicht te wassen, ontdekte hij dat het water in het bekken oud en gelig was. Ze had de kamer al een hele tijd geleden klaargemaakt; ze wachtte al lang op hem.

Inge zat in de keuken. Ze had rode vlekken op haar wangen, maar verder was ze bleek, erg bleek. Hij ging bij haar aan de keukentafel zitten en begon de brief te vertalen.

'Bosnimf van me; ik weet het niet helemaal zeker, maar ik geloof dat het woord bosnimf betekent.'

Toen volgde de rest over verlangen, liefde, kussen. En

zijn smeekbede om een antwoord.

'Maar waarom kwam hij niet?' Inges stem was nauwelijks hoorbaar. Ze had haar handen voor haar gezicht geslagen, maar aan haar schouders zag hij dat ze met uithalen zat te snikken.

'Hij wachtte op een antwoord', zei Simon.

'Maar hij wist toch dat ik niet zou kunnen lezen wat hij schreef.'

'Hij zal misschien gedacht hebben dat je naar iemand toe zou gaan om de brief te laten vertalen.'

Toen hij verder ging met voorlezen klonk Simons stem zeer verbitterd: 'Schrijf me, stuur me een teken van leven, zodat ik weet dat je bestaat, dat je niet alleen maar een mooie, wilde droom was.'

'Grote god in de hemel', zei Inge. 'Naar wie moest ik toe gaan? Je begrijpt toch wel dat niemand het mocht weten. De schaamte, Simon, ik zou van schaamte zijn doodgegaan.'

'Je had het voor mij kunnen doen', zei Simon.

'Ja', zei Inge en toen Simon opstond en het huisje uit rende, liep ze achter hem aan en riep: 'Je begrijpt het niet, Simon. Je zult nooit kunnen begrijpen hoe het vroeger was.'

Hij bleef staan, draaide zich half om en zei: 'Nee, dat zal ik wel niet kunnen begrijpen.'

'Je hebt het zo goed gekregen, Simon. Je had het immers zo goed bij Karin en Erik.'

Karin, dacht hij opeens in wilde razernij. Karin zou de brief hebben kunnen laten vertalen, zou naar Berlijn hebben kunnen schrijven om over het kind te vertellen.

Maar meteen daarna besefte hij dat ze dat nooit had gewild, dat ze de brief het liefst ongelezen wilde laten, terwijl ze haar baby verzorgde en probeerde om zo min mogelijk te denken aan de vader van het jongetje met de onbegrijpelijk donkere ogen.

'Ik ga even het bos in. Ik ben met het eten terug.'

Zijn stem klonk schriller dan hij wilde, opgeladen door zijn woede die niet Inge maar Karin betrof, en hij probeerde te glimlachen om die te verbloemen. Maar Inge was al naar het huisje teruggekeerd.

Hij klauterde de heuvel op en ging zitten uitkijken over het meer, dat dofblauw was, geheel in overeenstemming met zijn gevoel van weemoed. De bomen waren stil, stom; hij wist immers dat hun vredige gevoel niet voor hem was weggelegd, dat hij thuishoorde bij de duizenden onrustige vragenstellers die tevergeefs naar een antwoord zoeken.

Op de terugweg bedacht hij dat als Haberman het serieus had gemeend met zijn brief, hij zelf iemand had kunnen zoeken om hem te helpen met vertalen toen hij de brief schreef. In het Berlijn van de jaren twintig hadden genoeg Zweden gezeten.

Thuis wachtte Inge hem op met vleessoep, waarvan ze wist dat hij dat lekker vond, en met versgebakken brood en bier. Ze had de lange weg naar het kruidenierswinkeltje gefietst om een paar flesjes bier te kopen.

Hij dronk stevig maar het was maar pils, dus het bood hem geen verlichting.

Geen van beiden sliepen ze veel die nacht.

De volgende ochtend bij de koffie zei hij: 'Ik wil dat jij de brief houdt. Hij is immers voor jou bestemd. Ik zal de vertaling wel op de achterkant schrijven.'

Maar Inge zei: 'Ik heb er de hele nacht aan liggen denken en ik weet dat je me zult uitlachen. Maar ik wil je toch zeggen dat ik tot de conclusie ben gekomen dat alles is gebeurd vanwege jou, zodat jij op de wereld zou komen.'

Ze is niet goed wijs, dacht Simon, maar hij lachte niet en Inge vatte moed om verder te gaan. 'Ik ben gaan denken dat jij ons gekozen hebt. Alleen verschilden wij, de speel-man en ik, te veel van elkaar. Als hij met mij had kunnen praten, dan had hij beseft wat voor een simpel mens ik ben en dan was hij nooit verliefd op mij geworden, dan had hij mij nooit zien staan. We kwamen uit verschillende werel-den, Simon.'

Dat is waar, dacht hij, ze heeft gelijk. Ze hadden nooit een gezin kunnen vormen. Maar toen verhardden zijn ogen zich weer en hij dacht: als je met hem getrouwd was, dan was hij blijven leven. Dan was hij ontkomen aan Hitler en de vernietigingskampen.

Maar hij zei het niet. Hij herinnerde zich de man in zijn droom, de man die de heuvel af was gelopen met zijn viool, de dood tegemoet, omdat hij wilde sterven.

'Als je hem had horen spelen, zou je begrepen hebben dat hij niet echt op deze aarde thuishoorde', zei Inge alsof ze Simons gedachten had geraden.

'Het waren geen deuntjes, Simon, niet van dat gejank op een viool waar je bij moet rondhuppelen. Het kwam uit de hemel. Ik had nooit gedacht dat een viool zo zou kunnen klinken.'

'Weet je iets van wat hij speelde?'

'Ja, ik heb zijn muziek een keer op de radio gehoord en ik heb me toen in mijn hoofd gehaald dat hij meedeed, want het was een orkest uit Berlijn. De man die de muziek had geschreven kwam uit Finland, maar nu ben ik de naam vergeten.'

'Sibelius', zei Simon.

'Ja', zei ze en hij zou er alles voor over hebben gehad om

nu een viool te hebben om een wild stuk muziek vol verlangen van Sibelius in haar gemoed te laten weerklinken.

Maar hij had geen viool en hij kon niet spelen.

Voordat hij vertrok omhelsde hij haar lang en innig. Aan de bosrand bleef hij staan om te zwaaien en toen hij over het pad rende om de auto die hem op de grote, provinciale weg op zou halen niet te missen, realiseerde hij zich dat Inge tot zijn verbijstering de meest troostrijke woorden tegen hem had gesproken die hij ooit had gehoord: ik geloof dat het om jou was dat alles is gebeurd. Jij wilde op de wereld komen en je koos ons.

Misschien ben ik wel gek aan het worden, dacht hij. Wat een idioot, ongelooflijk, belachelijk idee.

Maar het bood hem wel troost.

Toen hij op de boot stond te wachten die hem op zou halen, had hij nog even tijd om vanaf de steiger Ruben te bellen. Hij zei: 'Hij heette Simon Haberman.' En hij gaf hem het adres in Berlijn. 'Kun je eens navraag doen, oom Ruben?'

'Jazeker, Simon. Je hoort nog van me.'

'Dank je.'

Ik weet toch dat het geen zin heeft; hij is naar de gaskamers gegaan, dacht Simon. Maar je moest het rationele toch een kans geven.

Joodse gemeenschappen over de hele wereld werkten er onverdroten aan om een netwerk tussen de doden en de overlevenden te vormen. Het duurde slechts een week voordat Ruben de gegevens kreeg. Simon Haberman, violist bij het Berlijns Filharmonisch Orkest, was samen met zijn zuster in november 1942 gedeporteerd en in mei 1944 in Auschwitz vergast.

Zijn zuster was al eerder aan de ontberingen bezweken.

Hij was ongetrouwd geweest en er was geen naaste familie meer in leven.

Simon was zestien toen zijn vader stierf, bedacht Ruben. Zestien jaar lang had de man kunnen weten dat hij een zoon in Zweden had. Daar had hij wel recht op gehad.

Voor het eerst voelde Ruben rancune jegens Karin. Zij had deel aan deze onrechtvaardigheid, dacht hij.

Maar vervolgens wuifde hij die gedachte weg; niemand, zelfs zij niet, is bovenmenselijk, dacht hij.

In de barak, ver weg gelegen aan de scherenkust, wachtte Simon een brief die was afgestempeld in Stockholm. Hij wist dat Iza hem geschreven had, dat ze nu haar klauwen uitstrekte om hem te pakken.

Er zat een foto bij. Ze was slank, mooi, opgemaakt als een filmster en ze keek hem aan met hongerige ogen.

'Wat een meid,' zeiden de jongens, 'wat een vamp. Waar heb je die verdomme verstopt?'

'In Stockholm', zei Simon en hij voelde hoe hij steeg in hun achting.

'Ga je bij haar langs?'

'Ja, ze schrijft dat ze dat wil.'

'Ga je je met haar verloven?'

Simon keek de man die dat vroeg lang en ernstig aan en daarna zei hij precies wat hij dacht: 'Ik hoop dat dat niet hoeft.'

Zoals gewoonlijk begrepen ze weer niets van hem en ze schudden hun hoofd. Bengtsson, een jongen met lichte ogen, die altijd zo hunkerend was, zei met een verlegen grijns: 'Als jij niet hoeft, dan kun je dat misschien even laten weten. Want hier is iemand die graag voor je invalt.'

De barak bulderde van het lachen en Simon kreeg niet de gelegenheid om het uit te leggen.

Als er tenminste iets viel uit te leggen.

25

Simon stond bij Rubens boekenkast over spinnen te lezen in de *Zweedse Encyclopedie*, gedrukt in Malmö in 1935.

'...wordt gekenmerkt door een opgezwollen, meestal ongedeeld achterlijf, dat stengelachtig verbonden is met het voorlijf en voorzien van vier of zes spinklieren ... naakte klauwen /fig. 2/ waarvan in de punten afvoerkanalen voor de gifklieren liggen ... De vier beenparen hebben kamachtige, getande klauwen ... de belangrijkste delen van het zenuwstelsel bestaan uit de hersenen ... de geslachtsorganen zijn parig, de afvoerkanalen tot één kanaal verenigd dat uitmondt in het lagere deel van het achterlijf...'

Hij bekeek fig. 2 en rilde van afschuw.

Nachtdieren, las hij. Roofdieren. Gif van onbekende samenstelling. De soorten die in Zweden voorkomen, zijn alle ongevaarlijk.

Maar er bestond een Europese soort, de tarantula, waarvan de beet de mens letsel kon toebrengen, ook al bleef de werking van het gif beperkt tot de naaste omgeving van de wond.

Er werd met geen woord over gerept dat de wijfjes de mannetjes na de paring opaten.

Hij zat te wachten op Isak, die zijn rijbewijs had gehaald en die hem in de auto van Ruben terug naar de kazerne zou brengen. Het was herfst; gele bladeren wervelden buiten van de bomen naar beneden en aan zee stond een stevige wind. De lucht was glashelder.

De meesten van de kustpatrouille hadden oogstverlof gehad of een paar extra vrije dagen om familieredenen, zoals dat heette. Simon ging naar kapitein Sjövall. Hij ging in de houding staan en meldde zich, maar toen hij verzocht om drie dagen buitengewoon verlof om familieredenen, hing er een beetje een grappig sfeertje rond het hele ritueel.

'Wat is er aan de hand met de familie van Larsson?' vroeg Sjövall.

'Ik heb in Stockholm een meisje', zei Simon.

'Dat is geen reden', zei Sjövall.

'Ze is ziek', zei Simon en in zekere zin was dat immers ook zo.

Zieke verloofde, schreef Sjövall en daarmee was de zaak in orde. Simon deed hierover thuis geen mond open, maar op woensdagochtend zat hij in de sneltrein naar Stockholm en hij probeerde zich te herinneren wat hij over spinnen had gelezen.

Maar dat beeld had zijn aantrekkingskracht verloren.

Het is de schuld van Isak, dacht hij, terwijl hij weer aan hun ruzie in de auto terugdacht. Het begon ermee dat Simon, half in het voorbijgaan, had gezegd dat hij van plan was om het volgende weekeinde Iza op te zoeken in Stockholm.

Isak was vreemd opgewonden geworden en hij had tegen Simon geschreeuwd dat hij niet goed wijs was en dat hij met open ogen zijn ondergang tegemoet ging.

Simon was bang geworden door die uitbarsting en door de snelheid waarmee ze reden, want binnen enkele minuten had Isak de oude Chevy van Ruben opgevoerd tot bijna honderd kilometer per uur en Simon had geschreeuwd dat hij verdomme rustig aan moest doen, omdat hij hen anders allebei nog dood zou rijden.

Toen had Isak vaart geminderd, maar hij had zijn mond stijf dichtgehouden tot ze, met een normale snelheid, op de parkeerplaats van de kazerne waren aangekomen. Ze waren tien minuten te vroeg en Isak had die minuten goed benut; hij had zich naar Simon toegekeerd om te vertellen over Olga en over wat Maria en hij ontdekt hadden.

'Het staat je vrij om te kiezen of je zo'n leven wilt als Ruben heeft, met een krankzinnige vrouw die hem pas met rust liet toen ze naar het gekkenhuis moest', had Isak gezegd. En vervolgens had hij eraan toegevoegd: 'Maar je hebt verdorie niet het recht om kinderen op te wereld te zetten samen met zo'n moeder als Iza zou worden.'

Isak moest bijna huilen en Simon had naast hem gezeten alsof hij door de bliksem getroffen was.

'Ik ga toch verdomme niet met haar trouwen.'

'Als ze kans ziet je met een kind op te schepen, dan zal ze het niet laten. Ze maakt weinig kans om te trouwen, want alle normale kerels jaagt ze de stuipen op het lijf. Als ze jou in haar klauwen krijgt, laat ze je nooit meer los.'

'Klauwen waarvan in de toppen de afvoerkanalen van de gifklieren liggen', had Simon gezegd.

'Simon, ben jij ook gek aan het worden? Misschien moet jij ook maar eens met Maria gaan praten; misschien kun je wel ziekteverlof krijgen.'

Simon had Isak aangekeken en geprobeerd te lachen.

'Ik zal aan… alles wat je gezegd hebt denken. En fijn dat je mij over je moeder hebt willen vertellen.'

Hij had wel begrepen dat Isak daar moeite mee had gehad. Maar toen moest hij gaan.

En nu zat hij dan in de trein en hij probeerde om het oude beeld van Iza als belichaming van het kwaad en de werkelijkheid op te roepen.

Maar hij voelde zich kinderachtig.

Net iemand die met gevoelens speelde.

Isak is volwassener dan ik, dacht hij toen de trein in Skövde stopte. Even overwoog hij om hier uit te stappen en de eerste de beste trein terug te nemen. Maar hij bleef zitten. Ik moet haar overwinnen, dacht hij.

Mijn beeld van haar overwinnen, zo corrigeerde hij zichzelf, terwijl hij van schaamte begon te blozen. Een meisje dat tegenover hem in de coupé zat, keek hem verwonderd aan en Simon ging snel naar het toilet om zijn gezicht en handen te wassen. Vervolgens ging hij in de restauratiewagen koffiedrinken. Daar bleef hij lang zitten terwijl hij het landschap voorbij zag schieten, opgeslokt door de trein.

Ze haalde hem op op het Centraal Station in Stockholm. Ze was niet veranderd, geen spat veranderd. De beroemde analyticus in Zwitserland had haar onberoerd gelaten. Ze liep door de stad rond alsof die van haar was.

'Vergeleken met dit hier is Göteborg maar een gat', zei ze en toen hij door de ramen van haar flat over de stad stond uit te kijken, moest Simon inderdaad erkennen dat het prachtig was, grandioos.

Ruben had voor haar een appartement gekocht in de hooggelegen wijk Söder. De zon scheen over Strömmen, het koninklijk paleis en over de duizenden daken hoewel het al ver in oktober was. Simon realiseerde zich hoe vreemd het was dat er in Göteborg nooit iemand over Stockholm praatte en over het feit dat de hoofdstad mooi was. Maar hij bedacht ook dat hij, hoewel hij er nooit eerder was geweest, de stad toch redelijk goed kende uit de boeken van Strindberg en Söderberg en uit een paar honderd andere boeken die hij gelezen had.

Hij wilde vooral op verkenning uit: de Drottninggata

aflopen naar het huis van Strindberg, Blå Tornet, slenteren langs de Strandväg, met de veerpont naar Djurgården om de beroemde eiken te zien. Maar Iza zei: 'Laten we vrijen.' Simon keek haar aan en moest aan de spinnen denken: kom in mijn nest, dan eet ik je op.

Dat deed zijn lust bepaald niet toenemen en hij had zich trouwens toch vergist wat het liefdesleven van de spin betreft.

'Ik heb honger', zei hij. 'Heb je iets te eten in huis?'

Iza, die nooit kon wachten, werd woedend en begon te vloeken en met haar voeten te stampen. Toen dat niet hielp, begon ze melodramatisch te huilen: 'Heb ik hier maanden zitten wachten op mijn geliefde en dan wil je alleen maar eten.'

Maar Simon stond al in de vieze keuken. Hij deed de koelkast open en vond een blik cornedbeef en een paar sneetjes droog brood.

'Kom, dan eten we wat.'

Daarna vroeg hij, heel gemeen: 'Wanneer ben ik je geliefde geworden?'

Ze begon te huilen als een waterval en tot zijn verwondering merkte Simon dat hem dat niets deed. Ze zag zijn kilte en hield opeens op met huilen. Met een geestdriftige blik zei ze: 'Ik heb een fles wijn gekocht.'

Ze aten en dronken en waren bijna in een goede stemming, waren bijna vrienden, toen ze zei: 'Dus je bent niet hier gekomen om met mij te vrijen?'

'Nee, eigenlijk meer om de stad te zien en te kijken hoe het met jou gaat.'

'Je maakt een grapje.'

'Misschien.'

'O, je bent wreed', zei ze, terwijl haar ogen zich verwach-

tingsvol vernauwden en haar mond vochtig werd van wellust.

Simon dronk zijn wijn op en opeens lagen ze in bed. Na
al die maanden op de patrouilleboot voor de kust was hij
geil en hij had haar veel te bieden, vond hij zelf. En hij
hoefde zich niet in te houden, want zij wilde geen tederheid, zij wilde alleen uithoudingsvermogen en harde handen.

Maar hij kon haar niet bevredigen. Ze wilde dat hij haar
sloeg en hij moest denken aan de kanalen van de spinnen
die uitmonden in hun achterlijf, maar meer dan een tik kon
hij haar niet geven. Helemaal wild geworden rende ze naar
een kast waar ze een zweep had staan, maar daardoor verloor hij zijn lust en zijn erectie.

Hij werd misselijk en liep naar de badkamer om over te
geven. Hij hield zich voor dat het aan de cornedbeef lag,
maar voelde dat heel zijn lichaam van afschuw ineen-
kromp. Toen hij zijn maag had geleegd, waste hij zich.
Hij trok zijn broek aan en ging naar haar terug.

Ze lag heel stil op haar rug en keek met lege ogen naar
het plafond.

'Je bent een onnozele schijthoop, Simon Larsson', zei ze.

Daar heb je misschien wel gelijk in, dacht hij, maar hij zei
niets want hij had haar vertwijfeling gezien. Hij kroop weer
in bed en ging dicht tegen haar aan liggen.

En haar hoop herleefde; ze stond algauw weer in vuur en
vlam en hij liet zich met huid en haar door dat vuur verteren.

Drie etmalen gingen ze door met hun haat-liefdespel; ze
huilden, af en toe sliepen ze even, een enkele keer stonden
ze op om iets te eten. Hij rende naar de melkboer om brood
en boter te kopen. Zij bood niet eens aan om te betalen en

hij besefte dat hij gauw door zijn geld heen zou zijn.

Ze zoog zijn bloed op en liet zijn botten kraken, en hij liet dat toe omdat hij het gevoel had dat hij een oude schuld aan het afbetalen was. Ze ondervond geen weerstand van hem.

En daar haatte ze hem om; alles zou hij krijgen, alles wat zij ook had moeten verdragen. Ze vernederde hem, sloeg hem, treiterde hem en hij kon er niets tegenover stellen; hij vond alles goed en zij gilde van verachting.

Toen op zaterdagmiddag de schemering over de stad inviel, viel hij in slaap. Hij voelde zijn eigen vertwijfeling en die van haar niet langer. Ze maakte hem wakker met de zweep en schreeuwde: 'Sla me.'

Maar hij kon haar niet slaan. Hij stond op uit bed en voelde zich vrij; hij was klaar met iedereen, met Karin en Inge, met vrouw Ågren en Dolly. Hij was ze allemaal weer tegengekomen en wist dat ze niet overwonnen konden worden.

Net zoals op de eerste dag lag Iza doodstil in bed met lege ogen naar het plafond te staren.

'Ga weg', zei ze. 'Ik wil dat je nu weggaat en ik wil je nooit meer zien.'

Hij nam een douche, trok zijn uniform aan en liep meteen de vreemde stad in, waar het koud en donker was. Vijf kronen en vijfenzeventig öre had hij in zijn zak; dat wist hij omdat hij dat laatst bij de melkboer had nageteld. Dat was niet genoeg voor een hotelkamer.

Hij had een retourkaartje, dus hij kon de weg naar het Centraal Station zoeken om daar de eerste de beste trein naar Göteborg te nemen. Maar toen hij van Katarinaberg naar het centrum liep, bedacht hij dat hij toch iets van de stad wilde zien, in elk geval de oude binnenstad Gamla

Stan. Het vroor nog niet dus hij kon wel een nachtje buiten blijven.

Hij liep over Slussen, langs Skeppsbron en toen de kleine steegjes in. IJzige winden baanden zich moeizaam een weg tussen de vermoeide, oude huizen en toen hij op het Stortorg stond en probeerde de wiekslag van de geschiedenis te voelen had hij het koud, ontzettend koud.

Ik heb geen hart meer, dacht hij. Er zit geen pomp meer in mijn borst die het bloed laat circuleren en het warm houdt.

Zijn benen bewogen zich in de richting van het Kornhamnstorg, waar de cafés er goedkoper uitzagen. Hij bleef lang voor een menukaart staan kijken en rekende uit dat hij twee broodjes kaas en een warme chocolademelk kon krijgen voor twee kronen en twintig öre.

'Jemig, knul, wat zie je bleek', zei de serveerster met een zangerig Norrlands accent. Simon zag dat ze op Mona leek, maar ouder was en nog moederlijker.

Hij probeerde tegen haar te glimlachen, maar dat ging hem niet goed af.

Het belangrijkste was nu dat hij hier een uurtje met zijn broodjes in de warmte kon zitten.

Hij nam kleine hapjes van zijn brood en kauwde zorgvuldig, dronk van zijn chocolademelk met kleine slokjes die hij voorzichtig doorslikte. Langzaam kwam zijn hart weer op gang; de warmte verspreidde zich van zijn buik naar zijn voeten, waar ze omkeerde om de lange weg omhoog in de richting van zijn hoofd af te leggen.

Toen zijn hersens weer begonnen te werken was de opluchting die hij bij Iza in de slaapkamer had gevoeld verdwenen en waren zijn gedachten zo zwart als ze maar konden zijn.

Grote god, wat was hij toch een walgelijk mannetje. Jarenlang had hij over het meisje gefantaseerd; zij was het kwaad dat hem werkelijk zou maken. Hij zou haar, die al duizenden keren gebruikt was, gebruiken om deel te gaan uitmaken van haar realiteit, om die tastbaar te maken.

Want hij wilde het kwaad voelen, maar durfde het zelf nooit te gebruiken.

Hij moest denken aan vrouw Ågren, langgeleden in zijn jeugd; aan hoe hij zich tot haar voelde aangetrokken om haar te kunnen haten, haar borsten af te kunnen snijden en haar ogen uit te kunnen steken.

In zijn fantasie, altijd alleen maar in zijn fantasie.

Zijn maag begon weer te draaien en als hij niet kalmeerde, zou hij weer moeten overgeven.

Bylund. Hij dacht lange tijd aan Bylund en kwam tot de conclusie dat ze eigenlijk behoorlijk veel op elkaar leken, maar dat de sergeant fatsoenlijker was.

Er kwamen geen tranen en dat was maar goed ook, want het café begon langzamerhand vol te stromen. Hij zou zo betalen, opstaan en weggaan.

Bylund zou het wel gelukt zijn, dacht hij. Bylund met zijn trillende neusvleugels zou Iza alles hebben kunnen geven wat ze hebben wilde. Hij zou de stap van fantasie naar daad wel hebben gezet.

Maar hij had Bylund bijna doodgeslagen.

Die herinnering sterkte hem een beetje. Hij slaagde erin om nog een hap te nemen en die goed in zijn maag terecht te laten komen.

Hij probeerde zich te herinneren hoe die aantrekking tot Iza ontstaan was.

Hij had daar in het sanatorium staan kijken naar het meisje, dat toen dik en lelijk was, en had beseft dat zij de eerste mens was die hij ontmoette, die nietsontziend op-recht was in alles wat ze zei en deed.

Dat was immers zo, dat was ze.

Hij kon zich ook herinneren dat hij naar de cijfers op haar arm had gestaard en dat de tijd stil was blijven staan.

Zij bezit de werkelijkheid, had hij gedacht.

Inmiddels waren er veel beschrijvingen van de kampen, geschreven door mensen die het overleefd hadden. Ze vertelden niet alleen over het kwaad en het lijden, maar ook hoe het ongelooflijke dat er gebeurde, alles onwerkelijk maakte.

Als je ruimte gaf aan medelijden overleefde je daar niet, schreef iemand. En zonder medelijden wordt de wereld onwerkelijk.

Ze nemen de schuld op zich voor de misdaden van de beulen, had Olof gezegd.

Iza?

Nee, hij dacht niet zij zich schuldig voelde. Maar om werkelijk te worden, moest ze zich laten kwellen.

Ik zal proberen haar te schrijven.

Wat dan; wat zou er dan in die brief moeten staan?

Werkelijke mensen zijn fatsoenlijk, dacht hij; de werke-lijkheid is weten dat je op elkaar kunt vertrouwen. Zoals op Karin en Erik. Op Ruben, op Inge; ja, ook Inge bezat die werkelijkheid.

Die dweperige muzikant niet, die een paar weken in het bos vree en daarna verdween om een jaar later met een idiote brief wat van zich te laten horen.

Duizend kussen.

Godverdomme wat walgelijk.

Simon dacht lang aan zijn droom over de speelman die de vernietiging tegemoet ging.

Voelde hij dezelfde aantrekkingskracht tot het kwaad als hijzelf?

Het zit in mijn genen, dacht hij. Ik heb het geërfd, net als de muziek.

De dood?

Ik kan naar het station gaan, langs de rails sluipen en voor de locomotief van een sneltrein springen.

Maar hij wist wel dat hij dat niet kon maken. Om Karin.

Hij haatte haar om die reden.

Daarna besefte hij dat hij niet wilde sterven.

Het enige dat hij echt wilde, was rechtstreeks naar huis gaan en in de keuken zijn hoofd in haar schoot leggen om haar alles te vertellen.

Maar dat kon hij niet.

Wat er was gebeurd moest hij voor zichzelf alleen houden.

Alleen; dat was volwassen zijn.

Voor het eerst besefte hij dat hij volwassen was en die gedachte was onverdraaglijk.

26

'Wat zie jij er belabberd uit.'

Er zat nu een man tegenover hem aan tafel. Een man van middelbare leeftijd met vriendelijke, bruine ogen die een beetje schuin stonden.

'Je zou een echte maaltijd moeten nemen', zei hij.

'Ik heb geen geld.'

'Ik kan je wel een bord soep aanbieden', zei de man. En de serveerster, die al een hele tijd bezorgd naar Simon had gekeken, kwam er meteen aan met dampend warm eten.

Simon at zijn soep dankbaar op en de man, die hij vaag meende te herkennen, zei: 'Ik ben Andersson.'

'Larsson.'

Ze gaven elkaar een hand. De man had een vreemd brede, korte vuist, die droog en warm aanvoelde.

'Je bent toch niet weggelopen uit dienst?'

'Nee, nee, ik ga morgen terug naar Göteborg. Ik heb verlof.'

'En je bent in Stockholm geweest om de bloemetjes eens buiten te zetten, neem ik aan.'

'Jawel', zei Simon met een grimas, die veranderde in een glimlach toen hij de glinstering in de bruine ogen zag.

'Maar ik heb een retourtje, hoor', zei hij.

'Maar je kunt ook met mij meerijden. Ik vertrek vannacht met een vrachtwagen naar Göteborg.'

Simon vond dat hij dit niet verdiend had.

'Mijn pa heeft jarenlang een vrachtauto gehad', zei hij. 'Daarom komt u me zeker bekend voor.'

'Ja, we zullen elkaar wel eens gezien hebben toen jij nog

klein was', zei Andersson, terwijl hij de broodjes en de soep afrekende. Vervolgens bestelde hij nog tien broodjes kaas, of nee, vijf met kaas en vijf met leverpastei.

'We moeten wat te eten hebben voor onderweg', zei hij, terwijl hij twee thermoskannen uit zijn bruine doos van bordpapier haalde en ze liet vullen met koffie.

'Laten we dan maar gaan.'

Ze liepen omhoog richting Slussen en sloegen af naar Södra Station, waar Anderssons vrachtwagen al volgeladen klaarstond. Het liep tegen tien uur 's avonds, maar de straten waren nog vol mensen; een rusteloze stroom zonder begin of einde.

'Stockholm begint zo'n stad te worden die 's nachts niet meer slaapt', zei Andersson.

Simon knikte, maar hij was niet meer in Stockholm geïnteresseerd; hij wilde alleen nog maar zo dicht mogelijk in de buurt blijven van de chauffeur. Deze was verbijsterend klein, een hoofd kleiner dan Simon.

Een groen gelakte Dodge stond zwaarbeladen en met dekzeilen over de laadbak gespannen op Andersson te wachten. Achter de chauffeursstoel was een gedeelte van nauwelijks een halve meter breed, waarin een dunne matras, een paar oude dekens en een verbazingwekkend groot, zacht kussen lagen.

Andersson wees met zijn duim naar de kooi.

'Jij moet slapen, Larsson. Ik maak je tegen de ochtend wel wakker als we ergens in Midden-Zweden zijn.'

En Simon sliep als een zuigeling, ingesponnen in zachte dromen, suizend gras en vredige geborgenheid.

Hij werd in de ochtendschemering wakker, doordat ze Rijksweg Een verlieten en het geluid van asfalt vervangen werd door dat van grind. Hij lag even na te denken waar hij was, maar toen wist hij het weer en toen hij zich oprichtte, keken schuine ogen hem aan vanuit de achteruitkijkspiegel en hij had het gevoel dat er voor hem gezorgd werd.

'Ik had gedacht dat we even de Omberg op zouden kunnen rijden om buiten in het groen op de heilige berg te ontbijten', zei Andersson.

Zo groen was het niet meer, maar een zacht herfstzonnetje was bezig om over de vlakten van Östgötaland omhoog te klimmen. Onder de wielen klonk geritsel; ze reden over een deken van donkerrood goud.

'Beukenbladeren, pas gevallen', zei Andersson en Simon zag de pilaarrechte stammen langs de weg staan. Hij had nog nooit eerder beuken gezien; hij had er alleen maar over gelezen.

'Wat bedoelt u ermee dat de berg heilig is?' vroeg hij.

'De Omberg', zei Andersson, 'is een van de acht heilige bergen op de wereld en hij wordt al sinds oeroude tijden in geheime geschriften genoemd.'

'U bent zeker afkomstig uit Östergötland', zei Simon lachend.

'Misschien wel', zei Andersson en Simon dacht dat ze daar vast nog erger waren dan Göteborgers.

'Ik kan het bewijzen, hoor', zei Andersson en hij moest ook lachen. 'Draai je eens om en kijk naar het oosten, recht naar de vlakte.'

Simon gehoorzaamde hem en zag een paar rode huisjes liggen met ramen die slaperig blonken in de zon.

'Daar leefde ooit koningin Omma met haar moerasvolk', zei Andersson. 'Het was een magisch volk dat het geheim van de dood kende en dat vierde met grote feesten als de maan in het laatste kwartier stond.'

'Dat verzint u', zei Simon, maar toen herinnerde hij zich

dat hij iets gelezen had over de opgravingen in het veen bij Dag, waar een bijzondere plaats met paalwoningen uit het Neolithicum was blootgelegd.

Andersson knikte. 'Ze sloegen meer dan duizend palen in het moeras en legden daar een vloer bovenop', zei hij. 'Zo bijzonder was dat niet; het was nog in de tijd dat er reuzen op twee benen op aarde rondliepen.'

Simon zag het voor zich: hoe reuzen de enorme beuken van de Omberg recht uit de aarde omhoog trokken, de wortels afknipten en de takken eraf streken door de stam tussen duim en wijsvinger heen te halen.

'We houden even een sanitaire stop bij de oude monniken', zei Andersson en nu zag Simon de ruïnes van het klooster van Alvastra in de ochtendschemering te voorschijn komen.

Andersson remde de zware auto zachtjes af. Hij zette de motor af en trok de handrem aan.

'Je moet voorzichtig met haar omgaan', zei hij. 'Ze is de jongste niet meer en heeft zo haar nukken. De auto, bedoel ik.'

Ze liepen naar de ruïne toe om te plassen. Ze stonden met hun rug naar twee gedenkstenen toegekeerd, waarop de bijdragen van Oskar ii en Gustaf v aan de geschiedenis van het klooster werden gememoreerd. Simon zag de schuine zonnestralen door de gewelfde bogen van het middenschip kruipen en voelde nu wel de wiekslag van de geschiedenis die hij gisteravond in Gamla Stan gemist had.

'Stel je het volgende eens voor', zei Andersson. 'Stel je een lange rij Franse monniken voor die door Europa kuieren, mannetje na mannetje, alsof ze aan een touwtje zitten. Ze hebben allerlei soorten zaden van medicinale planten bij zich, stekken van appels, peren en kersen; kortom al die dingen die de stamvaders worden van het kweekgoed in dit oude heidense land.'

'Zie je het voor je,' zei Andersson, 'hoe ze zich een weg banen door de oerbossen van Småland en iedere ochtend tot hun God bidden dat de wildernis mag ophouden voor het avond wordt en de wolven tussen de bomen beginnen te huilen.'

Simon zag het voor zich.

'En dan op een dag zijn ze er en beginnen ze een kerk en een klooster te bouwen', zei Andersson.

Simon ving een glimp van hen op tussen de overblijfselen van de kapittelzaal, grijze cisterciënzers, de mannen van de heilige Bernardus.

'Wat een lef', zei Andersson. 'Het enige waar ze hun hoop op konden vestigen was een brief van een rotwijf, Ulfhild genaamd, dat al een paar echtgenoten om zeep had geholpen, maar dat toch nog wist te trouwen met Sverker de Oude en hier als koningin op het koninklijk buitenverblijf zat.'

'Ze zullen wel op God vertrouwd hebben.'

'Jazeker. Uw wil geschiede. Dat is nou wat je vertrouwen noemt en dat brengt wonderen tot stand.'

'En overwint de materie en verzet bergen', zei Simon.

Maar toen hij zei dat er vast ook wat paarden en mensen aan te pas waren gekomen toen de monniken rotsblokken haalden uit de kalksteengroeves in Borghamn om hun kerk te bouwen, moest Andersson lachen.

Ze wasten zich met het regenwater uit het doopvont dat in de noordelijke kruisgang stond, waar ook de monniken ooit hun handen hadden gewassen.

'Ik vraag me af,' zei Andersson, terwijl hij terugschakelde naar de eerste versnelling en ze langs het uitbundig met houtsnijwerk versierde toeristenhotel de berg op begonnen te kruipen en Simon zijn adem inhield toen hij het uitzicht zag waarin het Vätternmeer zich in zijn volle glorie liet zien, 'ik vraag me af of het haar slechte geweten was dat Ulfhild ertoe bracht om de monniken hierheen te halen.'

'Het zal wel politiek zijn geweest', zei Simon, die zich dingen van school en van de schrijver Heidenstam begon te herinneren. 'Niet alleen God gaf immers macht aan degenen die met de katholieke kerk op goede voet stonden.'

Andersson glimlachte; het was het soort glimlach dat laat zien dat je meer te vertellen hebt dan je kwijt wilt. Omdat je er geen woorden voor hebt. Of puur om het plezier van het geheimzinnige.

Hij lijkt op een oude Chinees, dacht Simon. Andersson ging verder: 'Hoe het ook zij, het duurde niet lang voordat de kerkklokken over de berg klonken en daarmee koningin Omma en de reuzen wegjoegen.'

'Waar zijn ze heen gegaan?'

Simon vond dit een geweldig moment: de man, de berg, het uitzicht, het gesprek. Dat alles bracht genezing voor de pijn van gisteren.

'Ze zijn naar een andere werkelijkheid gegaan en daar hebben ze het goed', zei Andersson met zo veel overtuiging in zijn stem alsof hij hen pas nog had bezocht.

'Mooi om te horen', zei Simon en toen moesten ze lachen.

'Daar beneden aan de linkerkant heb je de grot van Röd-gavel. Dat was de toegang tot het paleis van de bergkoning', zei Andersson. Maar Simon slaagde er niet in iets van de duizelingwekkende steilte te zien, want ze waren al op de helling die naar de velden van Stocklycke leidde en de weg was omzoomd door grote eiken. Er stonden hier ook lariksen; in deze tijd, waarin de bladeren begonnen te vallen, tekenden ze zich vlammend rood af tegen de hemel. Bij het kleine toeristenbureau draaide de auto scherp naar links en hij begon weer te klimmen, langs Pers Sten in de richting van de landtong van Älvarum. Maar ook hier stopten ze niet; de auto reed verder Örnslid op, naar de helling vanwaar je Västra Väggar kon zien liggen.

Hier remde Andersson af. Hij zei: 'Je hebt toch geen hoogtevrees?'

Simon schudde zijn hoofd; hij was sprakeloos door de grootsheid van de natuur. Zoals de rotsen van Gibraltar uitkomen in de Middellandse Zee, zo kwam de Omberg uit in het Vättern, maar dan bekleed met bos en groots op een Noordse manier. Het meer was helder turkoois, de zon weerspiegelde in het water en hulde de heuvelruggen in een blauwgroene glans.

'Wat een licht', zei Simon.

'Niets zeggen', zei Andersson, terwijl hij de bordpapieren doos en de dekens meenam naar het verste punt van de steile rotswand.

Ik zal hem het gedicht over de zee toesturen, dacht Simon toen ze de slordig belegde broodjes op zaten te eten en hun koffie dronken.

Toen Andersson zijn laatste hap genomen had, zei hij: 'Het water is groen, omdat de reuzen daar hun smerige onderbroeken in wassen.'

Simon barstte uit in een vrolijk geschater, dat in zijn buik begon maar nog weerkaatste in het oude paleis van koningin Omma een paar kilometer verderop.

Andersson lachte zijn geheimzinnige glimlach. De zon

gaf nu warmte en Andersson strekte zich uit op de deken, trok zijn pet over zijn ogen en zei: 'Is het niet gek dat alle kennis die van buitenaf komt, je probeert te doen geloven dat je niet meer bent dan een hoopje vliegenpoep in het heelal? Maar dat alles wat uit jezelf komt, je er voortdurend en indringend van probeert te overtuigen dat je alles bent en alles hebt.'

Simon had hier nooit eerder bij stilgestaan, maar hij dacht even na en zei toen: 'Het zal wel iets biologisch zijn, een soort overlevingsdrang, die je wijsmaakt dat je zelf zo verdomd belangrijk bent.'

'Nee', zei Andersson. 'Het is kennis van binnenuit, en daarop kun je verdorie veel meer vertrouwen dan op kennis van buitenaf.'

Hij gooide zijn pet af, steunde op zijn elleboog en keek Simon lang aan.

'Knijp je ogen dicht, jongen', zei hij. 'Zet je hersenen uit en ga naar binnen, naar de zaal van de bergkoning in je eigen hart. Daar zul je de waarheid horen dat je niet voor niets geboren bent.'

Daarna ging hij weer liggen en hij viel in slaap. Simon deed wat hem gezegd was en sloot zijn ogen. Tot hem kwam het tweede deel van de *Symphonie Fantastique* en vrijwel direct ging hij voorbij de beelden het wit in…

Hij keerde weer terug in de wereld doordat Andersson een hand op zijn schouder legde, een gebaar vol tederheid.

'We moeten verder, jongen. En, heb je de waarheid gehoord?'

'Gehoord misschien niet', zei Simon. 'Meer gevoeld.'

'Goed. Laten we dan maar gaan.'

Van Borghamn zochten ze de weg terug naar de Rijksweg, waar de banden zwegen omdat ze weer asfalt voelden. Andersson begon te fluiten. Simon verstarde; uit gewoonte bereidde hij zich voor op een gevoel van onbehagen, maar toen Andersson de melodie uit het tweede deel van Berlioz floot, klonk er geen toon verkeerd.

Het was een ochtend zo vol wonderen geweest dat Simon zich hier niet meer over verbaasde. Alles was zoals het wezen moest; ook het feit dat Andersson de muziek die boven op de berg door Simons hoofd had geruist, had gehoord.

Toen ze Jönköping achter zich hadden gelaten en het hoogland van Småland begonnen te beklimmen, kreeg Andersson het hele verhaal te horen over Iza.

'Snapt u wel wat een walgelijk figuur ik ben?'

'Dat is wel een beetje overdreven', zei Andersson. 'Ik zou eerder zeggen dat jij een van die arme drommels bent die in het leven rondlopen om oude schulden af te betalen. Daar moet je mee ophouden, want er bestaat geen andere schuld dan die in je verbeelding.'

Simon zweeg lange tijd, zo verbouwereerd was hij. Maar toen vermande hij zich en stelde de vraag: 'Dus dat dient nergens toe, proberen af te betalen?'

'Nee, dat lukt niet', zei Andersson. 'Er bestaat geen gangbare valuta voor. Maar dat spreekt immers vanzelf: als de schuld niet bestaat, kan er ook niets zijn om hem mee af te betalen.'

'Ik begrijp wel wat u bedoelt,' zei Simon, 'maar...'

'Je bent geweldig', zei Andersson en Simon kon horen dat hij de spot met hem dreef. 'Meestal duurt het een heel leven lang voordat mensen hun afbetalingen staken.'

Het bleef lang stil in de auto. Simon keek uit over het veen in Bottnaryd en dacht zo intensief na dat zijn gezicht ervan vertrokken was. Al het zware binnen in hem, het veel te gevoelige en pijnlijke dat hij altijd schuldgevoel had genoemd, bestond niet.

'Dan zal het wel verdriet zijn', zei hij voor zich heen.

'Verdriet', zei Andersson, 'is in het algemeen slechts zelfmedelijden.'

'Nu gaat u toch echt te ver', zei Simon, maar hij moest lachen want het klopte; wat Andersson zei klopte op dat moment.

'Alleen het moment bestaat', zei de vrachtwagenchauffeur.

'Maar grote God…' zei Simon.

'Precies', zei Andersson. 'God is de God van het moment; zoals hij je aantreft neemt hij je. Hij vraagt niet wat je geweest bent, alleen hoe je op dat moment bent.'

Op de helling bij Ulricehamn zette hij de auto in z'n vrij en hij vervolgde: 'Jij bent zeker ook een van die gekken die denken dat ze controle hebben over hun leven. Daarom voel jij je ook aangetrokken tot wat je het kwaad noemt. Je verbeeldt je dat als je begrijpt hoe het kwaad werkt, je je ertegen zult kunnen verdedigen en niet meer bang hoeft te zijn.'

Simon haalde diep adem; dit was waar, dat wist hij, en dat deed hem tegelijkertijd pijn en goed.

Anderssons stem klonk opnieuw, maar nu zachter. 'Waar ben je bang voor, jongen?'

'Ik weet het niet', zei Simon, maar het volgende moment wist hij het wel en een oude angst bewoog zich diep in zijn buik.

Hij vertelde over Inge, over zijn gevoel van verlatenheid voordat Karin kwam. Andersson knikte: 'Het lichaam heeft zijn eigen herinneringen', zei hij.

Ze naderden nu Borås waar het, zoals gewoonlijk, regende. Andersson draaide zijn raampje dicht en wist na wat gewurm de ruitenwissers aan de gang te krijgen.

'Er is iets vreemds met kleine kinderen', zei hij. 'Met hun bewustzijn. Heb je wel eens een pasgeboren baby in de ogen gekeken?'

Nee, dat had Simon nog nooit gedaan.

De regen hield opeens op in Sjömarken en Simon vroeg: 'Hebt u kinderen?'

'Een heleboel, verspreid over de wereld.'

'Ook in Amerika?'

'Ja, daar ook en ook op andere plaatsen.'

'Dus u hebt hier niemand meer thuis?'

'Jawel, ik heb een zoon in Zweden', zei Andersson en zijn geheimzinnige glimlach was zonniger dan ooit toen hij zei: 'Een verrekt fijne knul.'

Toen ze in de glans van de namiddagzon langs de opslagplaatsen van Kallebäck Göteborg binnenreden, waren er volgens de klok zes uren verstreken. Maar voor Simon was de reis kort geweest als een ademtocht; hij had wel eeuwig bij Andersson in de auto willen blijven zitten.

'Daar zijn we dan', zei de chauffeur terwijl hij afremde voor het Centraal Station op het Drottningtorg. Je moet nu opschieten, want ik heb niet zo veel tijd meer.'

'Zeg, kan ik uw adres ook krijgen?'

Toen hij op het trottoir stond en zag hoe Andersson het portier dichttrok, begon Simon in zijn geestdrift haast te stotteren.

'We zien elkaar nog wel, jongen. We zien elkaar nog wel, wees daar maar niet bang voor.'

Hij moest naar de boot die naar Engeland voer en Simon zag de auto in de richting van de kades verdwijnen. Zijn vracht moest voor vijf uur aan boord van de Britannia zijn.

Hij voelde zich ontzettend eenzaam.

Maar hij liep naar het station en telde zijn geld. Nog steeds vijf kronen en vijfenzeventig öre. Er zaten een paar munten van tien öre bij.

Karin nam op.

'Hallo, ma. Alles is prima met mij. Is Isak daar ook?'

'Nee, hij is met Mona naar de bioscoop.'

Simon probeerde na te denken en won tijd door een vraag te stellen: 'Gaat het goed met je?'

'Prima.'

'Zeg ma, wil je tegen Isak zeggen dat het gelukt is, dat het nu voorbij is?'

'Maar, Simon, waar heb je het over?'

Hij hoorde haar ongerustheid en dacht: verdomme.

'Het is een grapje, moeder, een weddenschap.'

'O.' Haar stem klonk nu een beetje zuur; ze geloofde hem niet.

'Moeder,' schreeuwde Simon, 'mijn munten zijn bijna op, maar luister: ik heb me in mijn hele leven nog nooit zo goed gevoeld.'

Dat geloofde ze wel. Ze lachte en toen werd het gesprek afgebroken.

Toen hij de volgende zaterdag weer in de stad kwam, was hij urenlang bezig om alle transportbedrijven af te gaan om te informeren naar Andersson, een kleine kerel met bruine ogen die in een groene Dodge reed.

Nee, niemand kende Andersson.

Het zal wel een of andere vrijbuiter zijn, zeiden ze. Die heb je veel in deze bedrijfstak.

's Ochtends kreeg Karin van Erik altijd koffie op bed. In het begin had ze zich er een beetje opgelaten door gevoeld, maar algauw was het een gewoonte geworden. Ja, een behoefte zelfs, om nog in het warme bed te mogen blijven met versgezette koffie en ochtendgedachten die zelf ook vaak nieuw en prettig waren.

In deze nawinterse periode draaiden die gedachten vaak om Simon, die opgewekt en gelijkmatig was ondanks het feit dat het leven daar tussen de eilanden in de kou en de wind nou niet bepaald vrolijk kon zijn.

Op een dag in februari toen het buiten sneeuwde en zij het bedlampje had aangedaan om de sneeuwvlokken in de ochtendschemering te kunnen zien, klopte Mona aan haar deur.

O ja, dacht Karin, het is woensdag en ze is vrij.

'Mag ik hier een poosje bij je komen zitten?'

Mona kroop aan het voeteneinde en trok een deken om zich heen.

'Wil je koffie?'

'Nee, dankjewel, ik heb al ontbeten.'

En meteen daarop zei ze, alsof ze het maar zo snel mogelijk achter de rug wilde hebben: 'Karin, ik ben in verwachting.'

Karin had het gevoel dat haar hart zich heel even vreemd gedroeg, maar daar was ze aan gewend dus ze besteedde er niet veel aandacht aan. De gedachten buitelden door haar hoofd en ze had allerlei tegenstrijdige gevoelens: de oeroude angst van vrouwen voor bevallingen, tederheid ten aanzien van het meisje, blijdschap, ongerustheid en, het moeilijkst van alles, het oude verdriet over haar eigen kinderloosheid.

Jaloers, dacht ze, ik ben jaloers.

Maar toen drong het opeens tot haar door: ik krijg een kleinkind.

Dat was wel niet echt zo, maar toch was de blijdschap over dat gevoel allesoverheersend.

'Goeie genade, wat leuk', zei ze.

En met een brede lach: 'Dat hadden we kunnen weten; zo veel liefde in zo'n smal bed en dan zo'n klein rubberen dingetje om dat allemaal tegen te houden.'

Mona had verteld over het pessarium en het getoond aan een verbaasde Karin, die had gezegd dat zij nooit van z'n leven op zo'n dun, flodderig rubberen blaasje zou durven vertrouwen.

Mona had zich namens het pessarium gekrenkt gevoeld, maar ze kon nu natuurlijk niet met de waarheid voor de dag komen, namelijk dat ze het pessarium al een hele tijd niet meer gebruikt had omdat ze wilde trouwen. En kinderen krijgen.

Maar vooral omdat ze weg wilde uit de verpleegstersopleiding.

'Nu wordt je oma, lieve Karin', zei ze.

'Een soort oma, in ieder geval.'

Ze lieten zich heerlijk gaan in vrouwenpraat over het jongetje, nee, meisje, zoals Mona zei. 'Ik ben er vrijwel zeker van dat het een meisje wordt. En ze gaat Malin heten.'

'Waarom?' vroeg Karin, die dat een lelijke, ouderwetse naam vond die bij haar de geur van het armoedige Zweden van vroeger opriep.

'Zo heette mijn moeder', zei Mona en daar viel natuurlijk niets tegen in te brengen.

'Weet Isak het al?'

'Nee, nog niet.'

'Jullie moeten trouwen.'

'Mmm. Heb je gehoord dat de kapper met zijn gezin naar de stad gaat verhuizen? Ze zullen wel niet langer tegen al dat geroddel over Dolly kunnen. Nu had ik gedacht dat wij hun driekamerappartement op de bovenverdieping bij Gustafsson wel zouden kunnen huren.'

'Dat is een goed idee', zei Karin, terwijl ze dacht dat het leven toch goed voor haar was; ze zou Mona en Isak als naaste buren krijgen. En het meisje; Karin dacht al aan de ongeborene als meisje.

'Jij zou misschien Gustafsson op kunnen bellen om het te vragen.'

'Jazeker', zei Karin.

Maar toen begonnen ze te praten over de lastige kant van het verhaal: Isak en de Technische Hogeschool.

'We kunnen wel van een studiebeurs leven', zei Mona. 'Dat is natuurlijk wel belachelijk als je bedenkt hoe rijk Ruben is, maar toch, het zal best gaan.'

Ze keek Karin smekend aan, die haar hoofd even schudde. Bij Götaverken was Isak zich bewust geworden van het verband tussen geld en gevoel voor eigenwaarde. Hij betaalde zorgvuldig zijn kostgeld aan Karin en Erik. Tegen Ruben had hij gezegd dat hij zelf het honorarium van Maria wel kon betalen. Dat was een flinke kostenpost, temeer omdat hij had begrepen dat hij nog jarenlang naar haar toe zou moeten.

Soms waren ze zo arm geweest dat Mona geld voor de tram van Karin had moeten lenen.

Karin zag wel in dat Isaks houding voor hemzelf van belang was, maar soms had ze wel eens medelijden met Ruben.

Maar nu zaten ze op bed en prevelden zacht voor zichzelf: lakens en handdoeken, kussens, dekbedden, bedden, meubels, pannen, borden…

'We nemen gewoon het allereenvoudigste', zei Mona, maar toen Karin zei dat ze maar eens moesten kijken wat ze nog in de kelder hadden liggen, moest ze haar ogen neerslaan om haar boosheid te verbergen.

'Het kan niet veel zijn', zei Karin, die besefte dat ze het meeste hadden weggegooid toen ze het huis hadden verbouwd.

'Het is wel jammer van je opleiding', zei ze daarna, want ze had zich verheugd over het feit dat Mona verpleegster zou worden.

'Ach,' zei Mona, 'ik wil helemaal geen verpleegster worden.'

'Maar je weet dat het goed is om een beroep te hebben voor het geval er iets zou gebeuren', zei Karin, maar meteen daarna realiseerde ze zich dat in Rubens familie niemand ooit armoede zou hoeven lijden.

Toch zuchtte ze, zonder te weten waarom.

Voordat Lisa kwam, belde Karin de Gustafssons op. Nee, die hadden het appartement nog niet aan iemand anders toegezegd; jawel, dit zou een mooie oplossing zijn.

Terwijl Lisa het huis schoonmaakte, gingen Mona en Karin een wandeling langs de oever van de rivier maken. Het was opgehouden met sneeuwen. Een bleek winterzonnetje liet zich zien en kleurde het ijs rond de steigers goudgeel.

'Je moet het Isak wel gauw vertellen', zei Karin.

Tegen de middag nam Mona de tram naar de stad. Staand op de kade zag ze de ponten de rivier oversteken met aan boord de mannen van Götaverken. Hij stond al op de eerste pont. Toen hij haar in het oog kreeg, werd hij blij maar ook een beetje ongerust.

'Je moet even kennismaken met Onsala.'

Mona schudde de lange revolverdraaier de hand. Daarna bleven ze alleen op de kade achter en ze zag de vragende blik in zijn ogen.

'We gaan lopend', zei ze.

Isak leidde zijn fiets aan de hand en probeerde tegelijkertijd een arm om haar schouders te houden.

'Er is toch niets gebeurd?'

'Jawel', zei ze. 'We krijgen een kind.'

Isak liet zowel haar los als de fiets, die rinkelend op straat viel. Hij bleef stokstijf staan, terwijl hij het gevoel van vreugde helemaal tot zich door liet dringen. Daarna zei hij hetzelfde als Karin had gezegd: 'Goeie genade, wat fantastisch.'

Na een poosje liep hij terug naar de fietsenstalling waar hij zijn fiets op slot zette. Hij nam Mona bij de hand en zei: 'We gaan eerst naar mijn vader.'

Ze vlogen door de stad; hun voeten raakten het trottoir nauwelijks aan. Tenminste niet voordat ze de ingang van Rubens huis naderden en Mona terugkeerde in de werkelijkheid.

'Wat zal hij zeggen?'

'Hij zal blij zijn.'

Toch was ook Isak verbaasd toen hij zag hoe blij Ruben was toen ze, erg jong en een beetje angstig, voor Ruben stonden en Mona zei: 'We krijgen een kind.'

Het was een blijdschap die uit grote diepten opborrelde,

uit bronnen van duizenden jaren oud; de blijdschap van het bloed, de blijdschap van de familieband.

Het was alsof Mona dat begreep, want ze zei: 'Het wordt een joods kind. We gaan in de synagoge trouwen en ik neem jullie geloof aan.'

Toen deed Ruben iets onverwachts: hij stak de zevenarmige kandelaar aan en terwijl ze voor de roerloze vlammetjes stonden, sloeg hij zijn armen om Mona en Isak heen en zei een lang gebed in het Hebreeuws op.

Ze namen de oude gebedsregels in zichzelf en in het kind dat luisterde op. Ze konden de woorden niet begrijpen, maar deze straalden een rust uit die alle verstand te boven ging.

Wat later belde Ruben Karin op om te vragen of ze die avond bij hem in de stad konden komen eten; hij had iets belangrijks te vertellen. Hij hoorde haar heldere lach klinken toen ze antwoordde dat ze dat maar moesten proberen, Erik en zij, maar pas toen Ruben de hoorn erop had gelegd, begreep hij wat dat betekende.

Ze wist het natuurlijk al, die wijze schikgodin van hem.

Aan tafel zei Isak: 'Zeg vader, ik ben van plan om bij Götaverken te blijven. Die Technische Hogeschool, die laten we maar voor wat het is.'

Mona sloeg haar ogen neer om te verbergen wat ze dacht, maar Eriks ogen blonken nieuwsgierig en een beetje vals. Nu zouden ze eens zien hoe diep die klasseloosheid die Ruben altijd tentoonspreidde nou zat. Als het erop aankwam zou hij het er vast niet mee eens zijn dat zijn zoon een doodgewone arbeider werd.

Maar Ruben zei: 'Ik had dat al een beetje verwacht, Isak. Je hebt het er immers zo goed naar de zin.'

Toen wendde hij zich tot Erik en zei pochend: 'Isak heeft nou zijn eigen draaibank, een ontzettend ingewikkeld apparaat.'

Erik was verbijsterd, maar toen sloeg hij met zijn vuist op tafel zodat de glazen ervan dansten en zei: 'Maar verdomme...'

'Vloek nou niet zo', zei Karin en hij viel haast van zijn stoel, want Karin vloekte zelf ook nog wel eens. Maar misschien dacht ze aan het kind in Mona's buik...

'Isak', zei Erik. 'Je hebt geen idee van hoe dat later gaat, hoe je jezelf verslijt en pijn in je rug krijgt en reumatiek. Om nog maar te zwijgen van gehoorbeschadigingen en schamele lonen. Ik heb zelf ooit op de werkvloer gestaan, dus ik weet hoe het is. Op den duur worden de viezigheid en het lawaai onverdraaglijk.'

'En dan die onvrijheid,' zei hij, 'dat is nog het ergste.'

Isak was van plan om te zeggen dat hij inmiddels al het een en ander had meegemaakt, maar dat hij er toch de voorkeur aan gaf om hard te werken dan om een of andere poepchique ingenieur te worden. Maar Karin gooide het over een andere boeg: 'Isak heeft praktijkervaring nodig, ook als hij later op de Technische Hogeschool begint. Het kan nooit kwaad als hij nog een paar jaar blijft. Dan hebben ze ook een beetje regelmaat in hun leven als het kind nog klein is.'

Toen vertelde ze over het appartement van de Gustafssons.

'Is dat niet oncomfortabel?' vroeg Ruben.

'Nee, ze hebben er een badkamer en verwarming in aangelegd.'

Isak dacht: God is goed. Hij zou vanavond al bij Gustafsson langsgaan. Maar Mona en Karin dachten aan lakens en linnengoed, meubels en matrassen, borden en kopjes en andere benodigdheden.

Maar niemand van hen zei iets en toen Ruben proostte met Karin zag zij in zijn vrolijke ogen dat hij een idee had.

Mona vertelde dat ze zou overgaan tot het jodendom. Erik keek verwonderd, maar Karin knikte; ze begreep het wel.

Niemand wijdde een gedachte aan de visboer.

Ze braken vroeg op zodat Isak nog tijd had om langs Gustafsson te gaan. Een half uur later kwam hij thuis met de mededeling dat alles in orde was; aanstaande zaterdag zou hij het huurcontract tekenen.

Het werd wel duurder dan hij had gedacht. Hij noemde een bedrag waar Karins mond van openviel.

'Die Gustafsson heeft zijn slag geslagen', zei Erik toen Karin en hij alleen waren. 'Hij zal wel gedacht hebben dat de zoon van die rijke Lentov geld genoeg heeft.'

Karin knikte, maar zei dat er immers woningnood heerste, dus dat ze toch dankbaar moesten zijn.

De volgende dag ging Mona naar het hoofd van de verpleegstersopleiding om op te zeggen. Ze zei de waarheid, dat ze zwanger was, en de bitse dame snauwde daarop kortaf: 'Tja, dan zou je toch van school worden gestuurd.'

Terwijl het meisje de nodige papieren invulde, praatte het hoofd over de zedeloosheid van de jeugd en ze vroeg of het kind ook een vader had. Zo, dus er ging getrouwd worden. En of ze mocht vragen wie de gelukkige was?

Mona glimlachte fijntjes toen ze zei: 'Ja, het is de zoon van Ruben Lentov.'

'De juffrouw keek alsof ze zich verslikt had', zei Mona toen ze het aan Ruben vertelde. Die moest glimlachen en hij dacht: hier is dan eindelijk een kind dat trots op mij is. Ze zaten samen te lunchen in een restaurant, zoals ze vorige avond hadden afgesproken.

Toen dreunde Ruben dezelfde reeks op als Karin en Mona hadden gedaan, maar dan in een iets andere volgorde. 'Meubels en behang, porselein en zilver', zei hij en Mona hield van hem vanwege die mooie woorden.

Hij haalde een envelop te voorschijn. 'Dit is een cadeau voor mijn schoondochter', zei hij.

'Maar Isak dan', zei ze.

'Isak heeft niets te maken met de vriendschap tussen jou en mij', zei hij met glinsterende ogen.

Mona stopte glimlachend de envelop in haar handtas. Tijdens de hele reis met de tram naar Karin weerstond ze de verleiding om hem te openen, maar bezorgd dacht ze dat hij er dun had uitgezien en ze hadden zo veel dingen nodig. Tapijt had Ruben gezegd, en ze wist een zaak waar ze prachtige kleden met ingeweven geometrische motieven hadden.

Bij Karin thuis haalde ze de envelop te voorschijn. Hij was nog dunner dan haar voor de geest stond. 'Maak jij hem maar open', zei ze. 'Ik durf niet.'

Karin pakte resoluut een mes om de envelop open te snijden. Er zat maar één velletje papier in.

'Het is vast een cheque', zei ze. Geen van beiden had die eerder gezien.

'Er staat tienduizend op', zei Karin en Mona moest even op de keukenbank gaan zitten om niet flauw te vallen van blijdschap.

Met een kopje koffie probeerden ze weer bij zinnen te geraken. Daarna gingen ze het appartement bekijken, waar de vrouw van de kapper juist begonnen was met inpakken.

Zo veel rozen, dacht Mona, wat lelijk. Maar de kamers zelf waren mooi, ruim en licht, en de keuken had dezelfde gezellige sfeer als die van Karin.

'Kijk eens', zei Mona, toen ze voor het raam van een van de slaapkamers stonden en naar het huis van de Larssons keken. 'We kunnen naar elkaar zwaaien.'

'Wat een afschuwelijke meubels en vreselijke kleden', zei Mona toen ze weer thuis waren. 'Wij gaan iedere kamer wit verven.'

Karin, die het kappersgezin nooit had gemogen maar hun huis met de stijlmeubels en de kroonluchters altijd had bewonderd, was verbaasd.

'Hoe ga je het dan inrichten?'

'Witte muren, witte meubels, witte gordijnen', zei Mona.

'Dat klinkt... licht', zei Karin.

'Weinig meubels, maar wel dure', zei Mona. 'En veel bloemen.'

Ze ging helemaal op in haar droom en Karin concludeerde dat ze die al lange tijd moest hebben gekoesterd.

'Het gaat eruitzien als een pastorie op het platteland', zei Mona. 'En de keuken wordt net zo als die van jou, met lichte kleden op de grond. Geen kroonluchters of andere rommel.'

Karin besefte dat ze zich gevleid moest voelen en zei maar niet dat ze altijd graag een kroonluchter had willen hebben.

Ze hoorden Isak op de oprit fluiten, vals als altijd, en Mona keek alsof ze een slecht geweten had. Hij zag het meteen: 'Wat heb jij uitgespookt?'

Hij maakte een grapje, maar werd een beetje bang toen Mona zei dat ze beter even naar boven konden gaan om met elkaar te praten.

'Als je hulp nodig hebt, dan roep je me maar', zei Karin, die het waarschijnlijk ook beetje benauwd had.

Maar een ogenblik later hoorde ze Isaks lach door het plafond heen en plotseling kwam hij de trap afstormen. Hij omhelsde Karin en deed Rubens wat slepende manier van praten met het lichte accent na, toen hij zei: 'Zeg maar tegen Isak dat hij geen barst met de vriendschap tussen Mona en mij te maken heeft.'

'Die pa van mij is toch een verdomd sluwe, ouwe jood.'

Isak was opgelucht en Karin en Mona beseften tegelijkertijd dat ook in zijn hoofd dezelfde opsomming had rondgemaald: lakens, linnengoed, meubels, porselein.

28

Een paar weken later vond plaats wat de familiegeschiedenis in zou gaan als de zaterdag waarop alles tegelijk gebeurde.

Wat Ruben betrof begon de dag niet zo goed.

'Uw nichtje is aan de telefoon.'

Ruben onderdrukte een grimas en zei vermoeid: 'Het is niet mijn nichtje, het is het nichtje van mijn vrouw.'

Hij besefte dat hij zich belachelijk maakte.

De stem klonk net zo koortsachtig en veeleisend als altijd. Ze wilde meer geld.

'Ik lijd honger', zei ze.

Maar door de jaren heen was hij harder geworden tegenover Iza; hij dacht aan Olof Hirtz en dat hij grenzen aan het meisje moest stellen. Hij zei: 'Je weet dat je het moet doen met het geld dat je krijgt.'

Ze zat te spinnen als een kat toen ze hem antwoordde: 'Simon heeft hier een week gelogeerd. Hij heeft gegeten als een paard en hij wilde de stad zien en geld uitgeven en zo.'

Rubens hart werd zwaar, maar zijn stem klonk kalm toen hij vroeg: 'Wanneer was dat?'

'Het is al even geleden.' Ze verloor nu de controle over haar stem en hij wist dat ze loog, maar niet over alles.

'Ik stuur je een briefje van honderd', zei hij. 'Hoe gaat het op school?'

'Goed', zei ze. 'Dank u wel, lieve oom.'

Het was zaterdagochtend en hij belde Karin om te vragen of Simon net zoals anders ook dit weekeinde verlof had.

'Ja, we verwachten hem wel.'

'Dan haal ik hem op bij het regiment.'

Ruben was kwaad, en hij wist dat zijn woede tot taak had hem tegen ongerustheid te beschermen. Dus probeerde hij zo goed als hij kon om kwaad te blijven: die verdomde jongen.

Simon stond op de steiger op de boot te wachten die hem naar het vasteland zou brengen. De wind kwam van zee; een noordwestenwind die bitterkoud was. De wind was niet in de stad geweest en bracht dus geen bericht voor hem mee over Rubens kwaadheid.

Simon was in een goed humeur.

Die nacht had hij wachtgelopen langs de donkere zee. Dat was eentonig en saai, maar hij was er nu aan gewend. In het begin had hij zich in zijn hoofd gehaald dat hij wilde dat het oorlog werd, met vijandelijke vaartuigen aan de horizon en sluipschutters op de eilanden. Dan zou je tenminste mogen schieten en alarm slaan en geweldig veel lawaai maken.

Er waren erbij die dat ook hadden gedaan. Ze werden uitgescholden door Sjövall en nog weken daarna geplaagd door hun kameraden, die door het alarm uit hun bedden waren gerukt en de angst in hun maag hadden gevoeld.

Simon had die nacht lang naar de schereneilanden staan kijken en bedacht dat de eilanden wisten dat hij daar stond en hen waarnam. Hij had zich gerealiseerd dat ze al een eeuwigheid hun eigen leven leidden; sinds het ijs van de ijstijd tienduizenden jaren geleden was vertrokken, had niets hen meer beïnvloed. Maar daarna had hij zich gerealiseerd dat ze een andere tijdrekening hadden. Hij had een gesprek gehad met een atoomfysicus, die hem had verzekerd dat er binnen in die rotsen een dans aan de gang was.

'Ik geloof je', had Simon gezegd, terwijl hij zich probeerde voor te stellen hoe het ritme in het graniet zou zijn en hoe iets danst dat geen angst kent.

Toen werd hij afgelost. Hij had nog een paar uur de gelegenheid om te slapen, voordat het tijd was voor het onderhoud van zijn uitrusting en transport naar het vasteland.

Ruben zag de jongen op zich afkomen. Lang en vrolijk, met een witte glimlach in het getaande gezicht, intensieve bewegingen en een stevige handdruk.

Hij is volwassen en heeft recht op een privé-leven, dacht Ruben, maar het was al te laat.

'Je bent boos op mij', zei Simon.

'Nja', zei Ruben. 'Stap in.'

Simon maakte het hem niet moeilijk. Hij was dezelfde als altijd, een open boek dat gelezen wilde worden en dat er ook niets aan kon doen dat zijn inhoud rijk en gecompliceerd was.

'Iza heeft gebeld', zei Ruben, terwijl hij begon te rijden.

Simon werd knalrood. Hij sloot zich af en het werd stil in de auto. Hij voelde zich ontmaskerd; alsof Ruben alle beschermende vermommingen van hem had afgerukt en zijn diepste en meest geheime fantasieën had ontsluierd.

'Waarom ben je naar haar toe gegaan?'

'Omdat ik kinderlijk ben en met gevoelens speel.'

Weer een lange stilte.

'Ik had me in mijn hoofd gehaald dat zij mij werkelijk zou maken', zei hij.

En vervolgens: 'Daar ben ik absoluut niet in geslaagd. Ik heb het alleen maar erger gemaakt voor haar.' Hij probeerde te vertellen over de spinnen, over de lust om vernietigd te worden, maar hij raakte van zijn apropos omdat hij zelf hoorde hoe ziek het klonk.

'Ik had ook een hoop schuldgevoelens', zei hij. 'Belachelijke fantasieën dat ik deelgenoot van haar lot kon worden.'

Weer werd het stil; hij zocht naar woorden.

'Ik kon niets voor haar doen.'

'Nee, Simon, dat kan niemand.'

'Dat is verschrikkelijk.'

'Ja.'

'Ik schaam me dood.'

'Je gaat niet weer naar haar toe?'

'Nooit van mijn leven.'

Ruben slaakte een zucht van opluchting. Maar hij kon het niet laten om Simon even te plagen: 'Maar je hebt bij haar gegeten en op grote voet geleefd in de stad en haar geld opgemaakt.'

'Dat is gelogen', zei Simon en hij vertelde hoe hij op straat had gestaan met vijf kronen en vijfenzeventig öre op zak en eerst uit moest rekenen of hij wel genoeg geld had voordat hij een café binnen durfde te gaan om een paar broodjes te bestellen.

Ruben moest lachen.

'Kunnen we niet even stoppen, dan zal ik je iets vertellen', zei Simon. Ruben zocht een bushalte op en zette de auto op de uiterste punt van de parkeerplaats.

Toen kwam het verhaal over Andersson, over de Omberg en Alvastra en over de reuzen die hun onderbroeken in het Vätternmeer wasten.

'Hij vertelde de meest fantastische dingen, snap je; het ging maar door. Sinds ik hem ontmoet heb, ben ik alleen nog maar in een goed humeur geweest.'

Ruben voelde zich bijna jaloers, maar vervolgens raakte

ook hij gegrepen door het verhaal over de zaal van de bergkoning in je eigen hart en over hoe een mens weet dat hij
niet voor niets leeft.

'Maar het mooiste wat hij zei ging over schuld', zei Simon. 'Hij zei dat schuld niet bestaat; dat schuld gaat over
misdaden die nooit begaan zijn en waarvoor je daarom ook
nooit boete kunt doen.'

'Dat heb ik ook wel eens gedacht', zei Ruben. 'Maar dat
is niet waar; de mens laat altijd anderen in de steek, doet
anderen pijn en verzuimt dingen te doen.'

'Jij toch niet?'

'O, ja zeker. Ik heb Isak in de steek gelaten toen hij klein
was. Ik heb Olga pijn gedaan door met haar te trouwen
ondanks het feit dat ik niet haar wilde hebben. Om nog
maar te zwijgen over mijn ouders; ik heb verzuimd om
hen te dwingen met mij mee naar Zweden te gaan.'

'Maar hoe had je ze dan kunnen dwingen?'

'Als ik had gewild, had ik dat best gekund.'

'Andersson zei dat God de God van het moment is en
dat hij zich alleen druk maakt over wie je nu bent.'

'Zo gemakkelijk zit het volgens mij niet in elkaar', zei
Ruben, maar Simon luisterde niet omdat hij naar andere
citaten uit het gesprek in de vrachtwagen zocht.

'In elk geval kun je niet afrekenen; er bestaat geen gangbare valuta om schuld mee af te betalen.'

Ruben bleef Simon lang aankijken. Dat is waar, dacht
hij. Dat is afschuwelijk, maar waar.

'Wat zei hij nog meer?'

'Dat de meeste mensen hun hele leven door blijven gaan
met zinloze afbetalingen en piekeren over waarom hun
schuldgevoel niet kleiner wordt.'

'Ik zou die Andersson wel eens willen ontmoeten', zei
Ruben.

'Dat kan niet', zei Simon en hij vertelde hoe hij alle transportbedrijven van de stad was afgegaan om de chauffeur te zoeken.

'Er is niemand die hem kent.'

'Vreemd.'

'Ja.'

Ze keken elkaar verwonderd aan, schudden hun hoofd en reden toen verder naar de stad.

'Hoe gaat het met Mona?'

'Heel goed', zei Ruben, waarna Simon hem vertelde dat Andersson gezegd had dat je pasgeborenen in de ogen moest kijken omdat je dan zo veel kon leren.

Toen ze de Torgny Segerstedtsgata uit reden in de richting van Långedrag, zei Ruben: 'Het duurt nu niet lang meer of je bent vrij.'

'Nog zes weken, dan zwaaien we af. We beginnen de dagen nu af te tellen.'

'Ik ga eind april naar Amerika en keer via Londen en Parijs weer terug. Ik was van plan om je uit te nodigen om mee te gaan, als je tenminste interesse hebt.'

'Nou en of!' schreeuwde Simon. Maar toen vroeg hij: 'Waarom wil je mij meenemen?'

'Omdat dat leuk zou zijn…'

Simon moest hardop lachen. Het was waar; Ruben en hij hadden het leuk samen. Het ging niet om een of andere oude afbetaling ten opzichte van Karin, het ging om hem, om Simon.

Ruben straalde helemaal toen hij zei: 'Ik stel maar één voorwaarde. En dat is dat je me niet meer aanspreekt met dat irritante oom. Daar ben je nu te oud voor.'

'En jij te jong, Ruben', zei Simon en toen kwamen ze aan bij de huizen op de werf.

Er wachtte hun een grootse en drukke maaltijd; een ont-bijtlunchdiner, zei Karin, omdat er niemand was die tijd had om meer dan één keer per dag voor het eten te zorgen. De zondagse kamer was veranderd in een werkplaats en naaiatelier. Aan de ene kant van de kamer bolden wolken witte mousseline op rond Karins oude naaimachine en aan de andere kant stond de tafel met tekeningen op schaal, kleurstalen, papieren modellen van meubels en stapels bro-chures.

'Is dat een trouwjurk?' vroeg Simon, terwijl hij verbijsterd naar Mona keek die te midden van al dat wit zat.

'Nee, gekkie', zei ze. 'Het zijn gordijnen.'

Simon ging op zijn knieën voor haar zitten. 'De heilige maagd,' zei hij, 'want je bent nog niet getrouwd.' Hij legde zijn hoofd tegen haar buik en zei: 'Hallo, daarbinnen.' Hij keek Mona aan. 'Een meisje', zei hij.

'Ja,' zei Mona, 'zeker is het een meisje.'

'Die twee zijn niet goed wijs', zei Isak.

'Zwangere vrouwen zijn een beetje vreemd', zei Karin.

'Ja, dat heb ik begrepen. En Simon is altijd al gek ge-weest.'

Ze liepen te eten, want het was een buffet en midden in alle drukte zei Simon terloops: 'Als ik afgezwaaid ben, ga ik met Ruben mee naar Amerika.'

Verwondering en blijdschap. Maar Karin zei dat ze haar het leven benamen; waren een trouwerij, een nieuwe wo-ning en een bevalling nog niet genoeg en moest er nu ook nog een reis naar Amerika bij komen?

'Maar moeder', zei Simon een beetje angstig. 'Je hoeft je over mijn reis toch geen zorgen te maken.'

'Simon', zei Karin. 'Ik heb begrepen dat de kleren van de kroon iets magisch hebben, want ze groeien mee met de jongens die erin zitten. Maar hier thuis bezitten we die to- verkracht niet en ik geloof niet dat je nog een kledingstuk hebt dat je past.'

Ze moesten lachen, zoals ze iedere zaterdag hadden moeten lachen om Simons pogingen om zich in burger te kleden met truien die halverwege zijn armen ophielden en broeken die eruitzagen alsof iemand ze halverwege de kuit had afgeknipt. Om nog maar te zwijgen over de colbertjes die van pure schrik uit elkaar zouden zijn gebarsten als Si- mon had geprobeerd om ze aan te trekken.

'Na je afzwaaien heb je nog wel een paar dagen om het kledingvraagstuk op te lossen', zei Ruben. 'Maar ik heb je paspoort nodig, Simon. Je hebt toch wel een paspoort?'

Simon knikte. In de loop van het laatste schooljaar had hij zich een paspoort aangeschaft met een soort avontuur- lijk gevoel dat de wereld nu weer open lag en dat mis- schien…

'Gelukkig', zei Ruben, die dacht aan de geest van Mc- Carthy die net zo sterk over de douane hing als over alle andere dingen in Amerika.

Daarna werden Simon en Isak naar de bovenwoning van de Gustafssons gestuurd om maten op te nemen; van de keuken dit keer. Simon stond lang naar de oude meisjes- kamer van Dolly te kijken en Isak zei dat je hiervandaan recht op de bovenverdieping thuis kon kijken.

Simon knikte; ja, dat was zo.

De kamers waren al geverfd. Alles was wit zoals Mona had bepaald.

'Ik krijg amper de kans om ergens een mening over te hebben', zei Isak toen Simon opmerkte dat het wel oogver- blindend was.

Ze liepen terug naar de grote woonkamer.

'Zeg, Isak', zei Simon. 'Ik wil je iets vertellen.'

'Nog meer?' zei Isak met gespeelde angst. Over Iza en het bezoek aan Stockholm hadden ze al gepraat, dus voor hen was dat afgehandeld.

Maar het was het zwijgen over Bylund dat Simon had dwarsgezeten.

Hij ging met gestrekte benen op de grond tegen de muur zitten. Isak deed dat ook.

'Weet je,' zei Simon, 'ik heb Bylund destijds bijna dood-geslagen.'

Isak keek hem met grote ogen aan en een rode opwinding verspreidde zich door zijn lichaam; hij wilde alles weten.

Toen Simon was aangeland bij de voortanden die in een plas bloed op de vloer van de gang hadden gelegen, kon Isak niet meer stil blijven zitten. Hij stond op, waggelde alsof hij dronken was en begon in de lege kamer rond te dansen.

'Je weet dat ik altijd goed in vechten ben geweest', zei Simon met gespeelde verlegenheid. Isak hield opeens op met dansen en herinnerde zich de eerste keer dat hij Simon ontmoette; hoe ergens langgeleden in hun jeugd de kleine jongen de lange zoon van de graaf had geveld op het schoolplein.

Hij wilde zeggen dat hij van Simon hield, maar hij liet het bij: 'Potverdomme', en dat vol bewondering.

Toen ze terugkeerden zei Mona dat het wel erg lang ge-duurd had en Karin zei dat er voor Simon een bruine en-velop uit Stockholm was gekomen.

Simon werd bang; hij hoorde het zelf toen hij veel te snel vroeg: 'Waar is hij?'

'Ja, waar is hij?' vroeg Karin. 'In al die drukte hier.'

Ze keerden de witte wolken om, kropen onder de tafel en de naaimachine, maar de brief was verdwenen.

'Hij zal wel weer boven water komen', zei Karin en Simon kreunde, maar in stilte. Verdomme, dacht hij, ze is nu duidelijk op oorlogspad, Iza.

Isak en hij wisselden een blik van verstandhouding en hij zag dat ook Isak terugdacht aan de woorden in de auto: als ze je met een kind weet op te schepen...

Het is bijna vier maanden geleden, dacht Simon. Het kan niet waar zijn.

Maar hij was er niet gerust op en kneep ertussenuit naar de werf, waar hij Ruben en Erik aantrof in de afgeschoten ruimte waar ze een kantoor van hadden gemaakt. Erik keek bezorgd. Simon had die blik vaker gezien en hij vergat zijn eigen onrust toen hij vroeg: 'Hoe is het, pa?'

'Erik heeft het moeilijk', zei Ruben. 'Het gaat een beetje te goed met hem.'

Toen moest Erik lachen en ze begonnen te vertellen over de bestellingen die zich tot enorme hoogtes begonnen op te stapelen op de werf, die eigenlijk al een hele tijd uit zijn jasje was gegroeid.

'Ik wil niet verder groeien', zei Erik. 'Er zit iets ziekelijks in dat alles moet groeien. Waarom kan ik niet gewoon drie of vier zeilboten per jaar bouwen, zoals ik altijd heb gedaan?'

'Omdat je klanten dan naar een concurrent gaan die meer capaciteit en kortere wachttijden heeft', zei Ruben, zoals hijzelf en hun advocaat de afgelopen winter al vele malen eerder hadden gezegd.

Tegen Erik, die altijd even boos werd.

'Maar er is toch grond in de richting van Önnered', zei Simon.

'Ja. Maar ik heb verdomme ook al een stuk grond aan het water in Askim', zei Erik. 'Het wordt zo'n groot geheel, Simon. Een hoop personeel, de boekhouding, de papieren en een hoop zorgen.'

'Je moet een chef aannemen', zei Ruben.

'Ruben Lentov', zei Erik. 'Wij kennen elkaar nu…'

Maar Simon onderbrak hem. 'Pa', zei hij. 'Neem Isak in dienst. Hij heeft het zakeninstinct van Ruben in zijn bloed.'

Erik was van zijn stuk gebracht en alledrie moesten ze denken aan hoe ze door de jaren heen gelachen hadden om Isaks talent om goedkoop in te kopen en duur te verkopen: lege flessen, voetbalhelden op toffeepapiertjes en dat soort dingen.

'Denken jullie dat hij dat zal willen?' vroeg Erik.

'Hij moet wel een opleiding hebben. De handelshogeschool', zei Ruben.

'De Technische Hogeschool', zei Erik.

Maar daarop zei Simon: 'De Technische Hogeschool, pa, dat was jouw droom voor Isak, niet die van hem.'

Erik moest lachen: 'Je bent een genie, Simon.'

'Ja,' zei Simon, 'ik heb mijn talenten.'

Ruben was tevreden. Als alles goed ging kon hij, zodra Eriks gevoel voor eigenwaarde dat toeliet, het kapitaal dat hij in de werf had gestoken overhevelen naar Isak.

Dan was de jongen veilig.

Maar alledrie moesten ze denken aan Götaverken, de werf die de basis voor Isaks gevoel van eigenwaarde was gaan vormen.

'We moeten het hem vragen', zei Erik.

'Ik haal hem wel op', zei Simon.

Isak kwam. Hij was vreselijk verbaasd en dito geïnteresseerd.

'Het is een verbazingwekkende dag', zei hij. 'Maar krijg ik ook bedenktijd? Ik moet er met Mona over praten en zo.'

Maar hij had zijn besluit al genomen en bij het weggaan vroeg hij: 'Hoe lang duurt die handelsopleiding?'

'Ik denk dat jij met een jaartje wel klaar bent', zei Ruben.

Toen Simon die avond op zijn kamer kwam, was het al laat. En daar lag de brief, netjes op zijn bureau. Een grote, bruine envelop; precies zoals Karin had gezegd.

Hij scheurde hem open en begon te schreeuwen. Al gillend denderde hij de trap af. Ruben was er nog en dat was maar goed ook. Simon wierp zich in zijn armen en hield niet op gillen: 'Ze nemen het, ze gaan het uitgeven, mijn gedicht over de zee!'

Karin moest even gaan zitten; haar wangen stonden in brand en haar ogen blonken van trots.

Haar jongen was schrijver geworden; er zou een boek uitgegeven worden met zijn naam op de kaft. Hij had haar het lange gedicht voorgelezen en ze wist dat het mooi was, dat het zong als de zee en net zo onbegrijpelijk was als de zee.

Ook Erik straalde van trots.

Alleen Ruben, die het gedicht in het net had laten uittypen en opgestuurd had naar de uitgeverij, was niet verbaasd.

'Mag ik het contract eens zien?' vroeg hij.

Simon zou vierhonderd kronen ontvangen en dat was het eerste geld dat hij zelf verdiende.

Daar kan ik wel kleren van kopen, dacht hij.

29

New York, New York. Het grote hart van de stad klopte en Simon genoot van die hartslag. Het had alles in zich: leven en dood, een lach en een traan, angst en vertrouwen, wreedheid en medelijden. Uit dat ritme maakte zich een melodie los die naar de hemel opsteeg en haar kracht ontleende aan het gestage kloppen van het hart. Een ritme dat onfatsoenlijk werd, overmoedig, en begon te lachen boven de daken van de huizen.

Een jong lied, vol van hoop: New York, New York.

Er waren momenten dat Simon, die nu twintig was, zich oud voelde; een versleten vreemdeling uit een verouderde wereld. Maar meestal voelde hij zich in harmonie met deze stad, die je intenser deed leven.

'Het is geweldig', zei hij tegen Ruben toen ze in het hotel zaten te eten. Zijn oordeel omvatte alles, ook het eten.

Ruben knikte en realiseerde zich hoe, ja inderdaad, hoe geweldig zijn reis dankzij Simon was geworden. Zien, kijken, zich verbazen, luisteren, proeven – alles was nieuw, ook voor Ruben, die een man van vaste gewoontes was en die, als hij alleen was geweest, waarschijnlijk alleen de beroemde kunstmusea zou hebben bezocht en misschien het Metropolitan.

Hij was hier voor de oorlog geweest en had zich toen geërgerd aan het lawaai, de drukte, de schaamteloze prostitutie en de ellendige armoede te midden van 's werelds grootste overvloed. Nu genoot hij net als Simon met al zijn zinnen en het gebeurde wel dat hij ernaar verlangde dat hij bij een afspraak weg kon, ja zelfs tijdens ontmoetingen met oude vrienden uit de uitgeverswereld.

'Het klopt,' zei Simon, 'en toch klopt het ook niet. Ik ben hier namelijk eerder geweest, weet je.'

Hij vertelde over school; hoe de verveling daar in de hoeken kroop en hij geleerd had die te ontvluchten. Nauwkeurig beschreef hij hoe hij zich erin getraind had het snijpunt te vinden tussen twee lijnen in zijn rechter hersenhelft, zodat hij tussen zijn slaapbeen en zijn schedel door zijn hersenen kon verlaten.

Ruben moest lachen.

'Ik ging vaak hierheen', zei Simon. 'Het zag er in grote lijnen net zo uit als in werkelijkheid, maar ik miste de essentie, de intensiteit, het ritme.'

Ruben prooostte met hem. Ze dronken een volle Californische wijn die hij iets te zoet vond. Hij weerstond zijn impuls om Simon toe te spreken en hem te bedanken voor het feit dat hij deze reis tot zo'n belevenis maakte.

Ze waren met de M/S Stockholm overgestoken en dat waren voor Ruben acht etmalen vol rust en comfortabele luxe geweest. Simon had overal bij de officieren en de bemanning vrienden gemaakt en was verdwenen in het lawaaiige hart van het schip, waar hij de machinisten en technici lastigviel met zijn vragen.

De laatste nacht had hij de hele tijd doorgebracht op de brug, die verboden terrein was voor passagiers. Hij had in gespannen afwachting uitgekeken naar het beroemde profiel van de stad met het Vrijheidsbeeld en de wolkenkrabbers. In de ochtendschemering had hij Ruben wakker gemaakt: dit moet je zien. Ruben had maar niet gezegd dat hij het al kende. Hij was met de jongen meegegaan en besefte toen dat hij het nog niet eerder gezien had.

De laatste dagen thuis, nadat Simon uit dienst was gekomen, waren omgevlogen. Hij moest nieuwe kleren hebben
en met Mona dravend aan zijn zijde, ging het winkel in,
winkel uit. Zij moest hem adviseren, zeiden ze. Maar zij
was degene die de beslissingen nam en het was haar ver-
dienste dat hij zich tijdens de hele reis precies goed gekleed
voelde.

Zelf zou hij of te simpele dingen hebben gekocht, of te
opzichtige.

Er was ook een bruiloft geweest. Een eenvoudige cere-
monie in de synagoge en daarna een diner bij Henriksberg.
Geen van Mona's familieleden had de huwelijksvoltrekking
met zijn of haar aanwezigheid vereerd, maar bij het diner
was de zuster van Mona's moeder Rubens tafeldame. Karin
nam de visboer onder haar hoede en van weerskanten vond
men met moeite gespreksonderwerpen.

Na afloop werd het huis bezichtigd, het driekamerappartement van de Gustafssons. Daar was het op een vanzelf-
sprekende manier zo mooi dat Simon ophield Mona te plagen met haar inrichtingsmanie en Ruben zei: 'Ik vraag me
af of er in jou geen kunstenaar schuilt, meisje.'

De laatste avond in New York namen ze de lift omhoog in
het Empire State Building. Ze stonden uit te kijken over de
reus met de duizenden geluiden en de vele duizenden licht-
jes. Simon vond het jammer dat ze weggingen, maar de gedachte dat ze morgen over de Atlantische Oceaan zouden
vliegen troostte hem. Maar de vliegreis werd een teleurstelling en Simon moest Ruben gelijk geven dat vliegen een
saaie manier is om je in de wereld voort te bewegen.

'Saaier dan lopen', zei Simon, die een hekel had aan
wandelen.

Londen ontving hen echter met zonneschijn, en de stad was een oude, beetje versleten, maar vriendelijke dame, zwaar gehavend door de oorlog, maar trouw en wijs.

Toen ze uit- en bijgeslapen waren in hun hotel op het Embankment, steeg hun stemming weer. Ze gebruikten een zware, degelijke lunch en Ruben zei: 'Ik heb hier veel te doen en ik heb weinig tijd over.'

'Ik red me wel', zei Simon.

'De stad is lang niet zo vriendelijk als ze eruitziet, Simon. Ze is groter en gevaarlijker dan je denkt.'

'Ik neem een bus naar het British Museum', zei Simon. Hij deed zoals hij gezegd had en vervolgens zag hij niet veel meer van Londen. In vier dagen tijd werd hij een bekende figuur voor de suppoosten in de zalen met voorwerpen uit de oudheid: *the Swedish boy*, naar wie ze altijd moesten zoeken voordat het museum dichtging.

Rubens avonden werden gevuld met verhalen over de enorme schatten, de ongelooflijke verzamelingen uit Griekenland en Rome, Egypte en het Tweestromenland.

'Nou, de Engelse imperialisten gingen zich wel te buiten aan plunderingen', zei Ruben.

'Ja, daar kun je wel bedenkingen bij hebben', zei Simon. 'Maar ik ben op dit moment ontzettend blij dat alles hier is, verzameld op één plek.'

Daarna staken ze het Kanaal over. Rondom hen ontlook het voorjaar en het was warm, bijna heet, in de trein. Rubens ogen glinsterden toen ze Parijs binnendenderden. Parijs was ook een oudere dame, wat voornamer, eleganter en zuurder dan Londen, maar ook aangevreten en versleten door de oorlog, net als Londen.

'Dit was de stad van mijn jeugd', zei Ruben. 'De stad van mijn dromen waar ik met bijna alles wat beslissend voor mij zou worden heb kennisgemaakt: muziek, kunst en de grote geesten.'

En Rebecca, dacht hij. Hier zijn we elkaar op een voorjaar tegengekomen.

'Strindberg', zei hij en toen hij Simons verbazing zag voegde hij eraan toe: 'Niet persoonlijk, maar zijn boeken. Ik liep tegen een goedkope, Duitse vertaling aan in een van de stalletjes langs de Seine.'

De volgende dag had Ruben verschillende afspraken en Simon ging naar het Louvre. Ze spraken af dat ze elkaar om drie uur 's middags weer zouden treffen in de hal van het museum. Ruben was op tijd, maar Simon kwam niet.

Toen het tegen vieren liep, werd Ruben bang. Ik had tegen hem moeten zeggen dat deze stad gevaarlijker is dan Londen, dacht hij.

Maar toen kwam Simon eraan en Ruben kon al van verre zien dat er iets gebeurd was, want hij was zo bleek alsof hij een spook had gezien.

'Oom Ruben, je moet met me meekomen', zei hij.

Toen Ruben achter hem de trap oprende en door de zalen, realiseerde hij zich dat Simon voor de eerste keer op deze reis in zijn oude gewoonte was vervallen om oom te zeggen.

Simon stopte in een van de zalen voor oudheidkunde voor een beeld van een halve meter hoog dat een mannetje voorstelde dat hen met ondoorgrondelijke wijsheid door de eeuwen heen aankeek.

Gudea, las Ruben, een Soemerische priesterkoning, tweeëntwintigste eeuw voor Christus.

'Dat is hem,' zei Simon, 'de man over wie ik je verteld heb. De man die er mijn hele jeugd is geweest en die terugkwam in de symfonie van Berlioz.'

Ruben voelde hoe de haren op zijn bovenarmen spreekwoordelijk rechtovereind gingen staan. Hij dacht weer aan Strindberg, de schrijver die bij hem zijn interesse voor Swedenborg en Zweden had doen ontwaken. Maar zelfs Swedenborg zou hier niets van begrepen hebben.

Ruben keek van Simon naar het beeld, van de angstige ogen van de jongen naar de oosterse, superieur rustige ogen van het beeld.

Ten slotte zei hij, met een stem die niet zo vast klonk als hij gewild had: 'Hoe het ook zij met het onbegrijpelijke in het bestaan, Simon, wij zijn nu hier. In deze lichamen, die voedsel en rust nodig hebben.'

Opgelucht zag hij dat de jongen daar wel om kon lachen.

Ze aten in stilte. Ze konden het niet opbrengen om het lekkere Franse eten in het dure restaurant aan de Champs Elysées te waarderen. Ze hadden *Paris by night* willen doen, maar liepen zonder een woord te wisselen naar hun hotelkamer en Ruben was blij dat ze niet de twee eenpersoonskamers hadden gekregen die hij had gereserveerd, maar een grote tweepersoons.

Ze gingen douchen, trokken hun pyjama aan en Ruben schonk zich een glas cognac in, maar ook dat schiep geen orde in zijn gedachten. En het verminderde ook zijn ongerustheid over Simon niet, die nog steeds bleek zag.

Maar nadat ze allebei een uurtje naar het plafond hadden liggen staren, kwamen Rubens hersenen weer op gang, dat wil zeggen het logisch denkend deel ervan.

'Ik moet denken aan een bekend parapsychologisch onderzoek waarover ik heb gelezen', zei hij. 'Het was gebaseerd op mensen die zich onder hypnose dingen wisten te herinneren uit wat zij dachten dat een vroeger leven was. Er was onder anderen een man bij die vloeiend Latijn sprak.'

'Oh?' zei Simon. Hij ging rechtop zitten om de lamp aan te doen. Godzijdank was hij geïnteresseerd.

'Het waren lange formuleringen, steeds dezelfde. Maar het was vreemd, omdat de man een Amerikaan was die helemaal geen klassieke opleiding had gehad.'

'Oh.'

'Ja. Ze probeerden het leven van de man in kaart te brengen; alles wat hij had meegemaakt, grote en kleine dingen. Na verloop van tijd herinnerde hij zich dat hij urenlang in een bibliotheek had gezeten nadat een relatie met een vrouw van wie hij hield tot een dramatisch einde was gekomen. Hij was helemaal buiten zinnen van vertwijfeling geweest en om met rust gelaten te worden had hij een boek geleend. Hij had het opengeslagen en, zonder iets te zien, naar twee bladzijden zitten staren die precies die tekst hadden weergegeven die hij tijdens de hypnose uit zijn hoofd opzegde. De tekst was zijn bewustzijn gepasseerd, maar zat gebeiteld in zijn onderbewuste.'

'Oh?' zei Simon.

'Ik bedenk me nu', zei Ruben, terwijl zijn stem steeds vaster, steeds overtuigder, klonk, 'dat dat ook met jou gebeurd is. Op een keer toen je moe was, of zo klein dat je je het niet meer kunt herinneren, heb je een afbeelding van het beeld in het Louvre gezien.'

'En die afbeelding heeft grote indruk op mijn onderbewuste gemaakt, bedoel je.' Er klonk grote twijfel door in Simons stem.

'Ja', zei Ruben en hij vertelde dat hij kortgeleden een beeld van Gudea in een boek had gezien, een Duits boek over archeologie door een auteur met de naam Ceram, dat nu in het Zweeds werd vertaald.

'Heb jij dat boek?'

'Ja, in het Duits. Zodra we weer thuis zijn, mag je het wel lenen. Wat ik hiermee wil zeggen, is dat het een bekende figuur is die in allerlei verbanden is afgebeeld. Heb je de catalogus van de oudheidkundige verzameling van het Louvre bij de hand?'

Ruben werd geestdriftig en Simon vloog het bed uit om de catalogus te pakken. Samen hun weg zoekend in de Franse taal lazen ze over Ernest de Sarzek, een Franse diplomaat, die aan de voet van een heuvel in Lagash aan het graven was geweest en daar het beeld had gevonden, dat op een schip was geladen en naar het Louvre gebracht.

Het had geweldig veel opzien gebaard in die tijd, want het beeld had bevestigd dat er een cultuur was geweest die ouder was dan die van de Assyriërs, ja ouder zelfs dan die van de Egyptenaren.

'Wanneer leefde die De Sarzek?' vroeg Simon.

Dat stond niet in de catalogus, maar volgens Ruben moest het aan het eind van de negentiende eeuw zijn.

'Ik zou denken in de jaren 1880. Als jij nou probeert een beetje tot rust te komen, dan zal ik eens kijken of ik me nog meer uit Cerams boek kan herinneren.'

Het werd stil maar niet voor lang, want Ruben had een goed geheugen.

'Het was zo', zei hij, 'dat men op grond van allerlei wetenschappelijke aanwijzingen, vooral taalkundige, het vermoeden begon te krijgen dat er in het Tweestromenland een onbekend volk had bestaan vóór de bloeitijd van de Semitische culturen, vóór koning Sargon. Met de vondst van Gudea werd dit bevestigd en zo deden de Soemeriërs hun intrede in de geschiedenis.'

Simon was geïnteresseerd. Hij had weer kleur gekregen en moest opeens aan school denken, aan die gedenkwaardige dag waarop de oorlog uitbrak en de jonge leraar had gezegd: de geschiedenis begint met de Soemeriërs.

'Wat ik wil zeggen,' zei Ruben, 'is dat het een bekend beeld is. Het heeft vast op de culturele pagina's van Zweedse tijdschriften gestaan of in een of andere reportage over archeologie. Jij hebt het beeld gezien en omdat je bent zoals je bent, is het op je fantasie, op je dromen en na verloop van tijd op je innerlijk leven gaan inwerken.'

Hij voelde nu vaste grond onder de voeten en die zekerheid had zijn weerslag op Simon. Toen ze de volgende ochtend wakker werden en naar het vliegveld gingen om met het vliegtuig naar Kopenhagen te vertrekken, had het geheimzinnige zijn macht over hun geest verloren.

Eenmaal thuis ging Simon het boek van Ceram lezen, dat hij zo spannend vond dat hij het al uit had voordat hij door Ruben voor een etentje werd uitgenodigd samen met Olof Hirtz. Simon vertelde meteen hoe hij de priesterkoning uit zijn dromen had teruggevonden in een diorieten beeld in het Louvre.

Even keek Olof alsof hij met stomheid geslagen was. Ruben kon bijna zien hoe ook hem de haren te berge rezen. Maar toen Ruben zijn theorie uitlegde dat het beeld in Simons onderbewustzijn opgeslagen had gelegen, knikte Olof opgelucht. En bijna enthousiast.

'Je moet dit opschrijven, Simon', zei hij. 'Schrijf een gedicht, of beter nog, een kort verhaal over een dag in een jeugd. Een perfecte dag, die wel geschapen lijkt om een blijvend patroon in het gevoelsleven van een kind te vormen. De zon schijnt, moeders stem klinkt vriendelijk; ze neemt het kind bij de hand, slentert langs de kiosk aan het strand en koopt een tijdschrift. Daarna gaan ze in het zand zitten. Het hoge gras van de duinen wuift in de wind en vanuit het perspectief van het kind is het strand oneindig. De moeder geniet van de warmte. Ze bladert verstrooid in haar tijdschrift en kijkt naar het jongetje dat geulen graaft in het zand, waar hij het water van de zee in laat lopen.

Wanneer het jongetje bij haar terugkeert, sluimert ze half. Hij ziet het tijdschrift naast haar liggen. Het ligt opengeslagen bij een reportage over het oude Mesopotamië. Hij kan nog niet lezen, maar de foto's betoveren hem. De leeuw met zijn mannenhoofd, de grachten, de tempels en torens die boven de zee van gras uitsteken. Maar de aandacht van het jongetje wordt vooral getrokken door het beeld van de godenkoning met de vreemde ronde hoed, die een milde blik heeft die past bij deze vredige dag. Het jongetje is zo klein dat hij nog niet begonnen is met het invoeren van herinneringen in de databank van zijn hersenen. Alles gaat naar het onderbewuste en wordt gekleurd door de schoonheid van de dag, de liefde van zijn moeder en het warme licht boven de rivier.'

Simon moest lachen. 'Schrijf het zelf maar op', zei hij. 'Je weet het allemaal zo goed.'

'Maar ik ben geen dichter.'

'Jawel, dat heb je zojuist bewezen', zei Ruben en toen moesten ze allemaal lachen.

Maar Simon wist dat hij het verhaal nooit zou schrijven, ook al was het idee goed en de uitleg aannemelijk, zelfs waarschijnlijk.

Mijn vriend, vrachtwagenchauffeur Andersson, zou het nooit geloven, dacht hij.

30

De professor was een klein mannetje met nieuwsgierige ogen in een onschuldig gezicht en een glimlach die snel opkwam en even snel weer verdween. Het Historisch Instituut in Göteborg stond bekend om zijn levendigheid.

Er werd wel gezegd dat de studenten er getalenteerder werden dan ze van nature waren en misschien zat daar wel een kern van waarheid in. In elk geval was hier, behalve intelligentie, fantasie ook een voorwaarde en de meesten ontwikkelden die allebei. Studenten die een grote behoefte hadden om zich te laten gelden, verdwenen na een semester naar Scandinavische Talen waar de mogelijkheden om je te laten zien groter waren.

Simon had een kort gesprek met de professor, waarin hij zei dat hij zich na zijn kandidaats wilde specialiseren in het spijkerschrift. De professor begon meteen te glimlachen en zei: 'Wat leuk. De meesten zijn zo gefixeerd op Asen en Vikingen.'

Maar zijn glimlach verdween weer. 'Zweden vormt niet zo'n vruchtbare grond voor Assyriologen', zei hij. 'Misschien moet je na verloop van tijd naar Londen.'

In Simons dromen begon Apollo over de Elysische velden te dansen.

Zijn bed stond nu in Rubens huis, in Isaks oude kamer. Daar was thuis ruzie over geweest, en ook over geld.

'Vader, ik ben van plan om een studiebeurs aan te vragen.'

'Daar komt niets van in. Zolang ik hen kan onderhouden, hoeven mijn kinderen geen geld te lenen.'

De temperatuur in de keuken steeg; van beide kanten ging dit om meer dan om geld alleen.

'Het is veel duurder dan het lyceum.'

Maar Erik was de ruzie over het geld toen Simon op het lyceum begon allang vergeten.

'Altijd moet je bij hem in de schuld blijven staan', zei Simon tegen Karin toen ze alleen waren.

'Het is dom om je onnodig in de schulden te steken', zei ze en Simon, die zag dat ze verdrietig keek, zweeg. Een beetje gelijk had ze wel, vond hij. Vooral sinds Ruben in de discussie betrokken was geraakt en zich aan Eriks kant had geschaard.

'Je kunt je zelfstandigheid ook op een andere manier dan met geld tot uitdrukking brengen', zei hij, terwijl hij eraan dacht hoe hij hulp van zijn familie had aangenomen toen hij zijn zaak in Göteborg begon op te bouwen. Maar hij besefte dat dat voor joden gewoon was; net zo vanzelfsprekend als de lucht die je inademde.

Maar Simon liet zich niet opzijzetten en zei dat hij van plan was om het huis uit te gaan.

Erik werd ontzettend kwaad; hij was ervan uitgegaan dat, nu de jongen weer in de schoolbanken plaatsnam, alles weer net zo zou worden als vroeger. Maar Simon, die goed wist hoe je altijd en eeuwig dankbaar moest blijven voor wat je van Erik kreeg, hield voet bij stuk. En hij kreeg onverwachte hulp van Karin.

'Het lijkt wel of jij vergeten bent hoe het was om volwassen te zijn en nog bij je moeder thuis te wonen', zei ze tegen Erik.

'Er is anders wel verschil tussen die moeders', zei Erik. 'Bovendien kon ik mezelf bedruipen en bracht ik geld binnen dat zij hard nodig had.'

'Ja hoor, daar heb je het weer', zei Simon.

Maar Karin zei dat het nu afgelopen moest zijn en allebei zagen ze tegelijkertijd dat ze bijna moest huilen. Erik droop af met zijn staart tussen zijn benen en Simon bleef om haar te troosten, en dus werd er uiteindelijk nog niets besloten. Alles was net zoals het altijd geweest was.

Nu waren er in Göteborg geen appartementen beschikbaar en de kamers die via de universiteit te huur waren gingen naar studenten die van buiten de stad kwamen. Het was Ruben die met het voorstel kwam dat Simon bij hem een kamer zou huren. Toen Eriks wangen rood van woede werden sprak hij klare taal: 'Het is niet meer dan rechtvaardig; jullie hebben Isak jarenlang hier laten wonen.'

Voor de verandering wist Erik niet wat hij moest zeggen.

Ruben, die helemaal weg was van Mona's kijk op binnenhuisarchitectuur, liet zijn huis renoveren. Alle muren werden wit, het fluweel en het pluche verdwenen en voor de ramen kwamen dezelfde witte wolken vitrages te hangen als bij Mona.

Zelfs de oude zithoek met de grote leren banken moest de beschamende tocht afleggen naar de vuilnisbelt, waar een man van de reinigingsdienst er blij door werd verrast. Zijn vrouw kreeg bijna een hartaanval van geluk.

Lichtblauwe banken en een witte eetkamertafel met elegante stoelen van meubelontwerper Carl Malmsten maakten een smaakvolle entree in Rubens woning.

'Het ziet er hier uit als op een landgoed in Värmland', zei Karin die in haar jeugd een keer op Mårbacka, het landgoed van Selma Lagerlöf, was geweest.

De oosterse tapijten mochten blijven en ze kwamen prachtig tot hun recht op het pasgeschuurde parket. De oude boekenkasten met glazen deuren hadden nooit in gevaar verkeerd.

'Nu zul je eens zien wat een mooie kunstwerken je hebt', zei Simon, toen Ruben en Mona na eindeloze discussies de kleurrijke schilderijen op de nieuwe witte muren hingen.

Simon vertelde hoe hij als kind voor de onbegrijpelijke doeken had gestaan en had geprobeerd om ze met zijn hart te doorgronden. Nu lukte hem dat, soms tenminste.

Toen zijn radiogrammofoon aankwam en tegen de witte muur van zijn grote kamer die aan de tuin grensde werd gezet, zei Mona dat het een vreselijk ding was.

'Het was me nog niet eerder opgevallen hoe lelijk hij is.'

Maar Simon moest lachen: 'Dat neem ik op de koop toe.'

Stiekem was hij blij dat hij bij Ruben ging wonen.

Tijdens een hoorcollege over wetenschappelijke methodiek zat voor hem een koperen paardenstaart. De zon scheen en liet de staart vonken. Hij kon zich niet herinneren het kapsel eerder te hebben gezien, dus hij wachtte met spanning op het moment dat het meisje haar hoofd om zou draaien. Toen ze dat deed was hij teleurgesteld; ze had een lange hals, een ontzettend hoog voorhoofd in een smal, bleek gezicht met veel sproeten. Maar toen ze na het college opstonden, lachte hij wat naar haar. Hij ontdekte dat ze bijna net zo lang was als hij en een volle mond en grote, grijsgroene ogen had.

Simon was Klara Alm de eerste dag al opgevallen. Hij was knap, maar hij had ook iets anders; een spanning die niet van de nerveuze soort was, maar meer alsof hij steeds in beslag genomen werd door het mysterie van het leven en verwachtte daar ieder moment een geweldig antwoord op te krijgen.

Zoals gewoonlijk had ze twee dingen tegelijkertijd gedacht: hier hebben we de Don Juan van dit vak. En: hij ziet me toch nooit staan.

Wat betreft het eerste kreeg ze ongelijk. Sommige meisjes die om Simon heen zwermden waren er in het begin door geschokt dat hij vriendelijk tegen iedereen was, maar niet méér dan dat. Hij heeft nauwelijks het benul om zich zelfs maar gevleid te voelen, had Klara verwonderd gedacht.

Maar de rest klopte: hij zag haar niet staan.

Nu hij naar haar glimlachte, dacht ze: god, wat een intensiteit gaat er van hem uit. Vervolgens was ze bang dat ze zou gaan zweten, dat ze vochtige plekken onder haar oksels zou krijgen en zou beginnen te ruiken.

Een dag of wat later informeerde Simon bij een van de andere meisjes naar Klara en ze vertelde hem dat ze medicijnen studeerde.

'Ze heeft haar kandidaats al', zei het meisje. 'Dus ze zal ter ontspanning wel wat aan alfawetenschappen doen, voordat ze verdergaat.'

Simon was verbaasd; Klara moest ouder zijn dan ze eruitzag. Maar het meisje voegde eraan toe: 'Ze is ontzettend begaafd. Ze heeft staatsexamen van de middelbare school gedaan toen ze zestien was. Het is zo'n intelligent, ijskoud type, weet je wel.'

Maar Simon vond dat dat niet klopte; Klara Alm was niet koud. Hij vroeg zich af waar ze bang voor was.

Daarna vergat hij haar tot hij haar op een dag weer tegenkwam bij de rode koffietafel, waar de goedgebekte zoon van directeur Nordberg zoals gewoonlijk hof hield en sprak over de noodzaak om ook al bij de Grieken een marxistische kijk op de geschiedenis te ontwikkelen.

Klara werd opeens en totaal onvermacht knalrood en boos. Ze stond met een ruk op zodat de koffie uit de kopjes spatte, terwijl ze zei: 'Jij maakt het jezelf wel gemakkelijk. Ik vind dat je onderscheid moet maken tussen een privé- en een politieke revolutie en eens met je vader tot een verlate puberteitsafrekening moet komen.'

Daarna liep ze weg. De meesten moesten lachen. Nordberg zei woedend dat ze een verdomd kreng was, maar Simon stond op om achter haar aan te gaan.

Toen hij haar in de hal had ingehaald, zei hij: 'Jij bent niet bang aangelegd.'

'Nee', zei ze. 'Maar het is wel stom van me. Nu krijg ik het stempel opgedrukt dat ik rechts ben.'

'En is dat niet zo?'

'Nee, ik ben het in grote lijnen wel met hem eens. Maar hij is zo overtuigd van zichzelf en heeft zo'n onechte houding, als je begrijpt wat ik bedoel. Hij heeft Marx steeds voor op de tong liggen, maar zijn eigen kinderlijke agressiviteit is daar de beweegreden voor.'

'De nieuwe revolutionairen plukken van de boom van kennis van goed en kwaad de vruchten van de bourgeoisie en betalen met geld dat door hun kapitalistische vaders op meer of minder fatsoenlijke wijze verdiend is', zei Simon lachend.

'Jij bent wel intelligent', zei ze.

'Waarom zou ik dat niet zijn?'

'Dat weet je toch wel', zei ze. 'Mooie jongens…'

'Je hebt het mis', zei hij. 'Het zijn mooie meisjes die geen hersens hebben.'

'O ja, dat was ik vergeten', zei Klara. 'Maar zoals je misschien al begrepen hebt, ben ik erg slim.'

'Is dat een waarschuwing?'

'Misschien.'

'Dat hoeft niet', zei Simon en zij dacht: dat weet ik wel. Hij was alleen maar geamuseerd door haar optreden. Maar Simon ging verder: 'Ik ben een genie, begrijp je, dus voor mij kun je geen bedreiging vormen.'

Die woorden maakten haar belachelijk blij, maar aangezien een lach nu niet misplaatst was, had hij dat niet in de gaten.

Toen ze naar het fietsenhok liepen, vertelde Simon over zijn vader.

'Hij was vrachtwagenchauffeur en had een ontzettend scherpe kijk op de politiek. Op alles, behalve op de Sovjet-Unie. Nu je je ogen er niet langer voor kunt sluiten dat het arbeidersparadijs een politiestaat is, heeft hij überhaupt zijn interesse in de politiek verloren.'

'Dus jij bent afkomstig uit de arbeidersklasse', zei Klara verwonderd.

'Ja. Dat wil zeggen, er is wel het een en ander veranderd', zei Simon en toen hij haar nieuwsgierige blik zag, moest hij het wel verder uitleggen. 'Mijn vader werd net zoals veel anderen na de oorlog werkloos. Dus begon hij boten te bouwen, zeilboten. Nu heeft hij een werf en een hoop zorgen en personeel.'

'Van communist tot kapitalist', zei Klara. 'Dat zorgt vast ook voor een politieke leegte.'

'Mmm. Hij is een goed mens', zei Simon tot haar verrassing.

'Dat is wel duidelijk', zei Klara. 'Dat je een fijne vader hebt, bedoel ik.'

'Hoezo?'

'Nou, omdat jij een ongewone jongen bent, die zich niet hoeft te bewijzen om de overhand te hebben.'

Simon was ontzettend verbaasd.

'Ik mag dan wel een genie zijn,' zei hij, 'maar het psychologisch jargon is mij onbekend, dus dit kan ik nauwelijks volgen. Zullen we een biertje gaan drinken? Dan kun jij het me uitleggen.'

Toen ze naar de Allé en vervolgens in de richting van het Rosenlundskanal en de Fiskekyrka fietsten waar zich een bierhuis bevond, nam Klara zich voor om nu vreselijk haar best te doen om aardig te blijven en zichzelf te zijn.

Toen ze allebei achter een pilsje zaten en elkaar over de tafel heen aankeken, zei hij: 'Vertel eens wat over jezelf.'

Ze hoorde wel wat hij eigenlijk vroeg: wie ben je?

'Mijn vader heeft een zagerij in Värmland', zei ze, en ze noemde een plaats. 'Mijn moeder ging er met een andere vent vandoor toen ik elf was en dat doet nog steeds pijn. Maar ik kan haar wel begrijpen, want, nou ja, hij is ook een moeilijke man, mijn vader, en hij drinkt.'

Simon probeerde haar blik vast te houden, maar ze keek weg en het leek alsof het daarbinnen in die grijsgroene ogen heel eenzaam was.

Simon probeerde te voelen hoe het zou zijn om een moeder te hebben die je in de steek liet als je nog klein was. Hij dacht aan Karin en hoe boos hij op haar was geweest toen ze op sterven lag en hij alleen achter dreigde te blijven. Maar toen besefte hij dat je die twee dingen niet kon vergelijken.

Na een poosje begon Klara over haar studie te vertellen; haar blik was niet langer eenzaam en ze keek hem weer aan. Ze vergat dat ze bang was en Simon dacht: god, ze is mooi.

'Ik ben van plan om psychiater te worden', zei ze. 'En nu ben ik helemaal bezeten van de gedachte aan de oude mythologieën; van het idee dat ze een grotere betekenis dan alleen een puur mythologische hadden, en ook een psychologische, bijna therapeutische functie hadden, begrijp je.'

'Ja', zei Simon en ze zag dat hij zeer geïnteresseerd was. Alsof hij een van die geweldige antwoorden waar hij altijd al naar op zoek was nu bijna binnen handbereik had.

'Ik heb veel aan de volkssprookjes zitten denken', zei Klara. 'Die vertellen over een heleboel zware gevoelens die kinderen hebben, maar die ze niet mogen hebben en waar ze nooit over mogen praten. Je weet wel, wrede fantasieën over geweld en zo.'

Simons hart bonsde. Dit meisje gaf hem een stukje waarheid dat hem vrijer zou maken, maar dat wist ze niet en ze ging gewoon door: 'Ik ben van plan om me op de Griekse Parnassus te richten en te proberen verbanden te vinden tussen al die goden en de verboden fantasieën van mensen.'

Simon zat doodstil op zijn stoel. Dit is mijn meisje, dacht hij en even meende hij de lach van vrachtwagenchauffeur Andersson te horen echoën tussen de betegelde muren van het bierhuis.

Toen zei Klara dat velen vóór haar dezelfde gedachten hadden gehad.

'Schrijvers?'

'Ja. Maar ook wetenschappers', zei ze en ze vertelde over Carl Gustav Jung, het collectief onderbewuste en de archetypen: de held, de wijze oude man, de goede moeder, het heilige kind.

'Hij heeft onderzoek naar mythen gedaan en vond gemeenschappelijke kenmerken in alle culturen', zei ze. 'Als je de mens wilt begrijpen, dan moet je naar zijn mythen kijken, vond hij.'

Dat heb ik altijd al geweten, dacht Simon.

'Je mag wel een paar boeken van me lenen', zei ze.

Op de een of andere manier waren twee biertjes genoeg voor een heel uur, maar daarna bestelden ze er nog twee en vier broodjes. Toen ze eindelijk opstonden, zei Simon dat het gek was dat afschuwelijke vaders zulke fantastische dochters kregen.

'Ik ken er nog een. Ze is getrouwd met mijn beste vriend', zei hij en Klara dacht dat ze flauw zou vallen.

Op de Allé gingen ze uit elkaar. Het was al donker toen ze allebei een andere kant op fietsten en het gevoel hadden dat ze een geheim deelden.

Ruben was er niet en daar was Simon blij om. Hij had tijd nodig om na te denken.

En de gedachten kwamen; de ene heldere, duidelijke gedachte na de andere. Liefde was dit niet; het had in de verste verte niet te maken met wat hij had zien gebeuren tussen Isak en Mona. Klara straalde niet. Zij beiden zouden nooit een licht uitstralen.

Ze was een vals mens. Dat had ze zelf gezegd en dat had hij ook gezien en gehoord. Sluw en bits. Dat werd ze als ze zich in zichzelf terugtrok. En lelijk. Lang en zo plat als een plank en dan al die nare sproeten op haar gezicht en op haar armen, zelfs op haar handen. Maar ze had mooie handen, met lange vingers en zachte welvingen aan de binnenkant waar de levenslijnen als diepe voren doorheen liepen.

En als ze lachte...

Nee, hij moest het allemaal vergeten en dat was niet moeilijk, want er viel niets te vergeten.

Toch was zijn laatste gedachte voordat hij in slaap viel dat hij zich thuis voelde bij haar.

Hij droomde dat hij langs het strand liep en dat Het Leven hem tegemoet kwam. Het had roodglanzend haar en hield een appel in zijn hand, die lange vingers had en sproeten.

Toen Simon de volgende dag naast haar ging zitten in de collegezaal, zei hij: 'Je houdt zeker wel van muziek?'

'Ja', zei Klara.

'Ik heb twee kaartjes voor het Concertgebouw aanstaande zaterdag. Nystroems zeesymfonie wordt gespeeld.'

Hij had geen kaartjes maar die kon hij nog wel kopen.

'Heb je zin om mee te gaan?'

'Ja, graag', zei Klara met neergeslagen ogen zodat hij niet zou zien hoe blij ze was.

'Ik heb de symfonie gehoord bij de allereerste uitvoering', zei Simon. 'Ik was daar zo van onder de indruk dat ik een lang gedicht heb geschreven.'

Ze sloeg haar ogen op en keek hem verbaasd aan. Hij kon de verleiding niet weerstaan en zei: 'Het wordt bij uitgeverij Bonnier gepubliceerd.'

Toen begon het college.

Op haar kamer in Haga bekeek Klara alle kleren die ze had en ze kwam tot de conclusie dat er niets geschikts bij zat. Maar het was pas zaterdagochtend en ze had nog tijd om naar de Linnégata te gaan, waar een winkel was met een etalage waarvoor ze vaak had staan dromen over een andere en mooiere Klara.

Ze kocht dunne nylonkousen omdat ze mooie benen had. En de eerste hooggehakte schoenen van haar leven, want hij was toch langer dan zij. Ze moest opeens denken aan een jongen bij anatomie die gezegd had dat ze een lekker kontje had, dus ze ging een rok passen die strak over haar achterste zat.

'Hij zit mevrouw als gegoten', zei de winkeljuffrouw en ze haalde er een groene, zijden blouse bij met wijde mouwen en een shawlkraag die ze speels om haar hals kon draperen.

'Maar ik heb geen boezem', zei Klara die zag hoe de zijde haar lichaam volgde en alles verraadde. Ze haatte het mens erom dat ze haar dwong om dit pijnlijke onderwerp aan te roeren.

Maar de verkoopster glimlachte alleen maar en zei: 'Daar hebben we wel een oplossing voor.' En voordat Klara er erg in had, had ze een beha gekocht met conische busteverfraaiers van rubber.

Ik lijk wel niet goed wijs, dacht ze.

Toen ze thuis haar haar had gewassen en het op een handdoek had gerold om een stevig pagekapsel te krijgen, dacht ze opeens aan haar transpiratie. Ze had wel aluminiumchloride, maar dat hielp niet zoveel als je bang werd.

'Klara Alm', zei ze hardop tegen zichzelf. 'Vanavond zul jij geen angst kennen.'

Voordat ze zich aankleedde verschoonde ze het bed. Op het allerlaatst deed ze mascara op haar wimpers, die lang waren en er goed uitzagen. Toen hij om halfzeven kwam, zoals ze hadden afgesproken, straalde hij helemaal van blijdschap.

'Wat zie je er vreselijk mooi uit', zei hij en zij dacht dat het goed zou zijn om nu te sterven, voordat alles bedorven zou worden.

Maar ze glimlachte en zei: 'Weet je dat de mensen vroeger thuis altijd over mij zeiden dat de lelijke dochter van de baas van de zagerij de gemeenste bek van het dorp had?'

'Maar nu is ze niet lelijk meer', zei Simon. 'Dus wordt haar bek misschien ook vriendelijker.'

'Het is nog maar de vraag of dat zo is', zei Klara, die keek alsof ze elk moment in huilen kon uitbarsten.

Toen kuste hij haar.

Maar ze kwamen toch op tijd voor het concert en de muziek betoverde hen. Ze zei niets; godzijdank zei ze ook na afloop niets.

Ze liepen door de stad en Simon vertelde haar over de indianenvrouwen die hun kinderen in de bron van de rivier wasten en over de golf die de Atlantische Oceaan overstak om op de rotsen van Bohuslän in stukken te worden geslagen.

'Toen ik de symfonie voor de eerste keer hoorde, realiseerde ik me dat de golf nooit kan sterven omdat ze nooit een persoonlijkheid wordt. Begrijp je?'

'Ja', zei ze. 'Ik denk ook dat persoonlijkheid vooral een vorm van verdediging is. Daarom heb ik ook zo'n sterke, uitgesproken persoonlijkheid.'

Toen kuste hij haar opnieuw; midden op de mond, midden op straat.

Simon had nooit gedacht dat een meisje zich met zo'n vertrouwen aan hem zou geven. Ze was zo gewillig en onschuldig, zo naakt en kinderlijk open, dat hij wel wilde huilen. Maar hij wist haar mee te voeren en genot en bevrediging te schenken.

Ze bloedde een beetje. Hij begreep het en voelde dat ook dat een geschenk was.

Het was twee uur 's nachts toen ze naar de keuken ging om zich bij de koudwaterkraan te wassen. Toen ze in een blauwe badjas terugkwam, zei ze: 'Ik zou nu wel dood willen gaan. Maar eerst ga ik nog wat voor je spelen.'

Ze haalde een fluit te voorschijn en Simon wilde roepen:

nee, doe dat niet. Klara, niet doen.

Maar ze ging aan het voeteneinde van het bed zitten en speelde Carl Nielsens solo voor fluit, over hoe de mist optrok en minder werd. Eerst was het wat aarzelend, alsof ze niet veel geoefend had, maar algauw klonk het vaster, en rijk en warm.

Simon bleef na afloop zo lang stil in bed liggen dat ze vroeg: 'Je bent toch niet in slaap gevallen?'

'Je bent niet goed wijs', zei hij. En vervolgens: 'Jij bent geen amateur.'

'Ik heb de beste opleiding voor fluit gehad die je in Värmland kon krijgen', zei ze en ze vertelde over de joodse fluitist in Karlstad. Hij was lid geweest van het Berlijns Filharmonische Orkest en naar Zweden gevlucht, waar hij in zijn levensonderhoud voorzag als muziekleraar.

'Hij was geweldig', zei ze. 'Dankzij hem heb ik het overleefd toen mijn moeder was weggegaan.'

Simon dacht aan verborgen, onderaardse verbanden.

'Ik heb mijn moeder mogen houden. Daarom heb ik misschien geen viool leren spelen.'

'Wilde je dat dan?'

'Klara, dat is een lang verhaal en ik heb het zelf nog niet eens goed begrepen.'

Maar hij dacht aan Simon Haberman, violist bij het Berlijns Filharmonisch Orkest, en hij vroeg: 'Leeft hij nog, die leraar van jou in Karlstad?'

'Ja.'

'We gaan hem een keer opzoeken', zei Simon en daarna vielen ze in slaap.

Ze bleven slapen tot zondagochtend twaalf uur. Toen hadden ze honger en ze vonden een café in de haven dat op zondag open was. Je kon er haring krijgen en gezouten runderborststuk. Simon bestelde twee borrels en toen ze elkaar met het brandende goedje toedronken, zei Klara dat ze haar hele leven nog nooit zoiets lekkers had geproefd.

Veertien dagen lang stelden ze zich wijd open voor elkaar en bleven ze in het paradijs. Maar toen zei Simon dat hij ook nog familie had, en Ruben en Isak, en dat ze met hem mee moest gaan om kennis te maken met Karin.

Hij zag dat ze bang werd, maar hij wist niets van de demonen die nu in haar hart loskwamen en onverbiddelijk opstegen naar haar hoofd, waar ze meteen hun eigen gang gingen.

Maar toen hij bij het weggaan tegen haar zei dat hij haar zaterdag zou ophalen om bij zijn moeder te gaan eten, voelde hij de muur tussen hen.

31

Simon moest Karin natuurlijk bellen om over zijn meisje te vertellen. Maar hij stelde het gesprek uit en hield zichzelf voor dat dat kwam door Klara en doordat zij er zo tegen opzag. Op vrijdagochtend, tussen twee colleges door, overwon hij zijn tegenzin. Hij belde het bekende nummer en hoorde Karins warme, blije stem: 'Dat is langgeleden, Simon. Waar heb je gezeten?'

'Ja, weet je moeder, ik heb een meisje leren kennen.'

'O.' Hij vond dat haar stem van ver weg kwam en hij wilde het uitleggen, zeggen: moeder, het is zo'n fantastisch meisje. Ze is tegelijkertijd kwetsbaar en sterk en lelijk en mooi, en ik denk dat ik van haar hou, wat dat ook mag zijn, maar ze is ontzettend bang voor jou.

Maar dat zei hij natuurlijk niet. Hij zei alleen: 'Ik was van plan om morgen met haar naar jullie toe te komen, zodat jullie haar kunnen leren kennen.'

'Jullie zijn welkom, mijn jongen.'

Dat was ook niet wat Karin had willen zeggen, maar ze was blij dat ze het over haar lippen kreeg en dat haar stem bijna gewoon klonk.

'Ze is arts', zei Simon. 'Dat wil zeggen, ze is bijna afgestudeerd.'

'Nee maar', zei Karin en daarna viel er weer een stilte totdat ze gelukkig eindelijk de woorden vond om iets gewoons te zeggen.

'We eten om twee uur, net zoals altijd op zaterdag. Ik zal tarbot kopen en iets heel lekkers maken.'

'Dan zijn we er tegen die tijd. Tot dan.'

'Dag.' Ze wilde nog wat zeggen, maar kon niets bedenken. Ook hij wilde nog iets anders kwijt, maar het bleef bij: 'Doe vader de groeten.'

'Dat zal ik doen, Simon.'

Met een vervelend gevoel en boos op zichzelf vanwege dat gevoel, liep Simon weer terug naar de collegezaal. Karin legde de hoorn op de haak en terwijl ze tegen de muur in de hal leunde, dacht ze aan haar hart.

Maar dat sloeg rustig en zeker.

Resoluut.

Ze wist immers dat dit zou gebeuren. Vroeger of later zou Simon een meisje leren kennen, net als Isak, en Karin probeerde gedachten te vinden waar ze troost uit kon putten. Het zou een meisje kunnen zijn dat op Mona leek.

Maar bij die gedachte moest Karin naar de keuken om op de bank te gaan zitten en haar hart serieus te nemen.

'Zo', zei ze. 'Zo, nu doe je eens even rustig aan. Nu ga je kloppen zoals je dat moet doen, langzaam en zeker.'

Haar hart gehoorzaamde haar en Karin wees de gedachte aan Mona af. Die gedachte had haar zo'n pijn gedaan, omdat ze meteen besefte dat als Mona het meisje van Simon was geweest, ze haar verafschuwd zou hebben.

Ze keek rond in de keuken, met zijn sfeer van geborgenheid, en ze moest denken aan een andere keuken, die kleiner en armoediger was en waar de geur van de armoede in de muren zat; die nare geur die je kreeg als mensen in de gootsteen plasten omdat de plee drie verdiepingen lager op de binnenplaats van het huis lag. In die keuken zat een andere vrouw met haar hand tegen haar hart gedrukt, als om te voorkomen dat het stuk ging, en voor haar stond Erik met zijn arm om de schouders van een jong meisje.

Het was een mooi meisje, dat met vlammende ogen en

haar neus in de wind had gezegd: 'Maar het is ook de bedoeling dat oude mensen sterven om plaats te maken voor
de jongeren.'

Je krijgt overal de rekening voor gepresenteerd, dacht
Karin. Maar de gedachte aan haar schoonmoeder hielp
haar. Ze zou niet worden zoals die verrekte moeder van
Erik; zij had haar trots. Nee hoor, zij zou de best denkbare
schoonmoeder worden, zoals ze ook de best denkbare moeder was geweest en niemand zou ook maar een vermoeden
krijgen van hoeveel moeite haar dat kostte.

Haar hart klopte maar het was kil; er zat nu ijs in haar
borst. Toen Lisa een ogenblik later kwam, had Karin de
koffie al opgezet en ze wist uit te brengen: 'Stel je voor,
Simon heeft een meisje.'

'Nou, wat leuk!' zei Lisa en haar waakzame ogen, die
altijd speurden naar stof en geheimen, begonnen van spanning te glanzen. 'Wie is het?'

'Ze is dokter', zei Karin. Het was eruit voor ze er erg in
had. Ze genoot een beetje van Lisa's verbazing en moest
glimlachen om het kattige: 'Zo, toe maar! Maar ja, hij is
altijd al een aparte geweest.'

Er zou wel weer geroddeld worden dat ze het hoog in de
bol hadden, dacht Karin; altijd hetzelfde liedje over de
Larssons met hun rijke, joodse vrienden, hun werf en hun
zoon die nu naar de universiteit ging om oudheidkunde te
studeren. De Soemeriërs; ze hoorde ze snuiven en ze voelde
wat zij voelden als ze zeiden dat Simon verwend was en
dacht dat het leven een spelletje was.

'Hoe heet ze?' vroeg Lisa.

'Och gut, dat ben ik vergeten te vragen. Je zult wel begrijpen dat ik helemaal verbaasd was.'

'Ja, je zult wel gedacht hebben dat je hem de rest van je

leven voor jezelf kon houden', zei Lisa, terwijl ze een beetje glimlachte om de scherpe kantjes van haar woorden af te halen.

Karin begon van woede te blozen en stond op om weg te gaan; ze gunde Lisa niet het genoegen dat ze haar boosheid zou zien. Ze liep naar de werf, waar ze Erik in het atelier aantrof. Om het maar zo snel mogelijk achter de rug te hebben, zei ze: 'Simon heeft een meisje leren kennen. Ze is dokter. Morgen komen ze hier.'

Erik liet zijn potlood en passer vallen en zette zijn bril af. 'Wat een vrolijk nieuws. Potverdorie, Karin, wat leuk!' zei hij. Zijn vreugde was echt.

'Is hij verliefd?'

'Dat neem ik wel aan', zei Karin met een brede glimlach die bijna natuurlijk was.

Erik ging met haar mee om koffie te drinken want dit moest gevierd worden. Hij praatte onafgebroken over hoe onvoorspelbaar het leven is als je jong en verliefd bent, en hoe hij altijd van harte gewenst had dat Simon verliefd zou worden.

Toen hij zei dat hij altijd al had gehoopt nog eens een dokter in de familie te krijgen, moest hij vreselijk lachen. 'Potverdorie', zei hij. 'Erik Larsson krijgt zijn zin. De jongen wil zelf geen dokter worden, dus neemt hij er maar een. Knap werk.'

Karin moest ook lachen, maar toen ze zijn vreugde zag en moest denken aan het meisje van wie hij ooit gehouden had en dat voor zijn moeder op de vlucht was geslagen, werd het doodstil in de keuken. Erik had zo'n verdriet gehad dat hij er tuberculose van had gekregen en in het sanatorium terecht was gekomen.

Maar daarna dacht Karin aan haar besluit om een goede

schoonmoeder te worden. Ze zat zo ingespannen te denken dat ze zich van de buitenwereld afsloot en haar gezicht verstrakte.

'Foei, wat kijk jij ernstig', zei Erik. 'Je bent toch niet jaloers?'

'Nee, natuurlijk niet', zei Karin, maar haar ogen bliksemden en hij deinsde terug. 'Ik maakte maar een grapje, dat snap je toch wel', zei hij en toen kon ze erom glimlachen. Het was een valse glimlach, voor haar doen ongewoon.

Jaloezie, wat een lelijk woord, dacht ze toen ze haar gebruikelijke wandeling ging maken. Het was geen woord dat paste bij het verdriet dat ze voelde en dat leek op een ander verdriet na een ander verlies, langgeleden.

Petter, dacht ze, die was zo verstandig geweest om te sterven. Maar Simon liet haar in de steek. Toch kon ze hem niet haten, alleen het meisje. Nee, het meisje ook niet.

Opeens besefte ze dat ze altijd een hekel aan dokters had gehad, aan die supermensen met macht over leven en dood.

Ze liep naar de viswinkel in Tranered en kocht haar tarbot. Ze pakte flink uit en kocht ook een halve kilo garnalen. Ze zou een vorstelijk onthaal krijgen, dat meisje. Niemand zou Karin iets kunnen verwijten.

Op weg naar huis liet ze de eiken links liggen; vandaag wilde ze geen waarheden horen. Maar ze nam wel een omweg door de oude verwilderde tuin, waar ze met Simon gespeeld had toen hij klein was en ze bedacht dat niemand ooit zo veel van Simon zou kunnen houden als zij deed.

Toen ze 's avonds koffiedronken was het Erik die nerveus was. Wat dacht Karin, zou het een meisje uit de betere kringen zijn? Als ze nou eens verwaand was? Zouden ze straks moeten omgaan met een of andere belachelijke familie van groothandelaars?

'Ik weet het niet', zei Karin. 'Maar Simon kan de dingen meestal wel goed beoordelen.'

'Beoordelen heeft verdomme niks te maken met verliefdheid.'

Erik snauwde bijna en omdat hij er nooit tegen kon dat hij iets niet wist, belde hij Simon op. Die was niet thuis, maar Ruben was er wel en hij wist iets meer, hoewel hij het meisje ook nog niet ontmoet had.

Toen Erik in de keuken terugkeerde was hij rustiger. 'Het meisje heet Klara Alm en ze is de dochter van een arbeider in een zagerij in Värmland die door zijn huwelijk geld heeft gekregen en de zagerij heeft kunnen overnemen.'

'Dat klinkt wel goed', zei Karin.

'Tja', zei Erik. 'Maar die vader schijnt te drinken. Hij is gescheiden. Klara kan heel goed leren, maar heeft het niet gemakkelijk gehad.'

Het meisje begon nu meer voor hen te leven en Karin vond dat niet prettig. Maar toen zei Erik dat Ruben had gezegd dat Simon de afgelopen veertien dagen nauwelijks thuis was geweest en dat hij tot over zijn oren verliefd was.

Erik lachte tevreden en ging zo op in zijn eigen blijdschap dat hij niet in de gaten had hoe Karin verstijfde en dat die dekselse kilte weer over haar kwam.

Klara had de hele nacht gevochten met haar demonen. En de strijd verloren. Dat besefte ze op het moment dat Simon kwam om haar op te halen. Hij stond in de deuropening en vulde het hele wooncomplex, dat zou worden afgebroken, met zijn aanwezigheid.

Ze was het helemaal met de demonen eens. Zowel met de

ene, die zei dat het belachelijk was dat zij zo'n vent zou krijgen, als met de andere, die fluisterde: god, wat zal hij zich voor je schamen.

Klara had een zwarte trui aangetrokken, die haar bleker maakte dan ze gewoonlijk was. De sproeten in haar witte gezicht vielen extra op en onder haar ogen had ze kringen die kleurden bij haar trui. Ze zag dat hij haar wilde vragen om iets aan te trekken dat haar leuker stond, maar ze was hem dankbaar dat hij dat niet deed. Bij de zwarte trui kon je de zweetplekken onder haar armen tenminste niet zien.

Ze liepen naar het Järntorg en namen daar de tram in de richting van Långedrag. Toen ze zijn oude school passeerden probeerde hij daar met haar over te praten, en ook over andere interessante dingen langs de weg die hij zoveel jaren gegaan was. Maar ze luisterde niet; net als de hele nacht daarvoor dacht ze ook nu weer aan wat hij had verteld over zijn familie en over zijn geweldige moeder, die ze nu al haatte. Ten slotte werd hij boos en hij zei: 'Je kijkt alsof ik je naar het slachthuis voer.' Maar daar gaf ze ook geen antwoord op; ze dacht alleen maar: nu is het begonnen. Nu doe ik hem pijn en ik kan niet anders.

Toen ze de weg van de halte naar de rivier afliepen, probeerde hij het opnieuw en hij vertelde over Äppelgren die hem gered had toen hij nog klein was en verdwaalde. Hij kreeg een korte reactie. Ze luisterde en vroeg: 'Maar waarom liep je dan weg?'

'Weglopen?' zei hij. 'Dat is overdreven; ik verdwaalde, zoals nieuwsgierige kinderen wel vaker doen.'

Maar in zijn stem klonk verwondering. Ze begreep dat hij zichzelf die vraag nog nooit eerder had gesteld en dat zij nu de eerste deuk had geslagen in het beeld van zijn fantastische jeugd. Ze zou zich nu eigenlijk moeten om-

draaien en verdwijnen, voordat ze voor hem te veel kapot-
maakte.

Alles verliep precies zo slecht als ze zich had voorgesteld.
Toen Simon Karin begroette, stond Klara als een stijve hark
in de deuropening en ze vond dat de band tussen moeder
en zoon zo stevig was dat ze er allebei haast door verstikt
moesten worden. Ze keek naar Karin en tot haar vertwijfeling zag ze dat die niet alleen goed was, maar nog iets veel
ergers.

Mooi, dacht Klara. En intelligent, dacht ze, toen de wijze
ogen naar haar keken, door haar heen keken en alles wat ze
zagen onvoldoende bevonden.

'Welkom', zei Karin, maar vervolgens gedroeg ook zij
zich niet meer natuurlijk. Dat lelijke roodharige meisje,
dat haar een hand gaf die nat was van het koude zweet, en
dan Simon, die angstig keek.

Het is belachelijk, dacht Karin. Mijn zoon en dan die...

Maar toen kwam Erik met opgerolde schetsen onder zijn
arm van de werf en hij gedroeg zich net zo natuurlijk als
altijd. 'Jij bent een mooi lang meiske', zei hij, terwijl hij
haar verheugd aankeek. Klara kwam los uit haar verstarde
houding; ze slaagde erin te glimlachen en dat maakte haar
best knap om te zien. Simon omhelsde zijn vader en lachte
opgelucht. Hij pochte: 'Binnenkort is ze dokter, pa.'

Dit had de ommekeer kunnen zijn, want Erik zei: 'Potverdorie, zo'n jong meisje!' en Klara's glimlach werd steeds
breder. Maar toen zeiden de demonen: Simon schaamt
zich zo dat hij je met je opleiding moet verontschuldigen.
En vlak daarna kwam Isak binnen en die werd zo bang voor
haar dat hij haar erom verafschuwde en dat niet wist te
verbergen.

Hij verdween naar de werf met Eriks schetsen, terwijl hij over zijn schouder riep: 'Ik begin alvast, Erik. Kom jij maar als je tijd hebt.'

Ze zouden een overzicht maken van wat er nog gedaan moest worden voordat de werf ging verhuizen.

Erik keek verbaasd maar algauw volgde hij Isak en zo bleven ze met z'n drieën in de keuken achter waar Karin de tafel gedekt had met een pasgestreken tafellaken en haar mooiste porselein.

De tarbotschotel met garnalen was net zo lekker als altijd, maar Klara zat erop te kauwen alsof het touw was. Ze had moeite om haar eten door te slikken en voelde hoe ze overvloedig zat te zweten.

Thuis, bij Mona, zei Isak dat Simon een vreemde meid had meegesleept. Ze was boomlang, lelijk en stijf en verdomd hooghartig. Mona, die mooier en peervormiger was dan ooit en zo als een zwangere Maria uit een renaissanceschilderij had kunnen stappen, ging dus maar even suiker lenen.

Klara haatte haar vanwege de zachte moederlijkheid die om haar heen hing en omdat ze zo vriendelijk en natuurlijk was. Maar Mona kwam terug bij Isak en zei dat Klara helemaal niet hooghartig was.

'Ze is alleen bang, snap je.'

Nee, dat snapte Isak niet en bovendien was dat belachelijk, want er was hier toch niemand waar je bang voor hoefde te zijn.

'Ik zou anders doodsbenauwd zijn als ik Simons meisje was en Karin de eerste keer zou ontmoeten', zei Mona.

Na de maaltijd liep Klara met Erik mee om de werf te bekijken en dat hielp haar een beetje. Het was er koud en het tochtte er, zodat haar zweet opdroogde. Erik was trots op zijn werf en Klara was oprecht van mening dat de zeiljachten mooi waren. Er stonden er twee die bijna klaar waren en in het najaar te water zouden worden gelaten.

In de keuken zei Simon smekend tegen Karin: 'Ze is bang, ma. Zie je dat dan niet?'

'Jawel, dat zie ik wel, maar wat kan ik daaraan doen?'

'Neem haar mee naar de rotsen, moeder. Ga het uitzicht bekijken en met haar praten. Jij weet immers altijd…'

Dus toen Klara terugkeerde van de werf zei Karin gedecideerd: 'Ga je even met mij mee, Klara.'

Klara knikte en liep mee alsof ze naar de rechtbank moest en op voorhand al had besloten dat ze zichzelf schuldig zou verklaren aan elk misdrijf dat haar ten laste zou worden gelegd en iedere straf zou accepteren.

Ze zaten op de rotsen en Karin wees de vesting aan. Ze sprak over de zee en zei dat er ook mindere kanten aan zaten om zo dicht bij zee te wonen. Ten slotte hield Klara het niet meer uit en ze zei: 'Waarom doet u dit? Waarom zegt u niet meteen dat u mij afschuwelijk vindt en dat ik naar de hel moet lopen?'

'Nee, wat zeg je me nou', zei Karin.

'Ik ben het met u eens, hoor. Ik vind ook dat ik hem niet waard ben en ik weet dat ik zijn leven te gronde zal richten.'

Karin jubelde bijna van blijdschap, maar hield dat verborgen en zei: 'Aan iemand die ik niet eerder gezien heb kan ik toch geen hekel hebben.'

'Mooi gezegd, maar u hebt al voldoende gezien', zei Klara, die zich nu resoluut aan de demonen overgaf.

'Lieve Klara,' zei Karin, 'misschien moest je maar eens beginnen met eerst iets over jezelf te vertellen.'

'Ik', zei Klara, 'ben de lelijke dochter van de man van de zagerij en ik heb de gemeenste bek van heel Värmland.'

'Hoe is dat zo gekomen?'

'Misschien omdat mijn moeder verdween met een nieuwe vent toen ik klein was. Maar ik weet het niet; ik denk dat ik van nature gemeen ben.'

'Heb je nooit meer iets van haar gehoord?'

Karin stelde haar vraag uit routine; ze had er alleen moeite mee om haar intense tevredenheid niet door te laten klinken in haar stem. Daar slaagde ze niet goed in, dat voelden ze allebei, en Klara lachte honend maar antwoordde toch: 'Nee, zelfs zij zal wel niet van me hebben kunnen houden, want ik heb nooit meer een levensteken van haar gehad.'

'Dan moet je haar, nu je volwassen bent, maar eens opzoeken', zei Karin alsof dat de eenvoudigste zaak van de wereld was, en het meisje moest denken aan het telefoonnummer in haar agenda dat ze nu al drie jaar probeerde te bellen.

'Dat is een goed advies', zei ze.

'Je moet wel een ontzettende hekel aan jezelf hebben dat je zo boos op anderen bent', zei Karin.

'Ja zeker', zei Klara. 'In vaktaal wordt dat projectie genoemd.'

'Probeer je indruk op mij te maken?'

'Nee, ik snap allang dat dat toch niet lukt.'

'Ik heb moeite met mensen die niet van zichzelf houden', zei Karin. 'Dat gaat zeer ten koste van anderen.'

'Zeker', zei het meisje. 'Ik begrijp best dat u Simon een beter lot had gegund. Daar zijn we het over eens. Vertrouwt u maar op mij, Karin, goede moeder. Binnenkort is dit liefdessprookje uit.'

Ze veranderde zichzelf in een standbeeld dat zonder iets te zien in de verte over de zee staarde, en Karin, die wel begreep dat dat een manier voor het meisje was om haar tranen te bedwingen, begon een slecht geweten te krijgen en werd kwaad.

'Probeer je de schuld bij mij te leggen?'

'Nee', zei Klara. 'De goede moeder is nooit schuldig. Dat kan ze ook niet zijn, anders zou ze niet overleven.'

Dat kwam aan en deed Karin pijn; het trof haar als een messteek in haar ziel. Maar Karin slaagde erin haar stem vast te laten klinken toen ze zei: 'Je bent volgens mij het gemeenste wezen dat ik ooit heb ontmoet.'

'Dat zei ik toch al', zei het meisje, maar toen ze een blik op Karin wierp die lijkbleek zag en een gebalde vuist tegen haar hart drukte, werd ze bang.

Simon had haar over het infarct verteld.

Toen ze van de rotsen afklommen wist Klara dat ze snel weg moest, voordat ze te veel kapot zou maken. Zodra ze de keuken, waar het nu vol mensen zat, weer binnenkwamen gaf ze iedereen een hand om afscheid te nemen en te bedanken voor de maaltijd. Ze zei dat ze het jammer vond dat ze nu naar huis moest om te studeren voor haar tentamens. Tegen Karin zei ze zachtjes: 'U kunt op mij vertrouwen.'

Ruben Lentov was er ook. Ze gaf hem een slap, zweterig handje.

Simon liep met haar mee naar de tram. Ze wisselden geen woord met elkaar. Maar toen de tram eraan kwam zei hij: 'Morgenmiddag om vijf uur kom ik bij je eten. Dan zijn we allebei misschien weer een beetje gekalmeerd.'

Die zondag liep Klara de hele dag in haar donkere eenkamerflatje in Haga te denken aan de belofte die ze Karin had gedaan en ze was zo verdrietig als een mens maar zijn kan.

Om halfvijf maakte ze een blik champignonsoep open en ze smeerde een paar boterhammen. Hij kwam precies om vijf uur.

Hij probeerde tegen haar te glimlachen, zijn armen om haar heen te slaan, maar ze duwde hem van zich af.

'Was het zo vreselijk?' vroeg hij.

'Nee, zeker niet', zei ze. 'Iedereen was net zo geweldig als je gezegd had. Erik is aardig en Isak gezellig en Mona ontzettend schattig. Om nog maar te zwijgen over je moeder; die is geweldig. De Goede Moeder die zich laat aanbidden in haar tempel, die geheel pretentieloos veranderd is in een keuken.'

'Hou je bek', zei Simon, maar Klara kon niet meer ophouden. 'Zelfs de rijke man was er, bereid om de grond te kussen waarop De Goede Moeder loopt', zei ze.

'Over wie heb je het?'

'Over Ruben Lentov, die typische representant van de beschaafde, joodse, bezittende klasse.'

Simon zat doodstil op zijn stoel. Maar zijn ogen schoten vuur: 'Ik heb nooit begrepen hoe iemand als jij psychiater denkt te kunnen worden. Je hebt immers totaal geen benul als het om mensen gaat. Maar ik wist niet dat je ook antisemiet was.'

In haar blik lag nu iets waarmee ze om genade smeekte, maar het was te laat.

'We zullen één ding tegelijk behandelen', zei hij. 'Karin is geen goede moeder, want ze heeft nooit kinderen kunnen krijgen. Dat is het grootste verdriet van haar leven; tenminste, een deel ervan.'

En heel langzaam vervolgde hij: 'Zelf ben ik geadopteerd. Een joods kind. Mijn vader was een typische representant van de joden die in Auschwitz zijn vergast.'

'Tussen de beulen daar zou jij geen slecht figuur hebben geslagen', schreeuwde hij en daarna ging hij weg. Hij sloeg de deur zo hard dicht dat het een wonder was dat het oude gouvernementshuis niet in elkaar stortte.

Klara nam vier slaaptabletten, maar daarna hield ze zich in.

32

Klara werd de volgende ochtend misselijk en met een gierende hoofdpijn wakker. Dat was goed, veel beter dan die angst.

Ze belde het Historisch Instituut om haar plaats op te zeggen. Ze werd uitgescholden en kreeg te horen dat ze haar collegegeld niet terug zou krijgen.

Vervolgens draaide ze het nummer van haar docent in ziekenhuis Sahlgren om te vragen of ze nu met haar assistentschappen zou mogen beginnen.

'U moet wel een maand inhalen', zei de man droog. Maar omdat ze alles altijd snel doorhad mocht hij haar graag, dus hij voegde eraan toe dat het wel goed zou komen.

'Ik ben blij dat u die psychologische fantasieën uit uw hoofd hebt gezet', zei hij.

De hele maandag besteedde ze aan het schrijven van een brief: 'Simon. Ik ben een afschuwelijk mens en je moet blij zijn dat het uit is tussen ons. Maar ik ben geen antisemiet en ik denk ook niet dat ik een van de beulen had kunnen zijn in Auschwitz, waar je vader is gestorven.

Dat wil zeggen, ik hoop van niet. Want wie kan met zekerheid…'

Daarna maakte ze het heel ingewikkeld voor zichzelf, maar dat deed er niet toe; ze verstuurde de brief nooit. Toen op dinsdagochtend visite gelopen werd op de afdeling voor interne geneeskunde, stond zij aan het eind van de rij en haar blik was verder weg dan ooit.

Maar ze luisterde goed en godzijdank was het zo met haar dat hoe meer ze haar hart afsloot, hoe helderder haar hersenen werkten. De demonen konden weer even vooruit met wat ze al hadden gekregen; die deden er het zwijgen toe.

Simon had nooit gedacht dat hij zo veel pijn zou kunnen voelen, zo veel puur fysieke pijn in zijn borst. De lucht was helder; de heldere septemberzon scheen gul over de stad, maar Simons wereld was grauw. Dat kon hij nog wel verdragen.

Maar de pijn, die op de plek zat waar hij anders in zijn jeugd altijd door schuldgevoel was geplaagd, was onverdraaglijk.

Dit keer was het geen schuldgevoel, hield hij zichzelf voor. Hij had van geen enkel woord dat hij had gezegd spijt. Integendeel. Het enige dat verlichting bracht, was om nog ergere dingen te bedenken, nog ergere woorden die hij had moeten uitspreken. Zoals: fascistisch loeder.

Soms dacht hij dat er iets mis was met hem, met zijn houding ten aanzien van vrouwen. Eerst Iza en daarna dit rotwijf, dat nog erger was.

Hij moest denken aan zijn fantasieën over het kwaad dat zijn leven werkelijk moest maken. Nu zat dat kwaad in zijn borst en zijn bestaan was nog nooit zo onwerkelijk geweest. Ruben praatte met hem, maar Simon kon niet naar hem luisteren. Tijdens de colleges was het al net zo; hij hoorde niets vanwege die verdomde pijn in zijn borst.

Hij moest steeds zijn best doen om niet aan Karin te denken.

Ruben belde Erik om te zeggen dat hij zich ongerust maakte over Simon.

'Dood ga je er niet van,' zei Erik, 'maar je kunt er wel ziek van worden.'

Ruben herinnerde zich wat Erik hem een keer verteld had; dat hij na een periode van liefdesverdriet in zijn jeugd tuberculose had gekregen.

'We moeten iets doen, Erik.'

'Niemand kan wat doen. Maar het is verdomd jammer; het was een goed meisje, en die kom je niet vaak tegen.'

'Wat is er gebeurd, Erik?'

'Tja, wat is er gebeurd?'

Na veertien dagen kreeg Simon koorts en nu viel er niets meer voor Karin te verbergen. Ze kwam bijna tegelijk aan met de dokter, die door Ruben gebeld was en die constateerde dat Simon longontsteking had.

'Dat is tegenwoordig niet gevaarlijk meer', zei de dokter en hij gaf Simon een spuitje met antibiotica. Maar voor de zekerheid wilde hij toch dat de jongen in het ziekenhuis werd opgenomen.

Karin ging mee in de ambulance.

Dus daar lag Simon in ziekenhuis Sahlgren en hij droomde weer opnieuw dat hij door zeeën van gras achter een meisje aan rende. Ze had lange benen en was slank en plagerig als een zonnestraal. Hij kreeg haar te pakken en wist dat het Klara was, maar toen ze zich omdraaide was het Iza die naar hem lachte. Toen hoorde hij een fluit en hij zag hoe de mist boven de rivier optrok, maar daar wilde hij niet heen. Hij wilde niet zien dat het Iza was die speelde en hem recht in zijn gezicht uitlachte.

Karin bracht de nacht wakend bij Simons bed door en bad voor de eerste keer in haar leven tot God om genade en vergeving. Maar toen het weer licht werd en hij rustiger begon te ademen, probeerde ze zichzelf voor te houden dat het maar beter was zo.

En dat zij, Karin, onschuldig was.

Dat lukte goed, vooral nadat de artsen Simon tijdens hun visite hadden onderzocht en haar verzekerden dat hij weer gezond zou worden. Ze vertrouwden geheel op het nieuwe medicijn en dat vertrouwen was vast gegronder dan haar nachtelijke gejammer tot een onbekende god waarin ze niet geloofde.

Karin kreeg koffie. Ze dacht dat het meisje gek was en Simons leven kapot zou hebben gemaakt; het was maar beter zo.

Zelf was ze zo vriendelijk geweest als wie dan ook maar had kunnen wensen.

Maar toen begon Simon in zijn slaap te schreeuwen en vervolgens kreeg Karin de indruk dat hij stopte met ademhalen. Haar angst was enorm en alleen God die ze mild moest stemmen, bestond nog en ze hoorde haar moeder krassen: 'Je moet medelijden hebben, je moet medelijden hebben.' Ze zag zichzelf als jong meisje in de keuken van haar schoonmoeder staan, terwijl ze zei dat oude mensen moesten sterven om plaats te maken voor de jongeren, en ze besefte dat ze met die woorden een pact met de Duivel had gesloten en dat die nu gekomen was om zijn deel op te eisen.

Hij kwam niet zelf, dacht Karin. Hij stuurde een meisje, een heks, die mijn zelfvertrouwen kapot heeft gemaakt; het zelfvertrouwen waar de jongen van leefde. En daarom moet hij nu sterven.

Karin begon in wilde vertwijfeling te gillen en opeens was Erik er, en Ruben, en ze zeiden tegen haar dat ze zichzelf moest ontzien. Daarna kwam haar oude hartspecialist, die door Ruben geroepen was. Hij onderzocht Simon en constateerde dat hij snel weer op de been zou zijn; de sulfaan was aangeslagen en de koorts daalde. Hij gaf Karin een spuitje en nadien wist ze niet meer hoe ze thuisgekomen was, maar na veertien uur werd ze wakker in haar eigen slaapkamer en ze kreeg thee op bed van Erik, die vertelde dat Simon de hele nacht goed geslapen had en nu koortsvrij was.

Toen ze die ochtend lag te soezen in bed dacht ze aan de God waarin ze niet geloofde, en aan hoe verbazingwekkend groot zijn macht was. En wat de Duivel betrof begreep ze dat ze die nu in haar eigen hart was tegengekomen; dat hij in haar huisde zoals in alle mensen, maar alleen vreselijk ontkend en verborgen gehouden werd.

Toen ze daar zo lag, moest ze denken aan hoe ze ziek was geworden van de vrede, van al het kwaad dat in dat voorjaar vier jaar geleden geopenbaard werd.

En ze herinnerde zich alle dromen die ze in de hartkliniek had gehad. Lang bleef ze stilstaan bij de herinnering aan Petter en aan de nacht dat hij in haar slaap bij haar was gekomen. Hij had haar iets willen zeggen, maar ze was te moe geweest om te luisteren.

Ik wilde niet, dacht ze.

Want ze wist nu dat Petter had gezegd dat het kwaad in de mens schuilt, in ieder mens, en dat het pas begrepen en bestreden kan worden als je dat beseft.

Toen stapte ze uit bed om Klara Alm in het telefoonboek op te zoeken en te bellen.

De stem van het meisje schoot omhoog van verbazing en ook van iets anders.

Van blijdschap, dacht Karin.

'Ik weet dat het uit is tussen jullie en eigenlijk denk ik dat je misschien wel gelijk hebt in veel van wat je tegen mij hebt gezegd over goede moeders', sprak Karin onsamenhangend. 'Maar nu is het zo dat Simon vreselijk ziek is en ik had gedacht dat jij, omdat je dokter bent, misschien...'

'Is Simon ziek?' Klara schreeuwde van angst.

'Hij ligt in Sahlgren.' Karin dreunde de afdeling en het kamernummer op.

'Ik ga er meteen naartoe. Enne, ik bel u wel.'

Klara nam een taxi, maar daar had ze spijt van; met de fiets was het sneller gegaan. Maar ten slotte was ze er dan toch. Doktersjas aan, het juiste gezicht trekken. Het afdelingshoofd was beleefd maar afstandelijk, totdat Klara zei dat ze om privé-redenen wilde weten hoe het ging en keek alsof ze elk moment in huilen kon uitbarsten.

Het assistentje is verliefd, dacht de verpleegster, maar ze was niet onvriendelijk en haalde het dossier te voorschijn.

Een lobaire pneumonie. De antibiotica was aangeslagen en nadat de koorts was gezakt was er een röntgenfoto gemaakt. Geen blijvende vlekken op de long.

'U mag wel even bij hem binnenkijken', zei de zuster en toen ze eraan toevoegde dat hij waarschijnlijk sliep en dat Klara vast wel begreep dat hij niet wakker gemaakt moest worden, vatte ze moed.

Hij lag eersteklas, op een kamer voor zichzelf, godzijdank, en zoals de zuster al gezegd had sliep hij. Goeie genade, wat was hij knap.

Ze bleef lang naar hem staan kijken en het was alsof hij haar aanwezigheid gevoeld had, want opeens deed hij zijn ogen open en zei: 'Loop naar de hel, jij fascistisch loeder.'

Toen ze zich omdraaide om weg te rennen botste ze tegen Ruben Lentov op, die daar al een tijdje naar haar moest hebben staan kijken en die gehoord had wat Simon had gezegd.

En nu kwamen de tranen. Ze bleef stokstijf staan zoals ze altijd deed als ze niet wilde huilen, maar dit keer hielp het niet; de tranen schoten in haar ogen en stroomden over haar gezicht. Ze was zich nauwelijks bewust van de grote zakdoek die hij te voorschijn haalde, maar ze voelde zijn warmte toen hij haar gelaat afveegde en haar probeerde te troosten: 'Rustig maar, Klara, rustig maar.'

Ze vermande zich en probeerde iets te zeggen. Ze probeerde het opnieuw en ten slotte lukte het haar: 'Wilt u tegen Simon zeggen dat de enige mens van wie ik heb gehouden nadat mijn moeder verdwenen was en die ook om mij gaf, een jood was die fluit speelde?'

'Ik zal het hem zeggen', zei Ruben. Maar hij was woest op Simon, dat zag Klara wel toen ze wegrende.

Ze ging naar huis, probeerde te kalmeren en belde meteen Karin op: 'Ik ben bij hem geweest', zei ze. 'Ik heb zijn dossier gelezen. Hij loopt geen risico meer; over een paar dagen mag hij naar huis.'

'Dank je', zei Karin. 'Dat is heel lief van je.'

'Het spijt me heel erg', zei Klara en nu was haar stem niet vast meer, maar het lukte haar toch om te praten. 'Wilt u me vergeven... voor wat ik gezegd heb... over goede moeders en waar u zo verdrietig van werd.'

'Dat hoef je niet terug te nemen', zei Karin. 'Ik heb er over na zitten denken en er zit een kern van waarheid in. Maar toch zijn moeders noodzakelijk, nietwaar?'

'Karin, ik ga haar opbellen.'

'Doe dat en als je behoefte hebt om te praten dan hoor ik het wel.'

'Maar Simon...' zei Klara.

'Dit gaat hem toch verder niets aan', zei Karin. En zo snel dat het leek alsof ze bang was dat ze er spijt van zou krijgen voegde ze eraan toe: 'Simon is een moeilijk te begrijpen mens. Dat is hij altijd geweest. Hij zal nooit een meisje vinden dat lief en aardig is, het type van de ideale schoondochter.'

'Dan zou ik dus wel geschikt zijn.'

'Dat denk ik ook', zei Karin. 'Ik besef nu pas dat jij verdomd geschikt zou zijn.'

Haar stem trilde van woede. Klara hoorde dat en begreep het.

'Dit is niet gemakkelijk voor u', zei ze.

'Nee,' zei Karin, 'het leven is überhaupt moeilijk te begrijpen. Maar Klara, er is iets dat je niet weet van Simon. Hij geeft nooit op.'

'Mij heeft hij anders wel opgegeven', zei Klara. 'Ik was in die dagen gewoon niet goed wijs, weet u.'

Karin legde de hoorn op de haak met het gevoel dat ze het meisje nog steeds haatte, maar dat ze iets formidabels over zich had. Zij is de enige die ik heb leren kennen die de duivel in mij gezien heeft en die ik niet om de tuin kan leiden, dacht ze.

Klara gunde zichzelf niet de tijd om na te denken of zelfs haar jas maar uit te trekken. Ze vroeg een gesprek in Oslo aan.

Een warme, Noorse stem; Klara herkende die meteen en haar hart begon te fladderen als een opgesloten vogel. Maar ze zei: 'Zou ik mevrouw Kersti Sörensen mogen spreken?'

'Dat ben ik.'

'Goedendag, met Klara.'

Het werd zo stil alsof de aarde was blijven stilstaan; er was in Oslo noch in Göteborg een auto die lawaai maakte. God heeft de tijd stilgezet, dacht Klara. Toen hoorde ze haar moeder huilen.

'Ik heb steeds zo gehoopt dat je contact op zou nemen; daar heb ik al die jaren van gedroomd.'

'Maar waarom belde u dan niet?'

Toen stond de wereld weer stil, totdat de stem van haar moeder weer klonk: 'Ik durfde niet. Maar ik weet dat je medicijnen studeert in Göteborg en ik ben zo trots op je.'

'Moeder, waarom hebt u nooit wat van u laten horen toen ik klein was en het zo nodig had...'

'Maar ik heb je geschreven, Klara. Ik heb hier hele stapels brieven, die je vader ongeopend weer teruggestuurd heeft. Ik heb ervoor gevochten om de voogdij te krijgen; de hele erfenis van mijn moeder is opgegaan aan advocaten. Maar in die tijd was het moeilijk. Ik had geen kans, want ik was immers degene die ontrouw was geweest.'

'Moeder.' Dat was een hartenkreet.

'We hebben wel bereikt dat je vader gedwongen werd om mijn aandeel in de zagerij, mijn geld, op jouw naam te zetten. Maar ik moest beloven dat ik nooit iets van me zou laten horen.'

'Moeder', huilde Klara.

'Je was zo intelligent, Klara. Ik wilde je opleiding veiligstellen en ik wist immers hoe gierig hij was.'

'Maar ik heb om elke öre moeten smeken en ik studeer nu met een beurs.'

'Je moet mr. Bertilsson in Karlstad bellen, een advocaat. Dat moet je echt doen, Klara. En als je me jouw adres geeft dan stuur ik je de oude brieven.'

'Hebt u die dan bewaard?'

'Ja, want ik dacht... ze geven immers een beeld van hoe het was, hoe ik me voelde, snap je.'

Nog vijf minuten, zei de telefoniste.

Klara gaf haar adres.

'Tot ziens, moeder. Ik kom u met Kerstmis opzoeken.'

'God, wat leuk.'

De volgende uren was het maar goed dat Klara Alm haar woede had, haar enorme boosheid. Ze kreeg de advocaat in Karlstad te pakken en hij bevestigde verwonderd dat er een rekening op haar naam bestond; die was er al geweest vanaf de scheiding.

'Hoeveel staat erop?' vroeg Klara.

'Ongeveer vijfentwintigduizend kronen', zei hij. 'Maar het bedrag is natuurlijk gegroeid; misschien is het nu al wel dertigduizend.'

Ze belde haar vader op en hoorde al aan zijn stem dat hij dronken was.

'U bent een grote, verdomde schijtlaars', zei ze en toen hing ze op.

Maar daarna vergat ze het geld, vanwege haar moeder, vanwege de stem waarvan ze elke nuance herkend had en waarin zo veel pijn en liefde hadden gelegen.

Ik heb een moeder, dacht ze. Ik heb ook een moeder, Simon, die om mij geeft.

Twee dagen later kwamen de brieven uit Oslo. Klara belde naar het ziekenhuis om door te geven dat ze niet kwam. Ze was verkouden, zei ze.

Daarna las en huilde ze. En las.

Totdat ze ze allemaal uit haar hoofd kende. Toen belde ze Karin op om het haar te vertellen.

'Dat is fantastisch', zei Karin. En Klara hoorde dat haar stem zijn oude kracht weer hervonden had.

Alsof ook zij eerherstel had gekregen.

33

Simon lag in een fauteuil bij Ruben thuis. Hij dacht dat het ergste nu voorbij was: tegelijk met de longontsteking was hij ook van zijn verliefdheid genezen. Hij was niet langer in staat om echt blij te zijn. Blijdschap is er alleen voor de onschuldigen, dacht hij.

Maar op een avond zei Ruben tegen hem dat hij toevallig gehoord had wat Simon die middag in het ziekenhuis tegen Klara had gezegd.

'Dat was in een droom', zei Simon.

'Nee, helaas was dat niet zo', zei Ruben en Simon zag dat hij woedend was.

'Ik lag te ijlen.'

'Je hebt haar een fascist genoemd. Na alles wat er gebeurd is, is het onvergeeflijk om zulke woorden rond te strooien. Het gaat om fatsoen, Simon, om respect voor de doden.'

Bij het zien van de woede in Rubens ogen hapte Simon naar adem.

'Jij weet verdomme niet wat ze tegen me gezegd heeft.'

'Ik weet wat ze tegen mij gezegd heeft, toen jij weer in slaap was gevallen en voor mij is dat genoeg. Ze heeft me gevraagd om het aan je door te geven en het was zo belangrijk dat ik het letterlijk heb opgeschreven.'

Hij haalde zijn portefeuille te voorschijn om het briefje te pakken en las: 'De enige mens van wie ik heb gehouden nadat mijn moeder verdwenen was en die ook om mij gaf, was een jood die fluit speelde.'

Simon dacht: nu begint het weer.

Het bleef lang stil, maar toen zei hij: 'Die man heeft mijn vader gekend.'

'Simon Haberman?'

'Ja.'

Simon had eigenlijk maar één gedachte: dat de pijn in zijn borst ondanks alles toch schuldgevoel was. En dat was het altijd geweest.

'Ik zal haar schrijven om te vragen of ze me wil vergeven', zei hij.

'Doe dat', zei Ruben.

Twee dagen was hij bezig met de brief. Hij vulde een hele prullenbak met verschillende versies. Maar in de brief die hij uiteindelijk verstuurde stond: 'Klara. Ik vraag je of je me vergeven wilt voor de lelijke dingen die ik tegen je gezegd heb. Natuurlijk weet ik dat je geen fascist bent. Simon.'

Hij kreeg als antwoord: 'Simon. Dank je voor je brief. Ik kan je reactie wel begrijpen, want ik was zelf vreselijk. Klara.'

Het was goed, maar het verminderde Simons pijn niet. Het schuldgevoel knaagde aan hem en er waren momenten dat hij dacht dat het iemand anders dan Klara betrof. Maar die gedachte wees hij van de hand.

Die herfst ploeterden ze allebei eenzaam voort, net zo verbeten en ijverig als ze altijd waren geweest. Simon begon zich voor politiek te interesseren, voor de eindeloze discussies van Rubens vrienden over de jonge staat Israël.

Af en toe dacht hij zelfs: ik ga daarheen.

Maar op papier was hij geen jood en aan zijn belachelijke opleiding hadden ze geen gebrek in een land dat vocht om te overleven.

Toen de kerstvakantie aanbrak en Mona een dochter

baarde, voelde Simon voor het eerst sinds maanden weer eens wat blijdschap was. Hij zat op de kraamafdeling van het ziekenhuis en keek in de ogen van de pasgeborene zoals Andersson hem geleerd had. De blik van het kind was net zo onbegrijpelijk als Simons eigen gedachte: ik heb een zusje gekregen.

Twee dagen voor Kerstmis vloog Klara naar Oslo. Ze had een koffer vol cadeautjes bij zich; voor haar moeder maar ook voor haar kleine halfbroers en -zusjes die ze nog nooit had gezien.

Het werd geen gemakkelijke kerst. Kersti kwam haar ophalen op vliegveld Fornebu en ze konden geen woorden vinden voor wat ze elkaar allemaal te vertellen hadden. Dagenlang zochten ze naar woorden, maar veel verder dan gepraat over de bezetting en hoeveel beter het nu was met de voedselvoorziening en dergelijke kwamen ze niet.

De broers en zusjes vertelden in schattig Noors dat ze altijd gehoord hadden hoe bijzonder Klara was.

Ze begreep dat ze niet aan hun verwachtingen voldeed.

Kersti's nieuwe echtgenoot was ook een alcoholist, maar hij was aardiger; hij maakte niet alles zo kapot als haar eerste man had gedaan. Maar Klara zag wel dat Kersti het niet gemakkelijk had.

In de dagen tussen Kerstmis en nieuwjaar zei Kersti: 'Je zou iets aan je kapsel moeten doen; je hebt zulk mooi haar.' Een beetje giebelend stapten ze binnen bij een elegante kapsalon midden in het centrum en Klara werd geknipt en gepermanent en kreeg een lok op haar voorhoofd die ze eigenlijk altijd al had moeten hebben.

'Je bent onherkenbaar', zei Kersti en Klara keek met verbazing naar haar eigen beeld in etalages en alle andere dingen die spiegelden.

Ze ontmoetten ook vrienden van Kersti: 'Dit is mijn dochter. Ze studeert medicijnen in Göteborg.'

Haar moeder was trots op haar en dat deed Klara goed.

Op 29 december vloog ze weer naar huis. Toen ze in het vliegtuig zat, realiseerde ze zich dat ze een hele week bijna niet aan Simon had gedacht. Op nieuwjaarsdag had ze dienst in het ziekenhuis en ook dat gaf een goed gevoel.

Maar thuiskomen was moeilijk. God, wat haatte ze die vieze afbraakflat waar het ijskoud en donker was en de ventilatie slecht.

Een rattennest.

Er lag een pakketje op haar te wachten. Ze herkende direct het handschrift op de omslag: dokter Klara Alm.

Hij drijft de spot met me.

Maar ze maakte het toch open. Het was zijn boek en op het voorblad stond: Aan mijn geliefde.

Ze begon te vloeken, lang en hartgrondig.

Maar haar woede werkte niet meer; het was alsof ze die in Oslo was kwijtgeraakt. Dus ze bleef met het boek op haar bed zitten en besefte dat ze dit misschien de hele tijd al geweten had, dat er geen terugweg meer was en dat ze voor Simon naar Noorwegen was gegaan.

Om hem niet te verwoesten.

Ten slotte had ze het zo koud dat ze ervan rilde. Ze maakte in de keuken de kachel aan en probeerde zo goed als ze kon de koude lucht uit haar appartement te verdrijven.

Ze pakte haar koffer uit en ging naar de winkel om de hoek om brood, boter en koffie te kopen. Ze vermeed de vis die haar met ogen die al te lang dood waren aankeek, maar kocht vier karbonades zodat ze tot na nieuwjaarsdag genoeg eten in huis zou hebben.

Eigenlijk hield ze niet van karbonades.

De hele tijd dacht ze dat hij dat woord niet had moeten gebruiken, dat het verkeerd was; ze hadden nooit over liefde gesproken. Maar nu was het gezegd; het woord stond er. Het stond als een huis en het maakte dat wat tussen hen gegroeid was en pijn deed werkelijk. En veeleisend.

Nu moesten ze dat huis betrekken; er wonen en leven.

Het duurde twee uur voordat ze het zo warm had in haar kamer dat ze in bed kon kruipen. Maar ondanks alle dekens moest ze toch nog wanten aantrekken om het zeegedicht te kunnen lezen:

en besef dan eindelijk
dat de waarheid alleen in het onuitgesprokene kan
    huizen...

Precies, Simon Larsson, dat had je je moeten realiseren voordat je die opdracht in het boek schreef. Woorden maken alles definitief. De werkelijkheid is iets anders, is voortdurende beweging, onmogelijk te vangen.

Ze las het gedicht keer op keer opnieuw. Voordat ze in slaap viel dacht ze dat ze het zelf had kunnen schrijven.

Als ze had kunnen schrijven.

En daarmee was ook het besef onder woorden gebracht dat tot nu toe vrij in haar onderbewuste had kunnen groeien, namelijk dat Simon en zij erg op elkaar leken.

Ze sliep de hele nacht en toen ze de volgende ochtend opnieuw de kachel aanmaakte, realiseerde ze zich dat wat ze nu voelde geluk was, puur geluk en niets anders.

Er was een einde gekomen aan alle ambivalentie.

Dit moest zijn wat mensen een vredig gevoel noemden, dacht ze, en ze realiseerde zich hoe wantrouwend ze altijd tegenover dat begrip had gestaan. Ze had het nooit begrepen. Maar ze herkende het gevoel; ze moest het eerder gehad hebben.

Als kind, voordat haar moeder verdween.

En bij de muziek, bij het leven binnen in de klanken, als je je over wist te geven en de fluit vanzelf ging spelen.

Toen ze belde was ze nog steeds kalm. Ruben Lentov nam de telefoon op. Ze zei haar naam en vroeg of ze Simon kon spreken. Ze hoorde dat hij blij werd en accepteerde dat zonder er iets tegen in te brengen.

Maar Simon was niet thuis; hij was bij zijn ouders waar ze bezig waren om de nieuwjaarsviering voor te bereiden.

'O', zei Klara teleurgesteld, want daar wilde ze niet naartoe bellen.

'Heb je geen zin om met mij te lunchen? Ik wil al een hele tijd graag eens met je praten.'

Ruben klonk verlegen. Wat gek.

'Dat wil ik graag', zei ze, maar ze bedacht dat er niet zo veel meer was om over te praten.

'Zal ik je komen halen?'

'Nee, alstublieft niet.' Klara viel bijna flauw bij de gedachte aan Lentov hier in haar kamer in Haga.

'Ik kom wel naar u toe', zei ze.

'Neem maar een taxi en dan zoeken we wel een restaurant dat open is.'

'Ik vind het eten niet zo belangrijk', zei Klara.

'Ik eigenlijk ook niet. Dan nemen we gewoon iets bij mij uit de koelkast.'

Ze borstelde haar nieuwe, krullerige kapsel net zolang tot het begon te knetteren en ze zocht de rok op die ze aan had gehad toen ze met Simon naar het concert was geweest. Ze pakte ook de groene zijden blouse, die ze streek. Toen ze mascara op haar wimpers deed dacht ze: vandaag ga ik niet grienen. Toen ze al in de taxi zat realiseerde ze zich pas dat ze de aluminiumchloride onder haar oksels vergeten was, maar ze dacht: dat maakt niet uit. Vandaag zou ze ook niet gaan zweten.

Ruben deed zelf open en toen ze in zijn ogen keek wist ze weer hoe aardig hij voor haar was geweest in het ziekenhuis. Ze bedankte hem nog voor de zakdoek. Hij glimlachte en zei dat hij ontzettend boos op Simon was geweest en haar boodschap had doorgegeven.

'Dat dacht ik al, want ik heb een brief van hem gekregen', zei ze.

Toen viel er een stilte en ze voelden zich allebei wat ongemakkelijk, totdat Klara zei: 'Ik heb het gedicht over de zee gelezen. En het is me zojuist duidelijk geworden dat wij op elkaar lijken, Simon en ik.'

Hij knikte en ze begreep eindelijk wat Ruben Lentov zo bijzonder maakte. Betrokkenheid, dacht ze.

'Daar wilde ik het met je over hebben', zei Ruben. 'En natuurlijk over dat vreemde fenomeen dat liefde genoemd wordt en dat zo moeilijk is.'

'Ik ben bang voor dat woord', zei Klara.

'Dat woord is niet belangrijk. Laten we het er liever over hebben hoe ongewoon het is, dat wat liefde genoemd wordt en dat door de meeste mensen verward wordt met onbevredigde behoeften.'

'Niet door mij', zei Klara en toen ze zag hoe het rond zijn mondhoeken begon te trekken, voegde ze er eigenwijs aan toe: 'Ik bedoel, als ik mijn ontevredenheid met liefde zou verwarren, dan zou ik steeds verliefd zijn.'

Daar moesten ze allebei om lachen en Ruben dacht: dit is inderdaad een bijzonder meisje, precies zoals Erik al zei. En Klara dacht: Ruben is geweldig. Stel je eens voor dat ik dat tegen hem zou durven zeggen.

Daarna deed ze het: 'U bent geweldig, meneer Lentov.'

Hij begon te blozen als een schooljongen en zei dat juffrouw Alm maar Ruben tegen hem moest zeggen, dan kon hij haar verder Klara noemen.

Hij schonk een glaasje sherry voor haar in en ging in de keuken broodjes halen.

Daarna zei hij gedecideerd: 'Ik wil je iets vertellen dat ik nog nooit eerder aan een ander mens verteld heb.'

In het begin, toen hij Rebecca, het meisje van wie hij had gehouden en met wier zuster hij was getrouwd, wilde beschrijven, moest hij naar woorden zoeken. 'We waren voor elkaar geschapen, Rebecca en ik', zei hij. 'Ik romantiseer het misschien wat, of nee, dat is niet zo; we waren echt voor elkaar bestemd. Maar zij wilde het jodendom achter zich laten en toen ik zag hoe sterk haar verlangen naar vrijheid was, heb ik haar laten gaan. Naar een Duitse officier met een adellijke naam, die haar een plaats zou garanderen in het arische rijk.'

Klara legde haar broodje weg.

'Ik heb me in alles vergist', zei Ruben. 'Die deftige Duitse naam heeft haar niet geholpen toen de Gestapo kwam. Ze is in een concentratiekamp gestorven samen met twee van haar kinderen.'

Klara realiseerde zich dat ze die mascara toch beter niet had kunnen aanbrengen, maar ook dat de zwarte strepen op haar wangen er niet toe deden.

Hij vertelde hoe ze stiekem in een restaurant hadden af-gesproken in Parijs, de stad waarvan hij hield.

'Ik had zulke edele gedachten', zei hij. En toen, met een plotselinge intensiteit: 'Wat is er goddomme veel kwaads voortgekomen uit die gedachten, uit dat belachelijke be-sluit om haar te laten gaan en tegen de natuur en Gods wil in te gaan. Voor haar, maar ook voor haar zus die ik hiernaartoe heb meegenomen en die van angst en gebrek aan liefde gek is geworden.'

'En voor jezelf', fluisterde Klara.

'Ja.'

Klara kon niet langer blijven zitten en ging naar de bad-kamer om haar gezicht te wassen en af te spoelen met koud water. Toen ze terugkeerde was hij gekalmeerd. Hij zei: 'Ik wil niet dat je dit verder vertelt, ook niet aan Simon.'

'Ik beloof het', zei ze.

Ze dronken nog een glaasje sherry en toen zei hij: 'Ik heb om vijf uur bij de Larssons afgesproken. Denk je dat je met me mee durft te gaan?'

'Ja,' zei ze, 'dat durf ik wel.'

Onderweg in de auto vertelde hij dat hij grootvader was geworden. Hij vertelde over het meisje en zei dat er gezegd werd dat het kind op hem leek.

'Daar ben ik dan', zei Ruben. 'En ik heb een grote verras-sing bij me.'

Karin staarde Klara aan alsof ze haar ogen niet kon ge-loven, maar daarna was ze blij, en toen vertwijfeld en kwaad, en daarna opnieuw blij. Klara kon zien hoe die ge-voelens door haar heen golfden en een beetje ongerust zei ze: 'Eigenlijk zouden we je zulke grote schokken moeten besparen.'

'Blijdschap kan nooit kwaad', zei Erik en hij omhelsde Klara zo stevig dat hij haar pijn deed. Klara dacht: ik moet uitzoeken wat ze precies mankeert aan haar hart.

Simon was met Isak weg in Eriks auto om te leren rijden. Mona stond midden in de keuken voor het eten te zorgen. Ze dekte de tafel en waakte over de kalkoen die in de oven stond en een heerlijke geur verspreidde.

'Neem jij de baby mee, zodat ik tenminste een beetje verder kan met mijn werk', zei ze. En daar stond Klara, met het pasgeboren kind in haar armen. Ze keek van het gezichtje op naar Ruben en zei heel ernstig: 'Het is waar; ze lijkt op jou.'

'Nu horen we het ook eens van een dokter', zei Mona.

Karin en Klara gingen met het kind naar de oude zondagse kamer, waar de muren nu ook wit waren geverfd en waar wolken witte vitrages voor de ramen hingen. De oude eikenhouten meubelen waren er nog wel en stonden er wat beteuterd bij te midden van al dat wit.

Klara vertelde Karin over haar moeder en dier nieuwe echtgenoot die ook alcoholist was.

'Snap jij nou', zei Karin, 'waarom het leven zo moeilijk moet zijn?'

'Nee', zei Klara en allebei keken ze naar het kind, dat eenvoudig en goed was.

Maar toen hoorden ze een auto en Karin werd zenuwachtig.

'Klara,' zei ze, 'straks krijgt hij nog een beroerte. Ga maar gauw naar zijn kamer boven, dan kunnen we hem een beetje voorbereiden.'

Klara gaf het kind aan Karin. Haar hart ging zo tekeer dat het pijn deed en toen ze de trap oprende was ze wel angstig, maar zonder dat de demonen van zich lieten horen.

'De deur rechts', riep Karin.

Ze trad Simons oude jongenskamer binnen. Ze voelde dat alles hier van hem doordrongen was en haar knieën knikten zo erg dat ze even op het bed moest gaan zitten.

Toen Simon de keuken binnenkwam wist Karin geen woord meer uit te brengen. Ze stond maar te kijken naar zijn magere gezicht met de van pijn brandende ogen, terwijl ze dacht: grote God, wat moet ik zeggen.

Maar Erik, die uiterst goedgemutst was, vond de juiste woorden: 'Zeg luister eens, Simon. Die geweldige Ruben Lentov heeft alweer een kerstcadeau voor je meegebracht. Het wacht boven op je kamer op je. En bereid je maar op het ergste voor, want dit cadeau is mooier dan die grammofoon.'

Simon moest lachen. Daarna zei hij tegen Ruben: 'Jij moet eens ophouden met je kerstcadeautjes; ik had er toch al een gekregen.' Hij liep naar de trap, maar Karin hield hem tegen: 'Wou je eerst niet even een borrel, Simon. Daar word je wat rustiger van.'

Ruben wist niet of hij moest lachen of huilen. Mona koos ervoor te lachen, maar Simon zei: 'Je bent niet goed bij je hoofd, ma.'

Hij verdween en het huis hield zijn adem in. Maar ondanks dat het zo stil was hoorden ze helemaal niets.

Alleen een deur die dichtging.

'Laten we hen maar vergeten totdat het eten klaar is', zei Mona, die alweer met pannen in de weer was.

Simon stond vanuit de deuropening naar het meisje op het bed te kijken. Zachtjes deed hij de deur achter zich dicht. Hij liep naar haar toe en zonder een woord te zeggen begon hij haar uit te kleden, haar mooie blouse, de nauwe rok, haar nylonkousen, haar beha, alles deed hij uit. Toen hij klaar was ging hij naast haar op bed liggen en begon met haar te vrijen zoals hij het laatste halfjaar duizenden keren in zijn dromen had gedaan, intens en serieus.

'O, dank je', zei ze na afloop, maar hij legde een vinger op haar mond en vroeg: 'Heb je je fluit bij je?'

'Nee.'

'Morgen', zei hij, 'moet je voor me spelen.'

'Ja.'

Ze hadden het gevoel dat het maar even geduurd had, maar toen klopte Mona aan de deur om te zeggen dat een mens niet alleen van de liefde kan leven en dat ze beneden al bijna twee uur met het eten zaten te wachten.

Simon begon te lachen.

Ik was vergeten wat een brede lach hij heeft, dacht Klara terwijl ze zich aankleedde.

Hand in hand kwamen ze de trap af en de hele avond zeiden ze bijna geen woord. Het was moeilijk om naar hen te kijken, omdat ze zo naakt waren, zo tot op hun ziel blootgelegd. Alleen Karin durfde het aan om een lange blik op Simon te werpen en wat ze zag vertelde haar wat ze al wist, namelijk dat ze hem nu kwijt was en dat hij nu gelukkig was.

Toen de klok twaalf uur sloeg hieven ze allemaal het glas naar hen: 'Op jullie liefde', zei Erik. 'En wees er potverdorie zuinig op.'

34

De volgende ochtend om zes uur bezorgde Klara alle anderen in huis die nog lagen te slapen bijna een beroerte. 'Simon, help, ik heb dienst; ik moet voor zeven uur in het
ziekenhuis zijn en ik heb helemaal geen schoenen! En gaat
er eigenlijk al een tram?'

'Je zou toch fluit voor me spelen', zei Simon, maar toen
drong de ernst van de situatie ook tot hem door en hij
haalde Erik uit bed, die knorrend zijn broek over zijn pyjama aantrok en de auto uit de garage reed.

Karin pakte een paar gemakkelijke schoenen met een
lage hak en zei: 'Wat een geluk dat we dezelfde maat hebben.'

'Karin,' zei Klara die zich schaamde voor alle commotie,
'zeg maar gewoon dat je boos bent en dat ik een sloddervos
ben dat ik het ziekenhuis en mijn werk en alles zomaar vergeet.'

'Ik vraag me af hoe lang je nog doorgaat met voor anderen te bepalen wat ze moeten denken', zei Karin. 'Ik vind
het hooguit een beetje dom van je dat je niet begrijpt dat
iedereen zijn hoofd kan verliezen na een avond als die van
gisteren.'

'Ik weet niet zeker of ik mijn hoofd al teruggevonden
heb', zei Klara.

'Voor je patiënten is dat nog het ergst', zei Erik, die de
auto had voorgereden.

In de week daarna verhuisde Klara van haar kamer in het
afbraakpand naar Simons kamer in het huis van Ruben. Ze

praatten met elkaar en vóór Driekoningen hadden ze zoveel gepraat dat het voldoende was voor een heel leven.

Zoals Simon het uitdrukte.

In de paasvakantie ging hij met haar mee naar Oslo om haar moeder te bezoeken. Ik zie er helemaal niet tegenop, dacht Klara. Ik weet zeker dat hij Kersti stormenderhand voor zich zal innemen.

En dat gebeurde ook.

Toen de lente uitbarstte, brachten ze een kort bezoekje aan Klara's vader in de zagerij, maar dat was vooral bedoeld om Klara de gelegenheid te geven in de hoofdstraat op en neer te lopen om Simon te laten zien. Dat begreep hij wel en hier en daar, waar veel ramen waren, bleef hij gewillig staan om haar te kussen.

Klara's vader was een vervelender man dan Simon had gedacht; hij was erg grof in de mond en had een haatdragende blik. Als door de duivel bezeten deed hij iedere poging tot toenadering teniet.

Simon werd bang, want dit herkende hij.

Ze waren met de auto; hij had nu zijn rijbewijs gehaald en Eriks auto mogen lenen. Toen ze op weg waren naar Karlstad, zei hij het tegen haar: 'Wanneer je door de demonen bezeten bent, speel je precies hetzelfde spelletje als je vader.'

Ze kwamen aan bij Joachim Goldberg, Klara's vroegere fluitleraar. Ze hadden hun bezoek aangekondigd door hem een brief te schrijven waarin ze vroegen of hij zich Simon Haberman nog kon herinneren.

'Dit keer ben ik nerveus', zei Simon toen ze de trap opliepen van de huurflat, waar mevrouw Goldberg koffie met koekjes voor hen had klaarstaan en de oude man Klara heel hartelijk ontving. Tegen Simon zei hij: 'Ik ben bang dat ik je moet teleurstellen.'

Er hadden meer dan dertig joodse musici in het Berlijns Filharmonisch Orkest gespeeld en Goldberg kon zich slechts vaag een verlegen violist met de naam Haberman herinneren.

'Hij was een van de goedgelovigen, degenen die bleven en die weigerden te geloven dat hun zou kunnen gebeuren wat de hele tijd al rondom ons heen gebeurde', zei Goldberg.

Op weg naar huis deden ze de plaats Trollhättan aan, waar ze naar de dode watervallen gingen kijken en binnen de kortste keren in een enorme ruzie verzeild raakten die over van alles en niets ging. De hele weg door het rivierdal naar huis bleven ze zwijgen.

Ze trouwden met midzomer in 1949 in Oslo, waar Kersti een bruiloft had georganiseerd die grootser en pompeuzer was dan ze allebei hadden gewild. De familie van Simon was erbij en Karin mocht Klara's moeder vanaf het begin. Karin bleef nog een paar dagen in Oslo om haar neven en nichten te bezoeken die ze tijdens de oorlog steeds voedselpakketten had gestuurd. Algauw besefte ze dat ze haar, die rijke nicht uit het beschermde buurland, verafschuwden.

'Je kon geen gesprek met hen voeren zonder dat ze er weer over begonnen dat wij de Duitse treinen door ons land lieten rijden', zei Karin tegen Mona toen ze weer thuis was.

35

Karin zat in de keuken met een pan op schoot. Een bijzondere pan was het nooit geweest en nu, na jaren van gebruik, was hij gedeukt en scheef. Het ene oor zat ook los.

Ze zat bijna met verwondering naar de pan te kijken en herinnerde zich dat ze er eens heel blij mee was geweest; ze had in de winkel in de Övre Husargata staan dromen over alle lekkere soepen die ze in die pan zou gaan maken.

Waarschijnlijk had ze dat in de jaren die voorbij waren gegaan ook gedaan, maar als je dromen in vervulling gaan valt je dat niet meer zo op.

Zo zat Karin te denken, en ze zei: 'Weg ermee.'

En ze deed hem in de grote vuilniszak die voor haar stond.

Het was op een middag in de warme nazomer van 1955; het was zo heet dat je onmogelijk buiten kon zijn. In de keuken was het koeler dan in de schaduw onder de bomen, als je de deuren en ramen tenminste tegen elkaar openzette. Maar het waaide nauwelijks door, want de lucht stond stil. Karin had het benauwd.

Lisa en zij hadden bedacht dat ze de warme middagen zouden gebruiken om de kasten leeg te ruimen en oude spullen weg te doen.

Karin had er altijd moeite mee om dingen weg te gooien, maar dit keer had ze er bijna plezier in. Het oude bestek met de zwarte heften, blikken soeplepels waar ze altijd al een hekel aan had gehad, dat belachelijke gebloemde koffieservies dat ze van haar broer had gekregen toen ze ging trouwen, alles ging dezelfde weg: in de vuilniszak die ze midden op de vloer hadden gezet.

Lisa zuchtte vaak en af en toe klaagde ze even. Toen het koffieservies met het roomkannetje en de rest in de zak verdween, jammerde ze.

'Maar als je het mooi vindt, neem het dan mee', zei Karin. Heel even had ze spijt van haar woorden. Maar toen moesten ze allebei zuchten, want ze wisten hoe vol ook Lisa's kasten stonden.

Allebei waren ze het slachtoffer geworden van de nieuwe overvloed die er heerste. Ze hadden geen idee hoe ze daarmee om moesten gaan.

Op donderdagmiddag werd de hemel zich eindelijk bewust van de geplaagde aarde en van zijn eigen barmhartigheid. De onweerswolken die aan de lucht torenden werden door bliksemflitsen doorkliefd en met donder en geweld stroomde het water over de zee en over het land. De aarde dronk en slurpte het water op.

Zonder enige dankbaarheid.

Zoals de aarde altijd doet, dacht de hemel en hij ging dwarsliggen; hij werd koud en grijs en schonk de grond geen water meer, hoewel die nog lang niet uitgedronken was.

's Avonds na de wolkbreuk wilde Karin niet naar bed. Ze bleef in de tuin zitten om koele lucht in – en warme lucht uit te ademen, net zolang tot ze het koud kreeg en besefte dat ze nu wel genoeg afgekoeld was om fatsoenlijk te kunnen slapen.

Ook de volgende dag was de hemel nog boos, maar Karin was daar blij om want nu kon ze weer rondstruinen in de omgeving zoals ze gewend was. Een beetje schuldbewust sloop ze omhoog langs het paadje achter hun huis, bang als ze was dat de kinderen haar zouden zien en mee zouden willen.

Vandaag wilde ze alleen zijn met de rotsen en de zee, de rivier en de gele weilanden. Ze liep naar de plek op het strand waar altijd gezwommen werd en bleef op de rotsen staan kijken, terwijl ze dacht dat het niet eens zo lang geleden was dat Simon hier had leren duiken.

De tijd vliegt je door de vingers, en hoe ouder je wordt, hoe sneller het gaat, dacht Karin.

Nu kon je hier niet meer zwemmen; het water van de riviermonding stonk en was bruin en vettig. Karin keek naar de nieuwe huizen: dozen die arrogant boven op de rotsen waren gezet en die erin geslaagd waren om het lijnenspel, dat door de zee, de rivier en de rotsen in duizenden jaren in het landschap was aangebracht, binnen een paar jaar te verwoesten.

Nooit had Karin kunnen denken dat de welvaart zo lelijk zou zijn. O, wat had ze gedroomd over de tijd die zou komen wanneer de welvaartsstaat af was en de mensen de onderdrukking die het gevolg is van armoede niet meer zouden kennen. En nu was die welvaartsstaat gekomen en iedereen had het beter gekregen; dat was goed, dat was fantastisch. De zorg of ze in hun levensbehoeften zouden kunnen voorzien heerste niet langer en die andere angst, die zich altijd ergens in de diepte bevindt, kon vooralsnog met allerlei voorwerpen worden gesust. Opeens waren er duizenden behoeften, waarvan niemand het bestaan had kunnen vermoeden, en met de nieuwe, lelijke overvloed kon in al die behoeften worden voorzien.

Ik denk als een oude conservatief, zei Karin, waarna ze haar gevoelens de les las. In die lelijke dozen die het landschap kapot hadden gemaakt, woonden de mensen in goede behuizing; vrije mensen, die niet bang hoefden te zijn en die met niemand rekening hoefden te houden en die warm water en een afvoer hadden. Een afvoer die rechtstreeks op zee uitkwam en waarvan het rioolwater zich mengde met het afval van de grote fabrieken langs de rivier.

Ze draaide zich van het strand af en nam het pad over de weilanden, waar binnenkort terrein uitgezet zou worden voor rijtjeshuizen. Ze dacht: die nieuwe dozen zal ik tenminste niet meer meemaken. Wat ze hier precies mee bedoelde wist ze zelf niet, maar toen ze bij de eiken was aangekomen om daar te pauzeren, voelde ze opeens de behoefte om over de pan te vertellen.

'Weet je,' zei ze tegen de bomen, 'het was een oude pan, die zijn tijd had gehad. Bovendien ging er veel stroom mee verloren, omdat hij niet stevig meer op het fornuis kon staan.'

De eiken luisterden en begrepen het.

Maar toen ze verderging en vertelde hoe lelijk de pan was geweest en hoe gedeukt en scheef met zijn kapotte handvat, waren ze het niet met haar eens. De pan had een oude, betrouwbare schoonheid bezeten, vonden de eiken. Karin dacht dat daar misschien wel iets in zat.

Daarna praatte ze zoals gewoonlijk over Simon en de andere kinderen; hoe goed het met hen ging en hoeveel zij had om dankbaar voor te zijn.

Simon studeerde nu al voor het vierde jaar aan de universiteit van Londen en het moest wel iets belangrijks zijn waarmee hij zich bezighield, want hij kreeg er geld van de staat voor. Jaar na jaar kwam de beurs binnen die het hem mogelijk maakte om zich opnieuw aan de vreemde tekens op de oude kleitabletten uit Mesopotamië te wijden.

Karin begreep niet wat daar zo belangrijk aan was of

waarom men een taal probeerde te begrijpen die al in geen duizenden jaren meer door iemand was gesproken.

Dat was een mysterie, net zoals de welvaart en de lelijkheid.

Ik ben zeker oud aan het worden, zei ze tegen de eiken, die haar uitlachten. En ze moest toegeven dat het ook niet waar was; ze was vorig jaar pas vijftig geworden en dat was geen leeftijd om over op te scheppen.

Ze moest meer denken aan dingen waar ze verstand van had, vonden de eiken en toen ging ze door met zich te verheugen over hoe goed Simon het had met Klara, die nu in Zwitserland zat en binnenkort klaar zou zijn met haar lange opleiding.

Ze konden niet vaak bij elkaar zijn, maar dat was vast goed voor de liefde.

Karins gedachten bleven hangen bij Klara, het meisje dat meer over haar wist dan wie ook, maar dat haar toch nooit na aan het hart zou liggen. Wat er tussen hen bestond was respect, wederzijds respect.

Ze schaamde zich nu niet langer meer voor wat er die eerste keer was gebeurd toen Klara bij hen over de vloer kwam. Het was een moeilijke tijd geweest, die periode daarna, waarin Karin eenzaam tussen de rotsen had rondgewandeld en tot het inzicht was gekomen dat ze niet zoveel verschilde van haar eigen schoonmoeder.

Het belangrijkste in Karins leven, belangrijker zelfs nog dan Simon, was immers het beeld dat ze van zichzelf had als de goede, wijze vrouw. De goede moeder, zoals Klara haar had genoemd. Karin kon daar nu wel een beetje om lachen en ze vond dat dat eigenlijk helemaal geen slecht beeld was. Beter in elk geval dan het beeld dat vrouwen meestal uit gevoelens van ontoereikendheid scheppen.

Welk beeld het ook is, iedereen probeert toch het beeld van zichzelf waar te maken, en de goede, wijze Karin was goed voor haar kinderen geweest. Er viel over te discussiëren hoe dat beeld voor haarzelf was geweest, want ze had veel te verduren gekregen en met de jaren behoorlijk wat deuken en blutsen opgelopen.

Net zoals de pan die ze had weggegooid.

Klara had een beroep; zij bezat wat Karin altijd had willen hebben. Ze was niet afhankelijk van een man om te overleven.

Toch was ze afhankelijker van Simon dan Karin ooit van Erik was geweest.

Dat was eigenlijk vreemd, maar voor Mona en Isak was het al net zo. Het huwelijk was zo veeleisend. Ze moesten alles met elkaar delen en alles van de ander begrijpen.

Dat leidde tot teleurstellingen en het was onvermijdelijk dat je elkaar dan kwetste. Dat zag ze duidelijk bij Isak en Mona; de wederzijdse vertwijfeling nam toe totdat ze allebei met frisse moed opnieuw begonnen en opnieuw ruzie maakten om elkaar beter te begrijpen. In plaats van de zaak te laten rusten, dacht Karin. Niemand zou haar er ooit van kunnen overtuigen dat een man en een vrouw elkaar in het diepst van hun ziel zouden kunnen begrijpen.

Ze had ook geprobeerd om dat tegen Mona te zeggen: 'We komen van verschillende planeten.'

Maar Mona luisterde niet, ook al was ze, wanneer ze eraan werd herinnerd dat de basis waarop Isak stond zo wankel was, soms een tijdlang minder veeleisend ten aanzien van hem.

Toen ze het pad naar het huis weer afdaalde, kwam Malin haar tegemoet rennen. Dat geweldige kind, dacht Karin, zoals ze bijna altijd dacht wanneer ze dit kind zag dat zo serieus en ook zo vrolijk kon zijn.

Simon noemde haar zijn kleine zusje, maar dat was niet omdat ze zo op elkaar leken. Zo vurig en geestdriftig als hij kon zijn, zo rustig als de bomen was het meisje; waar hij boordevol vragen zat, was zij de wijsheid zelve.

Karin ging op een rots zitten om het meisje in haar armen te sluiten.

'Malin, zes jaar, mijn hartendief', zei ze bij wijze van bijna plechtige begroeting. Daarna deed ze wat ze altijd deed: ze ging met haar vingers door het dikke bruine haar en kriebelde het meisje in het kuiltje in haar nek. Ze had een sterke, bijzondere geur.

'Je ruikt alsof je uit de hemel komt', zei Karin.

'Ik zag je weggaan en wilde je achterna rennen', zei het kind. 'Maar toen begreep ik dat je alleen wilde zijn.'

'Dat was ook zo', zei Karin. 'Maar nu wil ik niet langer alleen zijn; nu wil ik bij jou zijn.'

'Waar moest jij aan denken?'

Ja, waaraan? Karin dacht er even over na en zei toen, en ze was er zelf verbaasd over: 'Over een oude pan die ik gisteren heb weggegooid. Ik vond dat ik daar nog eens goed over na moest denken.'

Malin vond het niet gek; ze deelde Karins gevoel van verlies.

'Had je hem niet aan mij kunnen geven? Ik had ermee in de zandbak kunnen spelen.'

'Maar je hebt zo veel mooie, nieuwe emmertjes.'

'Maar ik hou het meest van oude pannen', zei Malin en Karin moest haar best doen om niet te lachen.

Ze liepen hand in hand de heuvel af de nieuwe tuin in.

De tuin, ja. Ondanks de grijze hemel strekte de tuin zich in pracht en praal voor hen uit: de ernstige morellenboom, het aardbeienveldje dat voor dit jaar leeggeplukt was, het zachte gazon dat mooi tot aan alle bomen doorliep, de essen die bij de rotsen vlak bij de rivier stonden en de haag van sparren die nu nog niet zoveel voorstelde, maar die over een paar jaar beschutting op het noordwesten zou bieden.

Karin ging zitten in de oude dekstoel die op het houten steigertje bij de vijver stond. Ze keek naar de manshoge Turkse lelies die hun donkerpaarse kelken binnenstebuiten hadden gekeerd en hun felgekleurde meeldraden brutaal naar voren staken. Ze waren bezig om zaad te vormen en met hun elegante zaadbeursjes, die je kon drogen om in een vaas binnen neer te zetten, zouden ze Karin plezier blijven doen.

Aan haar voeten zat Malin rustig bladluizen te voeren aan lieveheersbeestjes.

'Ik hou niet van dieren die gevangen zijn', zei Karin. 'Wil je ze alsjeblieft weer op de rozen zetten?'

'Zo meteen', zei het kind terwijl ze naar de zware rozen keek die bij de vijver stonden en die veel van de hitte en de wolkbreuk te lijden hadden gehad.

Als Karin haar hoofd achteroverboog kon ze de oude appelbomen zien staan bij de afscheiding met de eerste tuin; de tuin die Erik en zij in het begin der tijden hadden aangelegd. Het waren Åkerö-appelbomen en de knoestige oudjes zouden een rijke oogst opleveren.

Dit jaar kijk ik er niet naar om. Mona mag nemen wat ze ervan hebben wil, en de rest van de appels is voor de vogels.

Malin was stil alsof ze besefte dat Karin opnieuw behoefte had om met haar gedachten alleen te zijn. Blijde gedachten waren het nu, die over de tuin gingen en over alles wat die haar had geschonken.

In het begin stiekem plezier; dat was toen de werf ging verhuizen en Mona en zij een idee hadden gekregen. Heel dat vroege voorjaar, toen Malin nog een baby was en van hand tot hand ging of op een kussen op de keukenbank lag te slapen, waren ze bezig geweest met fantaseren en tekenen. Mona had gedroomd over een wilde tuin met margrieten, akelei, korenbloemen en klaprozen in een hoek op het zuiden. Een degelijke moestuin met aardbeien en frambozen aan het eind, dat was Karins bijdrage geweest. Tegen de rotsen op wilden ze kruipende steenbreek, en primula's, omdat die zo leuk waren in het voorjaar, en stralend blauwe gentiaan voor de herfst.

'En sedum', had Karin droog gezegd.

'Weet je', had Mona gezegd, 'dat er wel twintig verschillende soorten bosanemonen zijn? Paarse en gele; en witte, en dubbele witte. Dat zijn net kleine roosjes.'

Nee, dat wist Karin niet en eigenlijk vond ze ook dat bosanemonen gewoon wit moesten zijn, voor die korte tijd dat ze bloeiden.

Ze hadden bij Ruben om tuinboeken gebedeld en daarmee kregen hun dromen een nieuwe impuls; ze waren niet meer te stuiten.

Daarna kwam het er op aan om Erik om te praten. En dat was niet gemakkelijk geweest, eigenlijk nog het moeilijkst.

'Je zult je helemaal kapot werken', had hij gezegd. 'En bovendien moet ik het kapitaal dat in die grond zit benutten.'

Maar toen was Karin boos geworden.

'Je praat als de ergste kapitalist, uitzuiger die je bent', had ze geschreeuwd en ze was zo woest geweest dat ze het juiste woord niet kon vinden. Pas later kwam ze erop: uitbuiter.

Ook hij was razend geworden, maar sinds ze het aan haar hart had gekregen kwamen hun ruzies nooit meer echt van de grond en net als anders was hij boos naar zijn werkplaats gegaan.

In het begin had alleen Isak hen in hun plannen gesteund. Hij was het met hen eens geweest dat een tuin die doorliep tot aan de rivier geweldig zou zijn. Ruben had zijn hoofd geschud en was geneigd om het met Erik eens te zijn; hoe zouden Mona en zij in staat zijn om zo'n grote tuin te onderhouden. Hij zou ook wel aan de bezitsverhoudingen gedacht hebben en aan het feit dat Isak en Mona niet meer dan huurders waren.

Niemand wist hoe het zou zijn afgelopen als de Gustafssons niet precies op tijd waren overleden. Eerst hij en toen, een paar maanden later, de oude vrouw, die zestig jaar lang op haar man had zitten vitten maar niet zonder hem kon leven. Hun erfgenamen wilden niet wonen in dat grote huis met al die onhandige hoeken en gaten, erkers en vele ramen met spijlen. Het zou een vermogen kosten om het te moderniseren, alles recht te maken en de ramen te vervangen.

Dus ze waren alleen maar blij toen Isak met een redelijk bod kwam. Mona juichte hardop, Karin in stilte.

Die eerste zomer hadden ze nog niet veel bereikt met de tuin. Wel hadden ze, toen de werf verhuisd was, mensen en machines laten komen om de boel te laten ontruimen en de grond te egaliseren. En vrachtwagens vol tuinaarde hadden ze laten storten, voordat de vorst inviel. De bomen en struiken gingen vóór de winter de grond in. De winter werd besteed om het huis van de Gustafssons te verbouwen. Aanvankelijk waren er acht kamers en twee keukens geweest, maar nu waren er nog zes ruimtes over. Mona was namelijk niet bang om muren te slopen en licht en ruimte om zich heen te creëren.

De oude keuken op de bovenverdieping was nu een hobbyruimte geworden waar Mona haar weefgetouw had neergezet. Mona zat op een cursus om te leren weven en Karin paste dan op Malin.

Toen de tuin werd aangelegd was Mona weer in verwachting. Groot en log had ze tussen de stenen gezeten; haar buik zat in de weg van de spade waarmee ze plantjes wilde poten. Erik had toen een man in dienst genomen, een oude tuinman, die nog steeds een dag in de week kwam om het zware werk op te knappen.

De winter daarop was de tweeling geboren; twee jongetjes die totaal niet op elkaar leken. De ene was zo donker als de nacht, echt joods, in zichzelf gekeerd en nadenkend. De andere was blond, vrolijk en naar het zich liet aanzien ongecompliceerd.

'Hij lijkt op de visboer', had Mona gezegd.

'Nee toch, hou je stil', had Karin helemaal verschrikt uitgeroepen, maar Mona had er alleen maar om moeten lachen. Ze had haar vlaskopje nog eens lekker geknuffeld en toen gezegd dat ze ondanks alles toch van haar vader hield en dat het feit dat hij was verworden niets met erfelijkheid te maken had.

'Weet je,' zei ze, 'mijn grootmoeder, zijn moeder, was een kreng van een wijf.'

'Net zoals mijn schoonmoeder. Ik vraag me af hoe zij zo zijn geworden.'

Het waren gouden jaren, zoete jaren, en alles was net zo vanzelfsprekend als in de tijd toen Simon klein was, dacht Karin.

Ze nam Malin mee naar binnen. Lisa's werk voor die dag zat er weer op en ze was al weg. Karin en het kind besloten een taart te bakken voor 's avonds bij de koffie. Ze mengden eieren en suiker, morsten meel op de keukenvloer, klopten slagroom en hadden samen plezier.

Toen de taart in de oven stond, vergaten ze hem en hij verbrandde dan ook een beetje, maar ze waren het erover eens dat dat niet zo erg was en dat je de randjes er wel af kon snijden.

'Jij moet de vloer dweilen', zei Karin. 'Ik ben een beetje moe, begrijp je.'

En Malin ging aan de slag en omdat ze was zoals ze was, deed ze het nog netjes ook.

Toen ze wegging zei ze: 'Nu ben je vast niet meer verdrietig om je pan.' En Karin antwoordde: 'Nee, ik geloof het niet.'

Mooi op tijd voor de zondag was de hemel over zijn slechte humeur heen; hij veegde de wolken weg en gaf de zon vrij spel met de bomen en de mensen. Ruben was komen eten bij Isak en Mona, net als anders. Karin en hij zaten in de tuin met elkaar te praten, en zij vertelde nog een keer het verhaal van de pan die ze weg had gegooid, maar die ze maar niet uit haar gedachten kon krijgen.

'Het is wel gek', zei ze. 'Ik had die pan al jaren niet meer gezien, dus dan kan ik hem eigenlijk toch ook niet missen.'

Ruben vertelde over een rabbijn die had gezegd dat je elke dag zo moest leven dat je overal afscheid van nam, van alle voorwerpen die je bezat en van alle mensen van wie je hield. Als je dat kon, zou het leven werkelijk worden, had de rabbijn beweerd.

Karin keek Ruben lang aan; ze was gefascineerd door

zijn woorden. Hij voelde zich koud worden vanbinnen en had spijt van zijn woorden, al wist hij niet goed waarom.

Vlak voordat Karin die avond in slaap viel, dacht ze dat dat het moest zijn wat ze nu bezig was te leren: zich losmaken van mensen en dingen.

Die pan was nog maar het begin geweest; daarom bleef hij zo in haar gedachten.

En misschien was het zo dat het leven na de wolkbreuk werkelijker was geworden, dat er een nieuw besef in haar rijpte. Nee, niet nieuw; het was er altijd al geweest, maar had verborgen gezeten onder haar ongerustheid over de kinderen en over al het onvoorziene dat er altijd in het leven kan gebeuren.

's Nachts sliep ze als een kind, vaster en beter dan ze in lange tijd gedaan had. En haar wandelingen tussen de rotsen werden vrijer; ze had minder herinneringen en verheugde zich meer over wat ze spontaan waarnam.

'Ik geloof dat ik bezig ben om op te houden met denken', zei ze op een dag tegen Malin.

'Dat is mooi', zei het meisje. 'Denken maakt alles meestal alleen maar ingewikkelder.'

'Ja, daar heb je misschien wel gelijk in', zei Karin, terwijl ze keek naar deze nieuwe mens, die pas begonnen was om te denken in plaats van alleen maar te zijn.

Karin zat lang onder de eiken. Ze had er spijt van dat ze altijd aan het jachten was geweest, alles in haar leven snel had gedaan om het maar af te hebben. Wat had ze ermee gedaan, met die tijd die ze bespaard had?

Dat kon ze zich niet herinneren.

Maar zoals gewoonlijk schonken de eiken haar troost; net als zij wisten ze immers dat het dom is verdriet te hebben over wat toch niet meer ongedaan gemaakt kan worden. Toen ze terugliep naar huis was ze weer gedachteloos en ze voelde zich op een vreemde manier vrij.

'Wat ben je stil', zei Erik. 'Je bent toch niet ziek?'

'Gut, nee hoor', zei Karin. 'Ik heb me nooit beter gevoeld. Het is alleen zo dat ik ben opgehouden me zorgen te maken, snap je.'

'Dus dan is er niets waarover je hoeft te praten, bedoel je?'

'Ja. En ook weinig om over te denken.'

'Het werd ook wel tijd dat je ophield met je zorgen te maken', zei Erik, maar Karin zag wel dat hij wantrouwend keek.

Maar ook dat kon haar niet schelen.

Hij moet het maar opvatten zoals hij zelf wil, dacht ze.

Erik en Isak zouden eind november naar Amerika gaan om een studie te maken van werven voor kleine schepen. Allebei waren ze een beetje benauwd voor de reis. Vooral Erik, die de taal niet kende en er nooit tegen kon om in het nadeel te zijn. Maar dat kon hij natuurlijk niet toegeven, niet eens voor zichzelf.

Hij wilde Karin meenemen, maar zij had hem de waarheid gezegd: dat ze zo'n lange reis niet aankon. En ze had erbij gedacht: je kunt niet je hele leven aan mijn rokken blijven hangen, Erik Larsson. Nu is het tijd voor jou om op eigen benen te gaan staan.

September bracht veel regen, maar in het begin van oktober begon er een zachte en gouden Sint-Michielszomer. Karin had een plek aan de oever van de rivier gevonden waar het riet zo hoog stond dat het alles verborg behalve de lucht en de rivier. Hier kon ze lang zitten om alles te bekijken.

Ze had nog nooit zo'n heldere kijk op dingen gehad als

nu, nu ze zich van al haar ideeën over hoe het leven moest zijn had ontdaan.

Nu wist ze hoe het leven was en hoe het geleefd moest worden.

Die dag, een dinsdag, kwamen de pestvogels. Een hele zwerm, op weg naar het zuiden. De vogels gingen om haar heen zitten en ze keek naar de goudgele randen op hun vleugels en naar hun grappige kopjes met de uitdagende toef. En opnieuw hoorde ze hun lied, dat vreemde lied, dat een mengeling was van blijdschap en intens verdriet.

Maar toen ze tot haar bewustzijn liet doordringen dat alle tekenen hierop hadden gewezen en dat haar grote gevoel van vrijheid dit had voorbereid, was ze toch verwonderd.

Zo zachtjes als ze kon, om de vogels niet te storen, ging ze liggen. Ze maakte het zichzelf gemakkelijk. Ze lag rustig en nam goed waar hoe haar hart langzaam zijn ritme verminderde om na een tijdje helemaal op te houden met slaan.

36

Mona gooide haar thee weg. Die had te lang staan trekken en was bovendien afgekoeld. 'Het is belachelijk om me ongerust te maken', zei ze, dit keer hardop.

Maar toen kwam Malin huilend binnen. Ze zei dat ze al minstens honderd keer de rotsen op was geklommen om Karin op te halen.

'Waarom komt ze niet, mamma?'

Mona besloot Malins ongerustheid serieus te nemen. Ze belde Lisa op om te vragen of ze even op de kinderen wilde passen.

Daarna vertrok ze. Ze kende zo'n beetje alle paden waarover Karin rondslenterde, dus ze liep doelbewust en in het begin nog rustig. Ze zal hier wel ergens zijn gaan zitten. Misschien is ze in slaap gevallen; ik moet niet aan komen rennen en haar aan het schrikken maken.

Maar daarna had ze het niet meer; ze rende onder de eiken door, over de rotsen en de velden en langs het strand. Het duurde een uur, het duurde twee uur en nergens was een spoor te bekennen.

Toen ze weer naar huis terugkeerde, had ze de stille hoop dat Karin net als anders in de tuin zou zitten met Malin. Maar diep in haar hart wist Mona het.

Isak was thuis, godzijdank. Erik was nog op de werf; dat was maar goed ook. Ze vroeg aan Lisa of ze nog kon blijven en samen met Isak rende ze naar het strand.

'Ik heb overal gezocht, maar misschien is ze in het water gevallen.'

Isaks ogen waren donker van angst. Samen renden ze

langs de oever van de rivier, het hoge riet in. En daar lag ze, zo vredig alsof ze sliep.

'Karin', riep Isak met opgeluchte stem. Maar toen ze geen antwoord gaf, keek hij Mona aan en drong het tot hem door. Maar hij wilde het niet accepteren en pakte Mona bij haar schouders om haar door elkaar te schudden, terwijl hij zei: 'Mona, het kan niet waar zijn. Zeg dat het niet waar is.'

Maar dat was het wel. Ze stonden hand in hand als kinderen naast elkaar. Geen van beiden was in staat om te huilen, maar toen Mona zich losmaakte om een paar laatste zomerbloemen te plukken en die in Karins handen te leggen, konden ze allebei zien dat ze al verstijfd was en Isak schreeuwde van afgrijzen. Vertwijfeling voelde hij niet, want die was nog niet tot hem doorgedrongen en van het grote verdriet dat nog ging komen kon hij zich op dat ogenblik nog geen voorstelling maken.

Mona, die zo bleek was dat zelfs haar lippen wit waren geworden, zei tegen Isak dat ze nu kalm moesten zijn en dat een van hen daar moest blijven om de wacht te houden, terwijl de ander naar huis ging om de dokter te bellen.

'Ik blijf hier', zei hij, want dat was wat hij wilde nu hij zijn afgrijzen de vrije loop had gelaten; hij wilde een poosje alleen bij Karin zitten om met haar te praten zoals hij door de jaren heen altijd had gedaan als hij het moeilijk had.

'O jee', zei Mona. 'Wanneer komt Erik thuis?'

'Hij was nog bezig met een schets die hij wilde afmaken', zei Isak.

Mona rende naar huis, naar Lisa, en vroeg of ze nog wilde blijven om de kinderen op bed te leggen.

Malin keek haar met grote ogen aan: 'Is ze vertrokken, mamma? Ja, hè?'

'Ja', zei Mona. 'Lieve Malin, nu moet je even een grote, flinke meid zijn.'

'Ja.'

Mona rende naar het huis van de Larssons en tot haar vertwijfeling zag ze Eriks auto op de oprit staan.

'Ik werd zo ongerust toen Karin de telefoon niet opnam', zei hij. Maar hij zag er helemaal niet ongerust uit; hij was net zo vrolijk als anders en Mona dacht: wat moet ik zeggen, wat moet ik in godsnaam zeggen? Jezus, help me.

'Karin is... ziek', zei ze. 'We moeten de dokter te pakken zien te krijgen.' Ze belde de dokter, de oude huisarts, en toen ze tegen hem zei dat hij meteen moest komen en dat ze aan de weg voor het huis zouden wachten om hem de plek te wijzen waar Karin lag, hield ze Eriks hand stevig vast.

'Maar Mona, laat me los!'

Erik schreeuwde van woede, maar ze liet zijn hand niet los. Ze liet hem plaatsnemen op de keukenbank, ging op haar knieën voor hem zitten en zei: 'Ze is dood, Erik.'

Ze zag wel dat hij haar niet geloofde.

'De dokter komt zo en hij heeft spuitjes bij zich.'

En het volgende moment was de dokter er en alles ging nu snel, heel snel. Erik wierp zich in de auto en schreeuwde tegen de dokter dat hij zijn spuitje alvast klaar moest maken en toen de weg ophield, rende Mona voor hen uit over het pad. De dokter zag in een oogopslag dat het te laat was, maar Erik zag dat niet. Hij wierp zich op Karins lichaam, schudde haar door elkaar en schreeuwde woedend: 'Maar word dan toch wakker, mens.'

Het was verschrikkelijk. Isak moest al zijn krachten aanwenden om Erik van de dode af te halen en hem in de auto te krijgen, waar de dokter nu een andere injectie had klaargemaakt, die hij in de arm van Erik stak en die diens woede in duisternis deed opgaan.

'We brengen haar naar huis', zei Mona. 'We zullen bij haar waken totdat Simon uit Engeland is gekomen.'

En zo gebeurde. Met trillende handen maakte Mona het bed op met Karins mooiste beddengoed, terwijl Isak bij Erik en de telefoon de wacht hield.

Eerst belde hij Ruben op. Hij kon horen hoe Ruben aan de andere kant van de lijn verschrompelde, verdween.

'Vader', schreeuwde hij. 'Vader, we mogen nu niet aan ons verdriet toegeven. Jij moet Simon te pakken zien te krijgen. En Klara.'

Uit het niemandsland kwam de stem weer terug. Ruben klonk breekbaar, maar hij zei: 'Ik zal het regelen en dan kom ik naar jullie toe.'

En Ruben deed zijn werk. Hij dacht even na en besefte toen dat Simon dit bericht niet per telefoon te horen moest krijgen. Hij vroeg een gesprek met Zürich aan en hoorde Klara's rustige stem.

Die stem klonk ijskoud door de inspanning die het haar kostte om het verdriet op afstand te houden en te zeggen dat ze vast wel een plaats zou kunnen krijgen in het vliegtuig dat die avond naar Londen vloog. Daarvandaan zouden Simon en zij de volgende ochtend het eerste vliegtuig naar Göteborg nemen.

'Zorg goed voor hem', zei Ruben.

'Hoe moet ik dat in godsnaam doen?' schreeuwde ze. Het ijs was nu weg uit haar stem, verkruimeld door haar angst.

Ze slaagde erin een plaats in het vliegtuig te krijgen. Vanaf het vliegveld bij Zürich stuurde ze een telegram naar Simon: 'Kom vanavond aan op Heathrow. Haal mij om 23.00 uur op. Je Klara.'

Het telegram werd overgebracht. Simon was blij. Hij had niet veel tijd om na te denken en pas toen hij in de bus naar het vliegveld zat, besefte hij opeens dat dit niets voor Klara was en dat er iets met haar gebeurd moest zijn.

Toen ze hem door de hal tegemoet kwam, zag hij het meteen: zoals altijd wanneer iets moeilijk lag, durfde ze hem niet aan te kijken. Maar haar stem klonk beheerst toen ze tegen hem zei: 'Haal jij mijn koffer even van de band? Het is die rode die ik altijd meeneem, je weet wel. Ik moet even tickets voor morgen regelen.'

'Moet je morgen dan alweer weg?'

Maar ze gaf hem geen antwoord. In de taxi op weg terug naar Londen zat ze stilletjes dicht tegen hem aan en eenmaal zo ver wist Simon dat ze iets ontzettend groots en afschuwelijks tegemoet gingen.

Hij was bang.

'Klara, wil je het nu niet zeggen?'

'Simon, niet hier.'

Maar toen ze op zijn kamer waren aangekomen, vertelde ze het. Ze kon het niet langer laten wachten en ze kon het niet omzichtig brengen.

'Karin is vanmiddag overleden.'

En toen zag ze dat hij ook doodging. Hij stond voor haar en verstijfde met de minuut. Na een poosje kreeg hij het koud en ze stopte hem in bed en ging naast hem liggen. Hij sprak geen woord, maar midden in de nacht voelde ze opeens dat hij huilde en ze ontspande wat.

's Ochtends kleedde hij zich mechanisch aan en liep als een pop achter haar aan naar de taxi die hen naar het vliegveld zou brengen. Toen ze hun veiligheidsgordels vastmaakten deed hij voor het eerst sinds gisteravond zijn mond open: 'Ik hoop dat we neerstorten.'

'We redden ons wel', zei ze. 'En dat moet ook, voor Erik.'

Pas toen dacht Simon aan Erik en die gedachten doorbraken tenminste een beetje, tenminste eventjes, zijn verstarring.

Het vliegtuig landde keurig netjes op vliegveld Torslanda waar de auto van Ruben met een van zijn personeelsleden achter het stuur hun stond op te wachten.

Het was een schande, maar Göteborg was niets veranderd.

In de tuin aan de rivier was Erik als een wildeman tekeergegaan. Zijn razernij was van dien aard dat hij er bomen en rotsen mee kon verzetten.

Dit kon niet waar zijn; niemand mocht hem toch verdomme zo behandelen.

Isak was de hele nacht bij hem gebleven en had geprobeerd om hem tegen te houden toen hij op een dieptepunt was, en in de vroege ochtend was de dokter met tabletten gekomen.

Ruben en Mona hadden bij Karin gewaakt. En Malin ook. Rond drie uur die nacht was ze in haar witte nachtponnetje aan komen lopen en ze was gewoon naast hen gaan zitten om naar Karin te kijken.

Zij was degene geweest die had gezegd wat ze allemaal hadden geweten, namelijk dat Karin al bezig was geweest om weg te gaan sinds het geregend had en ze haar pan had weggegooid.

'Ze wilde alleen zijn', zei het kind.

Lisa kwam om koffie te zetten en het ontbijt klaar te maken, want ze moesten toch wat eten, zei ze. En Mona kauwde gehoorzaam op een boterham maar ze had moeite om die weg te krijgen. Ruben daarentegen dronk een hoop koppen zwarte koffie, wat hem onnatuurlijk helder maakte en ertoe bijdroeg dat zijn verdriet nog groter werd.

Mona ging even naar haar eigen huis om tegen de kinderen te zeggen dat tante Lisa vandaag bij hen zou blijven. Ze zei het op zo'n serieuze toon dat geen van hen bezwaren maakte.

Daarna kwam ze weer terug. Erik sliep godzijdank nog en de dokter had gezegd dat het mogelijk was, dat hij wanneer hij nu weer wakker werd, het zou kunnen begrijpen en accepteren.

Hij zal het nooit kunnen accepteren, dacht Mona. In het diepst van zijn ziel in elk geval niet.

En toen was Simon er. En Klara. Eindelijk nog een ander volwassen mens, dacht Mona toen ze Klara omhelsde. Ze konden nu allebei huilen en Mona kon fluisterend aan Klara kwijt dat iedereen hier haast gek was en dat Erik er nog het slechtst aan toe was; hij was bijna zijn verstand kwijt.

Simon liep direct door naar de kamer waar zijn moeder lag. Hij bleef daar zitten tot de kaarsen opgebrand waren en wat hij dacht of tegen haar zei zou niemand ooit te weten komen.

Toen Erik weer wakker werd was hij kalmer. Alleen toen hij Simon in het oog kreeg, verviel hij weer even in zijn razernij en herhaalde hij wat hij de hele nacht al had gezegd: dat het onrechtvaardig was en dat niemand hen op zo'n manier had mogen behandelen.

Simon schreeuwde al net zo als Erik toen hij zei dat Erik daar godverdomme gelijk in had en Klara zuchtte opgelucht.

Rond het middaguur kwam de begrafenisondernemer om Karins lichaam op te halen en toen de lijkwagen weer wegreed, stonden er allemaal huilende buurvrouwen en zwijgende kinderen langs de weg. Ruben wilde niet toekijken toen ze haar weghaalden en zat als een zoutpilaar in de tuin, terwijl hij dacht: nu is ze dood, de tweede vrouw van wie ik gehouden heb, en ook nu heb ik er weer geen recht op om te rouwen.

Hij besloot naar huis te gaan. In zijn eigen huis kon hij misschien net zo schreeuwen als Erik.

Klara zag Ruben naar zijn auto toelopen en ze voelde dat hem onrecht werd aangedaan. Ze aarzelde even, maar niet lang, en toen belde ze Olof Hirtz op in ziekenhuis Sahlgren.

Ook hij was geschokt door Karins dood. En ongerust over Ruben. Hij zei dat hij direct bij hem langs zou gaan als hij klaar was met zijn werk.

'Joden plegen niet vaak zelfmoord', zei hij, maar als dat als troost voor Klara bedoeld was, dan miste het zijn doel. Ze legde de hoorn op de haak en bleef staan, terwijl ze probeerde de schreeuw die uit haar buik omhoogkwam te onderdrukken.

Na enige tijd ging het toch zoals het meestal gaat: de eerste week werden ze allemaal in beslag genomen door wat er voor de begrafenis geregeld moest worden. Ze maakten er zo'n geweldig gebeuren van dat Karin zich ervoor geschaamd zou hebben, dacht Klara, toen ze in de kerk stond en de christelijke woorden hoorde waar geen troost van uitging: 'Stof zijt gij en tot stof zult gij wederkeren.'

Simon, die nog steeds in razernij verkeerde, dacht dat die woorden niet klopten; het was zelfs een duivelse leugen, want een leven is zo oneindig veel meer dan alleen maar een paar scheppen zand.

Inge was ook aanwezig in de kring van intimi, maar het was Klara die op het idee kwam om haar even apart te nemen en te vragen: 'Zou jij misschien een poosje bij Erik kunnen blijven? Tot hij over de grootste schok heen is?'

Dat wilde Inge wel.

Mona drong erop aan dat Isak en Erik gewoon volgens plan naar Amerika gingen. Toen Erik terugkeerde, was Inge verhuisd naar het huis aan de rivier en had ze de deur van het pachtershuisje aan het meer achter zich dichtgetrokken. Zij werd nu Eriks huishoudster. Ze hield het huis netjes en hem bij de brandewijn vandaan.

Ze was aardiger dan Karin en paste zich gemakkelijker aan. Door haar kreeg Erik na verloop van tijd het gevoel dat hij weer controle over zijn leven had.

Maar vrolijk zou hij nooit meer worden. Zijn kinderlijke vreugde, het geschenk dat Erik van de goden had ontvangen, was op een dinsdag in oktober vlak bij de rivier verloren gegaan.

37

Vanuit de lucht zagen ze hoe de Noorse kust zich aftekende tegen de blauwe zee en Simon zei: 'Het is wel raar, maar midden in de chaos is er toch een soort kracht.'

Klara, die net voor zichzelf had durven toegeven hoe moe ze was, begon weer aandachtig te luisteren.

'Vind je dat gek?'

'Ja. Weet je dat ik altijd geloofd heb dat ik, als zij er niet meer zou zijn, er ook niet zou zijn. Geloven is trouwens niet het goede woord...'

Hij zweeg.

'Als Karin zou sterven zou Simon ook sterven?'

'Zoiets. Niet dat ik me daar zo bewust van was; het was meer iets vanzelfsprekends, als de grond waarop je loopt of dat het steeds weer nacht wordt.'

'Maar zo vanzelfsprekend bleek het toch niet te zijn?'

'In het begin wel, op het moment dat jij kwam om te vertellen dat ze overleden was. Maar nu niet meer.'

Klara verbleef een week in de studentenflat van Queen Boswell en hield zich stil wanneer hij aan zijn doctoraalscriptie werkte. Ze zat naast hem in de reusachtige studiezaal van de British Library en moest aan Karl Marx denken, aan hoe hij zich gevoeld moest hebben toen hij hier dag in, dag uit onderzoek had zitten doen. Misschien was er wel geen ruimte geweest voor iets anders dan *Het kapitaal* en misschien was hij zijn slechte financiële situatie, zijn bedrogen echtgenote en zijn arme kinderen wel vergeten.

Klara keek naar Simon en benijdde mannen erom dat ze

één ding tegelijk konden doen en daar dan helemaal in opgingen.

Toen ze op een avond zaten te eten in een van de Indiase restaurantjes in de studentenwijk, ging hij verder door op hun eerdere gesprek. 'Het is net een wedergeboorte', zei hij. 'Met veel pijn.'

Klara zat hijgend een glas water te drinken; de tranen liepen haar bijna over de wangen door de sterke kruiden waarmee de kip bereid was.

'Ik besef wel dat het feit dat jij er bent het nu anders maakt', zei hij. 'Dit keer word ik niet in de steek gelaten.'

Klara kreeg een onbestemde blik in haar ogen. Hij zag het en lachte: 'Hallo, is daar iemand thuis? Kom maar te voorschijn.'

Dat deed ze en de tranen in haar ogen konden nog steeds net zo goed van de kruiden komen.

'Ik heb een idee', zei ze. 'Maar ik durf het je haast niet te vertellen.'

'Probeer het eens', zei Simon.

Toen vertelde ze over een Volkswagentje dat ze gezien had, een rode met een schuifdak. Ze was ernaar gaan kijken toen Simon die middag naar college was.

'Het is een tweedehandse en hij is niet zo duur. En we hebben geld.'

Ze was bang geweest dat hij nu zou gaan zeuren over troostaankopen en andere ingewikkelde zaken. Dat Simon soms ook verrassend nuchter kon zijn was ze vergeten.

'Ik zou nooit een auto durven besturen in Londen.'

'Jawel. Morgen gaan we het proberen.'

De volgende dag gingen ze een proefritje maken in de rode Kever en Simon moest al zijn zintuigen op scherp stellen om zich door de jungle van de miljoenenstad een weg te banen, maar hij vond het leuk.

'Nou?' vroeg Klara toen ze de auto weer bij de garage hadden neergezet en hij het zweet van zijn voorhoofd wiste.

'We doen het', zei Simon en ze zag dat hij blij was.

'Je hebt een auto nodig; de afstanden zijn hier zo groot.'

'Ik vind het vooral fijn dat ik dan af en toe eens buiten de stad kan komen', zei hij. 'Je weet, bomen in parken, dat is toch wat anders.'

De auto gaf glans aan de dagen die ze nog hadden voordat Klara weer terug moest naar Zürich. 'Het is niet normaal', zei Simon. 'Eigenlijk zou ik me er gewoon voor moeten schamen dat ik het zo leuk vind.' Klara zei maar niet wat ze dacht: dat het niet de auto als zodanig was die hem een gevoel van bevrijding gaf, maar het rijden, waarbij hij zijn volle aandacht nodig had.

Ze vertrok en hij was totaal onvoorbereid op het alleen zijn en het Schuldgevoel, dat hem wachtte toen hij weer op zijn kamer in de studentenflat teruggekeerd was. Het Schuldgevoel had zijn komst alleen maar uitgesteld, had gewacht tot Klara weg was.

Het kwam heel zachtjes op, om hem niet meteen de stuipen op het lijf te jagen.

Waarom was ik niet thuis? Ik had met haar langs het strand kunnen wandelen en haar in het leven vast kunnen houden. De vorige keer wilde ze immers ook blijven leven voor mij.

In het begin kon hij nog bij zijn verstand te rade gaan. Dat vertelde hem wat de dokter ook had gezegd: als het hart op is, dan is het op.

Hardop zei hij tegen het Schuldgevoel: 'Dat is helemaal

niet waar, hoor. Ik kon haar niet van het leven laten houden, tenminste niet altijd. Eigenlijk heel vaak niet, want meestal deed ze maar net alsof. Dat weet jij ook wel.'

Maar met die woorden had hij zich blootgegeven voor het Schuldgevoel en dat viel hem nu recht in zijn kinderhart aan.

Het was mijn schuld dat ze niet vrolijk was.

En toen werd hij helemaal overvallen door al die duizenden oude gedachten die hem zo veel pijn berokkenden: dat zijn moeder altijd verdrietig was. Toen die gedachten hun zegje hadden gedaan, werd het stil en voor hem opende zich een afgrond. Zijn ontzetting was zo groot dat hij er een droge mond van kreeg. Het zweet brak hem uit en zijn hart bonkte zo hard dat de muren ervan trilden.

Er stond nog een halfvolle fles wijn in de kast. Die dronk hij leeg en toen kon hij zo veel afstand nemen van zijn ontzetting dat hij weer kon denken. Hij dacht er opeens aan dat Klara had gezegd dat ze een doosje met tabletjes in zijn bureaulade had gelegd.

'Alleen voor als het ondraaglijk wordt', had ze gezegd.

Dat was het nu. Hij nam twee pillen en sliep zo snel in dat het leek alsof iemand hem bewusteloos had geslagen. Toen hij de volgende ochtend wakker werd was het stil in zijn binnenste waar het Schuldgevoel huisde, en dat was veel belangrijker dan het feit dat hij hoofdpijn had.

J.P. Armstrong gaf college. Hij begroette Simon met een knikje en zei: 'Gecondoleerd.'

Dat was een erkenning van het verlies dat Simon geleden had en erg Engels in zijn afgemetenheid, maar voor Simon was het voldoende en hij glimlachte bijna toen hij zei: 'Dank u, meneer.'

Toen Klara 's avonds belde hoorde ze meteen hoe het

met hem gesteld was. 'Je mag die tabletten niet elke dag nemen, hoor Simon.'

'Maar je hebt er geen idee van hoe ik me voel.'

'Ik kom terug', zei Klara.

'Nee', schreeuwde Simon voor hij de hoorn erop gooide.

Hij haatte haar zoals hij Karin haatte; die vrouwen losten elkaar alleen maar af om hem terecht te wijzen en dan in de steek te laten.

Maar een uur later vroeg hij toch een gesprek met Zürich aan en het lukte hem om tegen haar te zeggen: 'Vergeef het me, maar dit moet ik alleen verwerken.'

'Waarschijnlijk heb je gelijk', zei Klara. 'Maar beloof me dat je me belt voordat je weer tabletten neemt.'

'Dat worden dan dure pillen', zei Simon en daar moesten ze allebei om lachen.

Toen hij weer naar zijn kamer liep, dacht hij: op mijn wangedrag tegenover Klara heb jij, schuldduivel, tenminste niet de hand weten te leggen.'

Toen hij in bed ging liggen en dacht aan hoe hij Karin en Klara opeens gehaat had, werd hij bang. Er had altijd al een zwarte haat binnen in hem gehuisd.

Had Karin dat gezien?

Natuurlijk heeft ze dat, zei zijn Schuldgevoel en het draaide het mes dat nu nauwkeurig in zijn hart was geplaatst nog eens om.

Die nacht deed hij geen oog dicht, maar zijn verstand verweerde zich tegen zijn gevoel van paniek en wist het aardig onder controle te houden.

's Ochtends ging hij aan zijn bureau zitten om zijn aantekeningen te voorschijn te halen.

Het spijkerschrift, de Soemeriërs, een verloren taal die weer in ere hersteld zou worden. Belachelijk, zo verschrikkelijk belachelijk. Dat een volwassen mens zich met zulke nonsens bezig kon houden, dat was niet normaal.

Hij begon te lachen, net zolang tot het in huilen overging en hij weer op bed moest gaan liggen. Toen het Schuldgevoel het mes nog een keer omdraaide gaf hij alles toe: moeder, ik weet dat je blij zou zijn geweest als ik iets nuttigs in het leven had gedaan. Ik had nu arts kunnen zijn, ma, en o, wat zou je trots op me zijn geweest als ik chirurg was geworden en in het Sahlgren levens had staan redden. Dan had jij het gevoel gehad dat je leven waardevol was geweest.

Misschien had je dan wel verder willen leven?

Het waren geen gemakkelijke gedachten, maar Simon had van de nacht geleerd dat gedachten toch beter zijn dan het woordeloze schuldgevoel, die afgrond waar je door wordt opgeslokt. Die ontdekking wekte zijn interesse ten slotte zozeer dat hij rechtop ging zitten en bijna door het Schuldgevoel met rust werd gelaten omdat hij zo intensief moest nadenken.

Hij had er immers al vaak over nagedacht dat woorden beperkend werken. Nu had hij hen nodig om te overleven. Als je het monster kunt benoemen dan barst het uit elkaar; dat realiseerde Simon zich nu. Misschien was het vanwege de monsters dat er woorden moesten bestaan.

Toen Klara belde vertelde hij haar over zijn nieuwe inzichten en zij moest lachen. 'Wat denk jij eigenlijk dat psychotherapie inhoudt?' zei ze. 'Mijn werk bestaat een en al uit het zoeken naar woorden die een mens kunnen bevrijden.'

'Ik ben vaak ontzettend stom', zei Simon.

'Nee,' zei Klara, 'maar jij stort je overal zo volledig in.'

Hij begreep niet wat ze daarmee bedoelde, maar verzekerde haar dat hij zich nu beter voelde.

Na hun gesprek keerde hij weer terug naar de afgietsels van de kleitabletten op zijn bureau. Het waren fragmenten die moesten aantonen welke delen uit het Gilgamesj-epos door de Babyloniërs waren ontleend aan de Soemerische tijd. Dat was lastig, maar stukje bij beetje wist hij de kleitablet te veroveren en het verhaal over de huluppiboom aan de Eufraat, die door de godin Innana gered wordt van de verdrinkingsdood in de rivier, bekoorde hem. De godin nam de plant mee naar haar tuin en verzorgde hem goed, want als de boom groot was, wilde ze van het hout een bed maken.

Maar toen de huluppiboom zijn volle lengte had bereikt, kon hij niet geveld worden. Aan de voet ervan had de slang, die door niemand kan worden bezworen, een nest gemaakt en in de kroon van de boom woonde Lilith, de demon, die ook in joodse legenden voorkomt als de boze vrouw.

Simon vertaalde het verhaal: de bittere tranen van Innana om alles wat er met haar huluppiboom gebeurt, hoe ze na verloop van tijd hulp krijgt van Gilgamesj, die de slang doodt en Lilith op de vlucht jaagt. Maar Innana maakte geen bed; ze maakte van de boom een trommel.

Dat was vreemd, maar ook troostrijk.

De naam van het monster; die gedachte hield hem steeds bezig. Hij moest denken aan Samuel Noah Kramer, de Amerikaan die in Londen colleges had gegeven.

Simon zocht zijn aantekeningen op.

De vroege Soemerische geschriften bestonden uit lijsten, lange opsommingen van vogels en dieren, bomen en planten, steensoorten en sterren. Alle gekenmerkt door hun zichtbare eigenschappen. Het universum van de Soemeriërs was een keurig netjes geordend geheel. Ook de goden, die in de kunst afgebeeld waren, hadden vaste taken.

Alle transcendentale eigenschappen ontbraken volledig, had Kramer gezegd. Het was een op voorwerpen georiënteerde cultuur geweest, en toch de meest religieuze die de wereld had gekend.

Het oude volk, dat zich zelf zwarten noemde, had geloofd dat het benoemen van alles wat deel uitmaakt van de wereld de enige manier was om die wereld en haar ongelooflijke krachten te beheersen.

In het begin was er het woord en het woord schiep de wereld en overwon de verschrikking.

Uit dat besef werd de magie geboren, dacht Simon. En na verloop van tijd de natuurwetenschappen, die in grote trekken dezelfde functie hadden.

Die avond schreef hij een lange brief aan Klara, waarin hij vertelde wat zijn Schuldgevoel zei over hem, zijn verraad en zijn onvermogen om Karin blij te maken. Hij schreef als een kind; van mooie formuleringen trok hij zich niets aan en hij vond dat hij zich van het antwoord op zijn brief ook niets aan hoefde te trekken. Maar toen haar brief op een dag in de bus lag, kreeg hij hartkloppingen.

'Simon, ik zei al aan de telefoon dat jij zo volledig opgaat in alles, vooral waar het Karin betreft. Maar je verstand is wel volwassen. Zie je niet in hoe kinderlijk en egocentrisch jouw houding ten opzichte van haar is? Een aanhanger van Freud zou het een onverwerkt oedipuscomplex noemen.

Zie je niet dat jij niet het enige in haar leven was, misschien zelfs wel niet eens het belangrijkste. En wat haar verdriet betreft: dat was er al, lang voordat jij ter wereld kwam...'

Hij las niet verder.

Bij wijze van uitzondering kwam zijn woede nu eens een keer direct op. Ze steeg als gloeiend metaal door zijn lichaam omhoog en kwam in een witte razernij tot ontploffing in zijn hoofd.

Hij had haar niet om een diagnose gevraagd. Hij had de psychologie heel lang gewantrouwd, ook al was hij gefascineerd door de uitleg ervan, door de superieure neiging om datgene te benoemen waar niemand iets over kon weten.

Wat wist Klara, wat kon zij weten, voelen, begrijpen van de verhouding die Karin en hij hadden gehad! Zij deed hetzelfde als vele anderen ten aanzien van het onbegrijpelijke: ze vond een paar kreten en distantieerde zich er vervolgens van.

'Je hebt onbewust al vroeg de schuld voor haar verdriet op je genomen...' Jazeker. Ik was me er al jaren van bewust dat haar verdriet al vóór mij bestond. Maar dat simpele feit verandert voor mij vanbinnen niets wezenlijks.

Hoe zou Klara iets kunnen weten van het fijne, uit duizenden draden bestaande netwerk van verdriet en schuld en van de innigheid en het opgaan in elkaar dat altijd had bestaan tussen Karin en hem.

Altijd, dacht Simon. Het was oeroud, voorbestemd, in duizenden jaren in elkaar gevlochten.

Karin kletste niet zoveel; zij wist dat je over de belangrijkste dingen in het leven niet kon kletsen.

Hij gooide de brief op zijn bureau en had het gevoel dat de vonken van zijn handen af sloegen. In de hal van de flat hoorde hij de telefoon gaan en hij dacht: nu belt ze. God, wat haat ik haar.

Maar het telefoontje was niet voor hem en dat gaf hem een beetje lucht. Hij moest even het huis uit, voordat zij, die poepchique psychoanalytica die nergens wat van begreep, belde.

Hij rende naar New Oxford Street. Bij Tottenham Court

nam hij de bus en hij ging in het bovenste gedeelte van de dubbeldekker bij het raam zitten, zodat hij uitzicht had over de stad, waar de mensen volop in beweging waren en de schemering inviel.

Hij keek zonder te zien.

Maar toen hij uitstapte en zich mengde in de stroom mensen, die nooit ophoudende stroom van mensen die altijd op weg naar iets zijn, nam hij hen wel in zich op. Duizenden levenslopen op weg naar hun voltooiing, duizenden wegen, levens die geleefd werden en beëindigd volgens een patroon dat onbekend was en waar je alleen maar een vaag vermoeden van kon hebben.

Bij Harrods in Brompton Road stond een grote Indiër voor de deur, gekleed in een grijze blazer waar zijn donkere gezicht tegen afstak. Zijn ogen staarden onafgebroken in de etalage, naar de inrichting van een keuken met pannen, broodplanken, messen en broodroosters. Hij was diep in gedachten verzonken en keek zo verwonderd dat het leek alsof hij dacht dat de voorwerpen achter het raam een geheime taal spraken en kennis bezaten van de ziel van de westerlingen.

Simon wilde de man wakker schudden om tegen hem te zeggen dat er niets te begrijpen viel, dat het allemaal maar oppervlakkig was.

En hebt u wel eens gehoord van onverwerkte oedipuscomplexen, wilde hij vragen. Zonder dat te begrijpen? Ja. Dan kan ik u vertellen dat er niets te begrijpen valt; die complexen zijn net als die keukeninrichting.

Hij werd door kleurlingen aangetrokken. Er stond een groep zwarte jongens in de rij voor een bioscoop en Simon ging achter hen staan. Hij bleef dicht bij hen in de buurt, alsof hij de kracht wilde voelen van mensen die nog wisten dat ze de dragers waren van een grote levensbestemming, een bestemming waarvoor binnen de eigen huid nooit voldoende plaats zou zijn en die nooit door een mens zou kunnen worden beschreven.

De witte lach van de zwarte mannen vertelde meer over het leven dan welke verrekte psycholoog ook zou kunnen, dacht Simon, die zich voor het loket van de bioscoop opeens omdraaide en weer de stad in rende. Hij moest niet stil gaan zitten en zijn razernij door vermaak tot zwijgen laten brengen.

Hij was echt.

Zoals Karin altijd echt was, dacht hij. Het was het verdriet dat haar echt had gemaakt en ze was dapper genoeg geweest om nooit naar woorden te zoeken die haar zouden kunnen bevrijden. Zij had altijd geweten dat je het leven niet moest verklaren, maar alleen maar moest leven. Moest verdragen.

En dat dat zwaar was.

Hij liep recht op een prostituee af. Hij bleef staan, keek in haar witte gezicht met de rode mond, geschminkt als een wond van vertwijfeling, en probeerde door te dringen in haar ogen, in de kennis die ze had wanneer ze haar lot voltooide. Dat lot bestond eruit naar de verdoemenis te gaan, zo diep te zinken dat de schaamte, de schaamte van de miljoenenstad waar zij de draagster van was, haar zou uitwissen.

'What a nice boy', zei ze en je kon horen dat haar verbazing echt was, maar hij was vastbesloten: vanavond zou hij samen met haar ten onder gaan.

Hij sloot zich af voor alle details in haar armoedige kamer, het slappe vet van haar al wat oudere lichaam en het absurde van de hele situatie. Dat was alleen maar buitenkant. Hij wilde in de buurt komen van haar vertwijfeling en zich daardoor laten verteren.

Natuurlijk slaagde hij daar niet in; hij glimlachte, zij glimlachte en ze gingen met elkaar naar bed op een bijna kille manier. Hij betaalde en vertrok. Hij had zich nog willen wassen maar wees die gedachte van de hand; hij wilde immers het vuil in, de werkelijkheid in.

Daarna ging hij naar de dichtstbijzijnde pub om zich te bezatten en hij kon zich later absoluut niet meer herinneren hoe hij thuisgekomen was. Maar toen hij de volgende ochtend in zijn eigen bed wakker werd, vond hij twee briefjes, waarop stond dat er om 19.00 uur en 21.35 uur vanuit Zürich voor hem gebeld was.

Ze zou nu wel ongerust zijn. Net goed, dacht hij.

Maar op de universiteit was hij misselijk en na zijn laatste college belde hij haar op.

'Bedankt voor je brief', zei hij. 'Die was ongevoelig en onzinnig.'

'Simon, ik doe een beroep op je verstand. Je moet…'

'Ik moet helemaal niks', schreeuwde hij, maar voordat hij de hoorn erop smeet zei hij nog wel dat hij haar zou schrijven.

En dat deed hij. Hij ging nog wel op in zijn woede, maar die was een gloeiend ijzer dat inmiddels was afgekoeld.

'Ik heb er spijt van dat ik me voor je heb opengesteld en ik vind dat je al die mooie woorden over Oedipus maar in je reet moet steken. Je hebt er helemaal niets van begrepen, van mij niet en ook niet van de mythe van Oedipus…'

Het was bot maar hij vond het leuk, dus hij stuurde de brief toch weg. Maar de volgende dag was hij nog misselijker dan daarvoor en hij belde haar op om te vragen of ze

446

de brief ongelezen wilde verscheuren.

Dat zou ze niet doen, zei ze, maar ze slaagden er niettemin in om met elkaar over kleine dingen te praten op een
toon die hen ervan moest overtuigen dat alles tussen hen
was zoals het wezen moest.

Die nacht droomde hij dat hij in zijn bed lag en gewicht-
loos werd. Hij steeg op, zweefde naar het plafond, ging
daardoorheen en zweefde door de vies grijze mist boven
Londen in de richting van de blauwe lucht.

Overdag was hij druk bezig met de oorsprong van de
Soemeriërs, dat mysterie dat alleen via de taal opgelost
kon worden. Maar de taal leek op geen enkele andere taal,
niet op de Indo-europese talen en ook niet op de Semitische. Hij was gefascineerd door de geschriften van de Het-
tieten, de eerste Indo-europeanen in het Midden-Oosten.
Met hen kregen de kleitabletten een bekende weerklank,
ook al waren de woorden lang en onbegrijpelijk. Maar daar
zat iets, een ritme, de aanzet tot een melodie, dat verband
hield met hemzelf.

Begin december kwam Ruben voor een boekenbeurs naar
Londen. Hij bleef het weekeinde en ze reden met de rode
Kever naar het platteland. Ze vonden een herberg met een
geschiedenis die ver terugging en die knus was ingericht.
's Zondags gingen ze wandelen in de omgeving; over velden
en door inmiddels kaal geworden bosjes. Het was mistig.

'Ik wilde het graag eens met je over Karin hebben', zei
Ruben. 'Over hoe ze die laatste periode was.'

Het kostte Ruben moeite, maar Simon wilde zo veel mogelijk weten van wat ze had gedacht en gevoeld.

Ruben vertelde over het gesprek over de pan. Dat was de
eerste keer geweest dat hij het gevoel had gehad dat er in

Karins geest iets nieuws bezig was zijn beslag te krijgen.

'Ik citeerde toen een oude rabbijn die altijd predikte dat je iedere dag zo moet leven alsof je van alles afscheid neemt, van mensen en voorwerpen. Dat maakte een enorme indruk op haar.'

Simon keek Ruben verwonderd aan.

'Daarna zei Mona dat Karins wandelingen steeds langer werden', vervolgde Ruben. 'Ik werd een beetje ongerust en op een dag vroeg ik haar waar ze aan dacht tijdens het wandelen. Toen zei ze dat ze opgehouden was met denken en dat ze nu helemaal vrij was van zowel gevoelens als gedachten.'

Simon bleef midden op het pad staan om wat Ruben vertelde goed tot zich door te laten dringen.

'Er was iets vreemds aan haar, iets nieuws', zei Ruben. 'Toen ik 's avonds thuiskwam heb ik geprobeerd om het te begrijpen, om de uitdrukking in haar ogen te duiden.'

'En?'

'Ik kwam tot de conclusie dat Karin gelukkig was', zei Ruben. 'Het nieuwe maakte haar gelukkig; voor het eerst sinds ik haar kende had ze geen verdriet. Je weet toch dat er verdriet bij haar bestond?'

'Daar ben ik meer van overtuigd dan van wat dan ook in mijn leven', zei Simon.

'Dat dacht ik al.'

'Denk je dat ze wist dat ze zou sterven? Dat het daarom was?'

'Ik weet het niet. Ze wist het misschien wel, maar niet met haar hersenen. Ik geloof niet dat ze daaraan dacht.'

Simon huilde, maar in de mist maakte dat niets uit en Ruben ging verder: 'Ik heb veel nagedacht over het feit dat er een diepere betekenis in de dood moet liggen dan dat het lichaam vernietigd wordt. Dat het erom gaat om psychisch een einde te bereiken. Alles wat ik heb beleefd, al mijn kennis, mijn geluk en mijn lijden, mijn herinneringen en doelstellingen moeten naar een einde toe. Het bekende, je gezin, je kinderen, je huis, ideeën, idealen, alles waar je je mee hebt geïdentificeerd, moet je achter je laten.'

Simon dacht aan de golf die op de rotsen van Bohuslän haar dood vond en al haar ervaringen aan de grote zee moest geven voordat ze opnieuw geboren kon worden.

'Dat moet het zijn, wat de dood betekent', zei Ruben. 'Dat afstand doen. En waarschijnlijk is dat het ook waar alle doodsangst om draait, niet waar?'

'Dat zal wel.'

'Ik wilde dat je dit zou weten,' zei Ruben weer, 'dat Karin vrij gestorven is. Ze liet alles achter zich en was gelukkig voordat ze stierf.'

Toen Ruben vertrokken was kwam het Verdriet bij Simon. Een groot en melancholiek verdriet. Maar waar het Verdriet was kon geen Schuldgevoel zijn; ze sloten elkaar uit.

Ten slotte dacht hij dat hij Karins verdriet had geërfd.

Dit is haar land, dacht hij, dit is waar zij leefde en werkte. Het is een groot en eenzaam land, maar het is niet onverdraaglijk. Je kunt hier wonen en leven en de dagelijkse bezigheden met zorg verrichten.

38

Met Kerstmis gingen Klara en Simon naar huis. Ze hadden
op vliegveld Kastrup afgesproken om daarvandaan de trein
naar het noorden te nemen.

Het waren geen gemakkelijke feestdagen. De dagen waren moeizaam om door te komen; ze waren loodzwaar en
ellenlang. Maar de volwassenen maakten er toch wat van;
ze deden hun best vanwege de kinderen, zoals ze zeiden.

Klara en Simon hadden Simons oude kamer bij Erik.
Erik had zich nu neergelegd bij zijn lot en was gekrompen
en ook milder geworden. Simon vond het verschrikkelijk;
zijn vader hoorde groot en boos te zijn.

Over Isak en Mona was er rust neergedaald.

Klara was nu klaar met haar studie in Zwitserland. Ze
kreeg een aanstelling in de psychiatrische kliniek van ziekenhuis Sahlgren, waar ze geen gebruik kon maken van wat
ze geleerd had bij de jungianen in Zürich. Simon hoefde
nog maar twee tentamens te doen in Londen; in maart
zou hij alweer thuis zijn om zijn doctoraalscriptie af te maken. Ze stonden op de wachtlijst voor een woning, maar
Ruben had zijn hoop gevestigd op een weduwe van in de
negentig die bij hem in het gebouw in Majorna een driekamerappartement bewoonde.

Op een regenachtige dag eind februari vroeg J.P. Armstrong of hij even met Simon kon praten. Hij mocht zelfs
gaan zitten in die mooie kamer, waar de professor een verzameling boeken en afgietsels van Assyrische leeuwen had
staan. In zijn jeugd had hij deelgenomen aan de beroemde
opgravingen van de koningsgraven in Ur door sir Leonard

Woolley, maar hij was gespecialiseerd in de Assyriërs.

'De universiteit van Pennsylvania is bezig met een aantal kleine opgravingen in Girsu. Het gaat om de Eninnu-tempel.'

Toen hij Simons interesse zag, glimlachte hij even.

'Nu is daar een man ziek geworden, de expert van de schrifttekens. Ze hebben zich tot ons gewend met de vraag of wij snel voor een vervanger konden zorgen en nu wilde ik aan u vragen of u interesse hebt.'

Als de Soemerische zonnegod uit zijn hemel was neergedaald, had Simon niet verbaasder kunnen zijn. En als Innana zelf hem in haar liefdesbed had uitgenodigd, had hij niet blijer kunnen zijn.

'U bent hier immers zo goed als klaar. En trouwens gefeliciteerd met het resultaat. Misschien vindt u het wel leuk om het geheel nu eens vanuit een meer concreet perspectief te zien', zei de professor.

Leuk vinden, dacht Simon. Dit was Gudea's tempel van de vijftig goden even buiten Lagash en leuk was wel erg Engels uitgedrukt voor de jubelstemming die hem nu vervulde.

'Ik ben u werkelijk zeer dankbaar, meneer', zei hij en daar zei je hier heel veel mee, maar de professor glimlachte genadiglijk.

Daarna ging alles heel snel: een visum, geld, tickets. Simon had nog net de tijd om zijn doctoraalscriptie bijeen te rapen en naar Zweden te sturen. Zijn auto moest maar even blijven staan waar hij stond: op de binnenplaats van de studentenflat. Hij belde iedereen. Ruben was oprecht blij, Erik begreep wel dat je tegen zo'n avontuur geen nee kon zeggen en Klara was verdrietig.

'Het is maar voor een paar maanden. Als de hitte invalt stoppen ze ermee', zei Simon.

'Pas goed op jezelf', zei Klara en geïrriteerd dacht hij dat ze steeds meer op Karin ging lijken, door de wijze waarop ze hem nu een schuldgevoel gaf.

'Maar je begrijpt toch wel dat ik deze kans moet grijpen.'

'Natuurlijk begrijp ik dat.'

Als ze nu 'mijn jongen' zegt, word ik gek, dacht Simon. Hij voelde hoe hij dat eeuwige, zichzelf wegcijferende begrip altijd gehaat had. Maar toen klonk Klara's stem opnieuw, nijdig nu. 'Ik vind dat ik er wel recht op heb om teleurgesteld te zijn', zei ze.

Dat deed de lucht opklaren en samen moesten ze erom lachen. Maar het laatste wat ze door de telefoon riep was toch dat verrekte 'pas goed op jezelf'.

Hij vloog naar Basra. Met tussenlandingen erbij was hij dertien uur onderweg en toen hij incheckte in het Engelse, koloniale hotel dat eruitzag als een decorstuk, zoals het daar lag achter het vliegveld, sliep hij al bijna. Aan de andere kant van het gebouw lag een park en hij begreep dat het geritsel dat hij hoorde de wind was, die door de toppen van de palmen waaide. Maar voor meer indrukken dan deze had hij geen puf meer.

Om acht uur de volgende ochtend gooide David Moore met veel lawaai zijn deur open, terwijl hij zei: 'Nu, *my boy*, begint de ernst des levens. En die staat hier buiten in de vorm van een oude jeep op jou te wachten.' Moore was zo Amerikaans dat het leek alsof hij zo uit een western was gestapt.

'Heb ik nog tijd om even te douchen?'

Simon hoorde zelf hoe Engels hij klonk en hij zag hoe David Moore zijn ogen dichtkneep van afgrijzen. David zei dat god alleen wist hoe de loodgieters van Hare Majesteit Koningin Victoria hun werk hadden gedaan in dit mausoleum, maar dat er misschien wel wat water uit de roestige leidingen zou komen. Simon moest lachen. Hij kwam zijn bed uit en gaf David Moore een hand.

'Larsson,' zei hij, 'Simon Larsson. En ik ben een Zweed, dus je krijgt mij niet op de kast met het imperialisme, koloniale hotels, het feit dat ik een *gentleman* zou zijn of met iets anders Brits. Ik ben onschuldig, begrijp je wel?'

David Moore moest zo lachen dat hij zich in een oude rotanstoel wierp, die van schrik begon te piepen.

'Een Zweed. Van de University of London. Hadden ze niemand anders?'

Hij moest lachen om zijn eigen grap.

Ze gebruikten een stevig, Engels ontbijt en daarna werd Simon met al zijn bagage in de jeep gezet. David deed het vouwdak zorgvuldig dicht en plakte een spleet bij Simons deur af.

'Krijgen we het koud?'

'Straks zul je het wel begrijpen', zei David.

Binnen een halfuur waren ze de stad uit. Ze namen de weg naar het noorden en Simon moest denken aan de woorden van Grimberg: 'Mesopotamië is een land van dood en grote stilte. Zwaar rust de wrekende hand van de Heer op dit land.'

Zover je kon zien was er niets anders dan woestijn en zand in verraderlijke hopen. Hier en daar was de weg onder opgeblazen zand verdwenen, maar de jeep reed dan even het terrein in en slaagde er altijd weer in om hem terug te vinden.

'Het lijkt wel een beetje op opgehoopte sneeuw', zei David. 'Daar zul jij wel aan gewend zijn?'

Simon moest lachen en had meteen zijn mond vol zand. De warme wind blies het zand de auto in. Hun ogen en mond zaten er vol mee en je voelde het tussen de kraag van je overhemd door over je rug en buik kruipen, waar het zich vermengde met zweet en begon te kriebelen.

Ze pauzeerden bij een herberg aan de kade van de moerasstad al-Shubaish, waar ze met vies water het zand uit hun gezicht spoelden.

'Je moet niet denken dat je hier een biertje kunt krijgen', zei David. 'Hier heerst de profeet Mohammed over de drinkgewoontes. Maar je moet je mond verdomme niet met water uitspoelen, hoor. Neem maar een Coca-Cola.'

Het was een armoedige herberg, gebouwd van riet, die eruitzag alsof hij elk moment in elkaar kon storten. Maar Coca-Cola was hier doorgedrongen. De drank bracht verkoeling en Simon wist het ergste geknars ermee tussen zijn tanden vandaan te krijgen.

'De jonkies die nog niet droog achter hun oren zijn neem ik meestal mee hiernaartoe', zei David Moore. 'Het is een erg nuttige plaats voor romantisch aangelegde idioten. Hier krijg je namelijk een volk te zien dat nog net zo leeft en woont als in de tijd van de oude Soemeriërs.'

Hij wees met zijn hand naar de kade en Simon zag de kano's van het moerasvolk, met de smalle punten; hetzelfde model als de beroemde zilveren kano uit het graf van Meskalamdug in Ur. Maar hij keek vooral naar de mannen die punterden en naar de uitgemergelde kinderen in de kano's. Hun ogen waren bedekt met vliegen.

'Hier vind je alles', zei Moore. 'Malaria, lepra, tbc, bilharzia. Kies maar uit. Bij de levensomstandigheden horen verder ook een enorme onderdrukking van de vrouw, verschillende soorten wreedheden, bloedwraak en de heerlijke gewoonte om de schaamlippen van vrouwen weg te snijden.'

Dit was Simons eerste kennismaking met grote nood en het schaamtegevoel dat hem overviel had hij niet verwacht. Dat schrijnende gevoel van hoe groot, vetgemest, blank en goed opgeleid hij was.

'Niet zo ver hiervandaan ligt de hof van Eden', zei David Moore. 'Niets verwondert mij meer dan het menselijke vermogen om te liegen.'

Simon keek weg van de vrouw die hen op de kade passeerde. Ze was schuw als een dier en zo mager dat haar zwangere buik grotesk afstak.

'Ben jij een christen?' vroeg Moore.

'Formeel ben ik luthers', zei Simon. 'Maar Scandinavië is behoorlijk ontkerstend.'

'Wordt het daar beter van?'

'Ik weet het niet; misschien wel daadkrachtiger.'

'Hier hebben de Engelsen jarenlang gezeten. Maar geloof maar niet dat ze iets anders hebben gedaan dan kinine door hun drinken doen en de weg van de olie naar zee bewaken.'

Ze huurden een kano. Simon schaamde zich toen het groene dollarbiljet van eigenaar wisselde en hij zich realiseerde dat dit het meest fantastische was dat deze moerasarabier, die vreemd zachtaardig glimlachte, ooit was overkomen.

'Over kinine gesproken', zei David. 'Er zijn hier enkele verrukkelijke Anopheles.'

'Wat zijn dat?'

'Malariamuggen.'

Het was een bijzondere wereld waar ze doorheen voeren, een wereld die duizenden jaren geleden door mensen gebouwd was met de klei uit de delta. Hier en daar stonden huizen van hetzelfde type als op oude Soemerische reliëfs: bundels riet die tot ronde gewelven waren gebogen.

'Hier zouden ze bulldozers moeten inzetten en dijken opwerpen, de hele zaak onder de DDT spuiten, de kinderen naar school sturen, ziekenhuizen bouwen en de sluiers van de vrouwen hun hoofd trekken', zei Moore. 'Dan zouden we nuttiger werk doen dan met dat gewroet in de ruïnehopen in de woestijn.'

'Waarom ben jij archeoloog geworden?'

'Omdat ik gek ben, net als jij.'

Toen ze weer in de auto zaten en door het zand niet konden praten, probeerde Simon de beelden van de kinderen te verdringen. Hij moest denken aan de enigszins irrelevante vraag over zijn godsdienst. Had Moore soms vermoed dat hij joods was?

'Welke godsdienst heb je zelf?' vroeg hij.

'Ik', zei David Moore, 'ben een zeer gelovige jood.'

Toen ze de hoofdweg en de Eufraat kruisten en in noordelijke richting doorreden naar Tello, zei David: 'De ouwe heeft grote verwachtingen van je. Hij heet Philip Peterson, ons eigen professortje uit Pennsylvania, en hij is er oprecht van overtuigd dat al die verrekte kleischerven die we gevonden hebben grote geheimen zullen onthullen.'

'Wat voor geheimen dan?' vroeg Simon verschrikt.

'Nou, bijvoorbeeld waar de hoofdstad van Akkad lag, dat verdwenen Agade waar zo lyrisch over wordt gedaan. Die kans bestaat natuurlijk; onze vriend Gudea moet er haast bij zijn geweest toen het tegen de vlakte werd gemaaid.'

'Dat kan bijna niet', zei Simon. 'Dat deden de bergvolkeren, de Goetiërs.'

'Als het om Mesopotamië gaat, kun je nooit iets met zekerheid zeggen. Iemand zet ergens in de woestijn een schep in de grond en de loop van de geschiedenis wordt helemaal gewijzigd.'

'Ja', zei Simon, terwijl hij dacht aan de beelden uit de grote oorlog die hij voor het eerst had gezien toen hij Berlioz' symfonie hoorde.

En toen waren ze er. Moore stelde hem voor.

'Om alle misverstanden te voorkomen,' zei hij, 'dit is Simon Larsson, een Viking uit Zweden. Hij heeft Londen alleen maar enkele jaren vereerd met zijn aanwezigheid.'

Iedereen moest lachen en Peterson was opgelucht. Hij was een man van rond de vijftig en maakte een gedegen indruk; Simon mocht hem meteen.

Ze waren bezig om de wijk van de schrijvers bloot te leggen en het zag eruit alsof een gek geworden reus kapotgeslagen muren in de richting van de maan had geworpen. Er was een grote tent opgezet waar alle kleischerven die te voorschijn waren gekomen konden worden gesorteerd.

'Ik hoop dat ik u niet zal teleurstellen, meneer', zei Simon.

'Doe me een genoegen, ik heet Philip', zei de professor. 'Maar wat bedoel je? Je bent toch een expert op het gebied van de Soemeriërs, een schriftdeskundige?'

'Ja.'

Hij kreeg een mok dikke, Amerikaanse soep uit blik en daarna werd hij direct de tent ingestuurd waar de scherven in keurige rijen lagen gesorteerd.

Het waren voornamelijk voorraadlijsten, dat wisten ze al. Maar wie weet; Peterson glimlachte en zei: 'Begin maar, jongen.' Simon wierp nog even een blik op de ruïnes van de tempel van Eninnu en toen ging hij in de tent zitten. Hij dacht dat het in de hel niet warmer zou kunnen zijn dan hier.

Ze hielden pas op toen de hemel donker werd, zo plotseling dat het leek alsof iemand een lamp had uitgedaan. Peterson keek Simon hoopvol aan, maar deze schudde zijn hoofd: 'Wat ik tot nu toe heb gezien is het oude bekende.'

Een man die er tijdens de lunch nog niet was geweest, kwam naar hem toe om zich voor te stellen: 'Thackeray', zei hij. 'Ik ben Engelsman en de kleinzoon van de schrijver. Ik ben de dokter hier in dit cowboykamp. Je hebt je toch zeker niet door die dekselse Moore in het moeras laten meetronen?'

'Had ik dan een keuze?' vroeg Simon.

Thackeray kreunde en zei: 'Ik hoop dat je geluk hebt. Als dat niet zo is, dan heb je nog ongeveer tien dagen.'

'Waar heb je het over?'

'Over malaria.'

Hij zette een pillendoosje voor hem op tafel, kinine. 'Je moet iedere ochtend en iedere avond vier tabletten oplossen in gekookt water', zei de dokter, waarna hij wegging.

'Het is geen gevaarlijke ziekte', zei de man die naast hem zat en die uit New York kwam. Hij had een korenblonde kuif en er ging iets troostends van hem uit. Hij werd Blondie genoemd. 'Maar tot nu toe zijn er al vijf man geveld; ze moesten met hoge koorts naar huis worden vervoerd.'

'Maar dat is toch waanzin', zei Simon.

De man die tegenover hem zat moest lachen en zei dat dit nu de plaats was die een beroemde strijder had bedoeld toen hij zei dat de overlevenden de doden zouden benijden.

Na een paar dagen in de hitte en het zand begreep Simon wat hij bedoelde.

En dat hij Philip Peterson iedere dag opnieuw moest teleurstellen maakte de zaak er niet beter op. Toen Simon op een dag nieuwe scherven kreeg en meteen kon vaststellen dat dit iets anders was, iets veel interessanters, steeg de stemming in de groep. Met bonkend hart vertaalde hij ze, terwijl Philip Peterson over zijn schouder hing: 'Hij sneed de uiteinden van de zwepen en de hengels af en zette er plukjes wol van de ooien aan. De moeder bekritiseerde het gedrag van haar kind niet, het kind zette zich niet af tegen zijn moeder en niemand verzette zich tegen Gudea, de goede herder, die Eninnu gebouwd had.'

Bijna tegelijkertijd herkenden ze de tekst van Gudea's beroemde cilinders uit het Louvre. Wat ze nu gevonden hadden waren kopieën of mogelijk eerdere versies.

Peterson was ontroostbaar.

Twee keer beklom Simon de muren van de tempel, de enorme dode ruïneheuvels. Stom waren ze, zonder tekenen van leven; nog geen fluistering over Gudea kon je je indenken.

Simon wist niet goed wat hij eigenlijk had verwacht, maar zijn teleurstelling was net zo groot als die van Peterson.

Laat op de avond van de tiende dag, toen Simon alleen in zijn tent zat, voelde hij de eerste koude rilling. Hij wist dat hij nu nog een uur had voordat de koorts hem helemaal in zijn greep zou hebben en hij rende naar de ruïne waarvan hij de muren beklom, helemaal tot aan de top.

De maan scheen.

'Gudea', zei hij. 'Doe het voor de god van de barmhartigheid, alsjeblieft.'

Hij had het zo koud dat zijn tanden ervan klapperden, maar hij kreeg zijn zin: op de muur stond een man op hem te wachten.

39

Je kon de mysterieuze glimlach nauwelijks zien; hij was voornamelijk een eerste aanzet tot – en een versterking van de milde wijsheid die in de halvemaanvormige ogen lag.

Toen Simon hem de vraag stelde waar hij al sinds zijn jeugd mee rondliep: 'Wat doet u in mijn leven?', werd de glimlach breder en groeide uit tot een lach die tussen de muren weerklonk en door de echo verveelvoudigd werd. Simon voelde hoe de koorts zijn lichaam in bezit nam en hij wilde van razernij en vertwijfeling schreeuwen, want hij was er nu zo dichtbij. Hij was nu bijna bij het antwoord op het mysterie dat hem al zijn hele leven bezighield, maar nu zou hij het niet bereiken door die verrekte malaria, waar hij niet langer weerstand aan kon bieden en die nu ieder moment zijn bewustzijn kon uitwissen.

Hij voelde hoe hij viel en dat hij zich bij zijn val langs de muur bezeerde. Hij kwam te liggen op een brede richel waar de woestijnwind verkoeling voor zijn koorts bood, maar waar de pijn in zijn been ondraaglijk werd.

Het volgende moment reikte Gudea hem de hand en Simon nam die aan. Het was een kleine hand, maar met een heel stevige greep. Alsof hij zo licht was als een veertje, tilde de hand hem over de top van de muur en op hetzelfde moment werd de tempel voor zijn ogen in ere hersteld. De muren tussen de pilaren van het grote plein waren bekleed met gouden stieren en de tempeltoren verrees ten hemel, zwaar en licht tegelijkertijd; een geweldige getuigenis van de vereniging van de mens met God.

Het was licht; het zonlicht vloeide over de tempel, die een hele stad was. Ze gaf glans aan al het enorme en reflecteerde in het blauwe lazuur, het zwarte dioriet en het witte albast. Maar vooral in al het goud dat het plafond en de muren bedekte, dat schitterende, warme goud.

Simon was zich er vaag van bewust dat buiten de muren, net zoals daarvoor, de nacht en de woestijn heersten en dat Steven Thackeray, de man die de kleinzoon van de schrijver was, zijn lichaam vond en mensen en een brancard liet komen, zijn gebroken been spalkte en alles deed wat gedaan moest worden. Maar Simon ruilde de duisternis en de werkelijkheid in voor het duizelingwekkende schouwspel daarbinnen in de tempelstad. Maar hij deed dat vooral voor de man, voor hem die in zijn dromen had bestaan en wiens geheimzinnige goedheid nu Simons gemoed vervulde.

'Hoe klonk de taal, die u weer in ere hebt hersteld?'

Gudea glimlachte opnieuw, nauwelijks waarneembaar, maar Simon vond dat er dit keer een glimp van verdriet in lag.

'Het is niet zoals jij denkt', zei hij. 'Het ging niet puur om de taal van de Soemeriërs, nee, het ging om iets veel groters. Het Soemerisch bestond immers al in geschriften en gebeden, maar mijn dromen gingen over de oorsprong ervan. Er bestond een oeroude taal, de oudste taal van de mensen, die ook met de dieren en de bomen, de hemel en het water gesproken kon worden.'

Hij zuchtte en nu was er geen twijfel meer over mogelijk: er lag verdriet in zijn glimlach. Hij ging verder: 'In het gesproken Soemerisch, in de taal van de mensen, zaten nog resten van die eerste taal. Ik dacht dat ik de sleutel ervan bezat en dat ik de taal kon ontsluiten om het verbond weer in ere te herstellen. Maar het was al te laat; de weg naar de grote werkelijkheid was afgesloten en onze liederen konden die niet meer ontsluiten. De Soemerische taal was haar macht kwijt. Ze moest nu lenen van Akkad; woorden en uitdrukkingen die we in de oude tijd, toen alles nog eenvoudig was en een eenheid vormde, niet nodig hadden gehad.' Hij voegde eraan toe: 'Dat was misschien de laatste grote poging die op aarde werd gedaan om de mensen weer deelgenoot te maken.'

Maar toen lachte hij: 'Maar nu doet de grote God met elk kind dat geboren wordt toch weer een nieuwe poging om de eenheid te herstellen. Een paar jaar, in het begin van ieder nieuw leven, kunnen de mensen zich nog verstaan met alles wat leeft, met de rivieren en de hemel. Daarna gaat het meeste verloren.'

Gudea hief zijn hand op en op het plein groeiden de eiken, Simons eiken uit het land van zijn jeugd, en voor hen stond een kleine jongen met van razernij vlammende ogen, die uitschreeuwde dat hij zich wilde losmaken en die de bomen mat, waardeerde, vergeleek en benoemde.

Simon gilde van pijn en ergens werd er een naald in zijn arm gestoken en de wilde pijn begon te wijken.

'Je begint nu eindelijk in te zien', zei Gudea, 'dat degene die waarderingen uitspreekt de werkelijkheid verliest; dat waar een oordeel wordt geveld het geheel verloren gaat.'

Hij nam Simon bij de hand. 'We moeten onze tocht beginnen met eerst de God te groeten; hij die in onze harten woont en die zijn streven om het verbond in ere te herstellen nooit moe wordt.'

Simon zag dat het verdriet nu uit Gudea's gezicht verdwenen was en dat de halvemaanvormige ogen vol vertrouwen waren.

Ze gingen de tempel aan de voet van de toren binnen en Simon was met stomheid geslagen over de enorme afmetingen en de kracht van de zaal. Maar toen hij zijn blik wendde naar de God die hun helemaal vooraan in de zaal opwachtte, hield Gudea hem tegen.

'Niemand kan hem zien zonder vernietigd te worden. Hem mag je alleen onder ogen komen in je eigen hart, in de tempel waar hij altijd op je wacht en die geen grenzen kent.'

Daarna knielden ze allebei neer, zij aan zij, en de wereld verdween; zowel de grote woestijn rond de ruïnes als de gouden tempel in de zon. Simon bleef net zolang tot Gudea een hand op zijn schouder legde, een lichte aanraking die Simon herkende, vol tederheid.

'Nu moet je je groet nog brengen aan Ur-Babu's dochter Ninalla. Zij is de hogepriesteres van de maangod, en mijn echtgenote.'

Simon volgde Gudea, die een hoofd kleiner was dan hijzelf, de brede trap van de tempeltoren op naar het eerste plateau van waaruit hij de stralende tempelstad kon overzien tot aan de duisternis die zwart rondom de muren heerste.

Maar Gudea leidde hem verder, nog honderd traptreden op, tot ze op de top de tempel van de maangod waren genaderd, hoog alsof deze los van de grond zweefde.

'De priesteres slaapt en mag niet gewekt worden vóór het eerste kwartier', zei Gudea. 'Ze heeft al haar krachten nodig om het zilveren schip langs de hemel te leiden.'

Simon boog voor de slapende, die hij kende, heel goed kende, en wier rode haar tot een mooie krans rond haar hoge voorhoofd was gevlochten.

Toen ze de trappen afdaalden hoorden ze vioolspel, een

melodie van een wilde schoonheid, en Gudea zei: 'Ja, je moet ook luisteren naar onze violist, hem, die jij najaagt als de wind, maar die je nooit zult ontmoeten.'

En Simon wist toen dat het Haberman was die daar speelde en hij rende op het geluid af, maar dat speelde een spelletje met hem en verdween tussen de pilaren in het grote paleis. Maar één keer, heel even, ving hij een glimp op van de rug van de speelman en die leek precies op het beeld zoals hij zich dat herinnerde uit zijn dromen: schuw en ontwijkend.

Nu ben ik verloren, dacht Simon. Ik vind nooit de weg terug uit dit paleis zonder begin of einde. En hij schreeuwde zijn angst uit en op datzelfde moment boog de lange Aron Äppelgren zich over hem heen, precies zoals het zijn moest, en hij werd achter op de fiets getild. En net zoals ze vroeger altijd deden, liepen ze over de velden thuis en Aron imiteerde alle vogelgeluiden en plaagde de grote meeuwen, en Simon moest net zo lachen als toen hij nog een kind was en plaste in zijn broek zoals hij deed toen hij nog klein was.

Opeens wist hij weer waar hij was en hij riep: 'Gudea.'

'Maar ik ben er altijd', zei de zachte stem in zijn nabijheid. En Simon wist dat dat waar was en dat er niets was om bang voor te zijn.

Nu stonden ze in een bedoeïenentent; het zwarte doek absorbeerde het licht en het duurde even voordat Simons ogen dusdanig aan de duisternis gewend waren dat hij in het midden van de tent de vrouw zag, die voor hen boog.

'Ik was kinderloos', zei ze. 'En bij ons volk is dat een lot erger dan de dood. Dus je kunt je mijn vreugde wel voorstellen toen Ke-Ba, de priesteres, op een nacht bij me kwam om te vragen of ik voor haar zoontje wilde zorgen, dat ze in het geheim had gebaard.'

'Je weet immers', zei ze, 'dat de priesteres van Gatum-dus niet zwanger kan worden; dat haar schoot openstaat voor vele mannen en de uitverkorenen grote vreugde bezorgt, maar dat het zaad aan de godin toebehoort en niet in de baarmoeder van de priesteres kan ontkiemen.'

'Toen Ke-Ba zwanger werd, wist ze dus dat het kind van de god zelf was en ze durfde dat nooit aan de priesters van Akkad te vertellen, want ze zouden het heilige kind omgebracht hebben.'

Simon knikte en ze ging verder: 'Daarom mocht Gudea hier bij mij opgroeien en hij maakte mijn leven waardevol en werd een zegen voor heel zijn volk.'

Simon keek de vrouw lang aan; ook bij haar zag hij iets dat hij herkende. Maar niet voordat ze afscheid namen en hij zag dat de wanden van de tent weken voor het grote Scandinavische bos, besefte hij dat het Inge was die tot hem gesproken had en dat het langgerekte meer zich daar bevond, blauw en koel in de eindeloze woestijn.

Maar toen waren ze al terug in de tempelstad en Gudea zei dat hij wilde dat Simon zijn moeder ontmoette, de grote Ke-Ba.

En hij voerde Simon naar nog een verguld vertrek met stralend blauwe muren en een plafond dat bedekt was met goud.

In het midden van de kamer wachtte een vrouw.

En Ke-Ba, zij die het kind had gebaard maar niet mocht behouden, draaide zich langzaam om en warme bruine ogen keken in de zijne.

'Moeder,' zei hij, 'Karin, lieve moeder.'

Ze glimlachte haar bekende, brede glimlach en hij dacht: god, goede god, ik was vergeten hoe mooi ze was. En hij herkende iedere nuance van haar stem toen ze op vaste toon zei: 'Simon, mijn jongen.'

Ze stonden daar maar en hielden elkaars hand vast, en de blijdschap tussen hen was zo groot dat de muren van de kamer ervan uit elkaar barstten. Toen zei ze met heel die bekende, nadrukkelijke kracht in haar woorden: 'Ik hou er niet van dat je jezelf zo plaagt met dat schuldgevoel. Je bent me iedere dag in het huis aan de rivier tot vreugde geweest. Niets van wat jij gedaan hebt, had anders moeten zijn, hoor je?'

'Moeder,' zei hij, 'waarom ben je gestorven?'

'Ik heb ervoor gekozen om te gaan toen ik het gevoel had dat ik het mijne gedaan had, Simon. Het was een goed leven, maar ik wilde niet blijven rondhangen om oud te worden.'

Hij deed zijn mond open om haar tegen te spreken. Dat zag ze en ze moest lachen: 'Ik maak maar een grapje, Simon. Er was iets dat jij niet wist.'

Ze vertelde hem over Petter en de pestvogels en eindelijk zag hij het, de bron van het verdriet in haar hart.

'Het leven is groots, Simon', zei ze. 'Veel grootser dan wij kunnen denken.'

Hij keek om zich heen en de oneindigheid van de vlakte ontmoette die van de zee en achter Karin lagen de bossen, de diepe bossen en boven hen was de eindeloze hemel.

Maar toen kwam er een onrust over Karin en ze zei, zoals ze al die jaren had gedaan: 'Simon, we letten weer niet op; je moet je haasten.'

'Rennen', zei ze en ze hing de rugzak met zijn school- boeken over zijn schouders.

'Je komt nog wel op tijd', zei ze. 'Als je je lange been maar voorzet.'

Hij knikte. Hij voelde zich geborgen; zij zorgde voor

hem zoals ze altijd had gedaan. Hij zou op tijd komen.

Maar in de opening van de keukendeur draaide hij zich om zoals hij altijd deed en zij stond bij het fornuis zoals gewoonlijk en zei lachend: 'Opschieten, mijn jongen.'

40

En hij was op tijd. Hij sloeg zijn ogen op in een grijze ziekenhuiskamer op een gewone, Zweedse namiddag en hij hoorde stemmen in de gang, aangename, Zweedse stemmen.

Ik ben thuis, dacht hij en eigenlijk was hij niet eens zo verbaasd, want ergens was hij zich immers ook nog wel bewust van injecties en brancards, vliegtuigen en witte jassen en van Klara's gezicht dat over hem heen gebogen was, van koele handen die zijn kussen omkeerden en zijn voorhoofd afwisten, van Ruben met een ongeruste en Erik met een angstige blik.

Hij was verdrietig, want hij wilde niet terug naar die werkelijkheid waarvan de meesten denken dat het de enige is.

Ze heeft me voor de gek gehouden, dacht hij over Karin.

Maar hij besefte meteen dat ze had gedaan wat ze moest doen.

Na een poosje werd hem duidelijk dat de stemmen in de gang over hem spraken.

'Dit kunnen we zo niet langer door laten gaan. Het lijkt wel een toestand van verwarring die losstaat van de malaria', zei de jonge stem. 'Een hersenschudding en de koorts; dat verklaart al genoeg.'

Een oudere stem ging nu verder: 'Zijn familie heeft ons verzekerd dat hij psychisch een stabiele persoonlijkheid is, geen neurotisch type. En zijn vrouw, die psychiater is, is ook niet ongerust.'

'Maar hij hallucineert al veertien dagen, ook tussen de koortsaanvallen door, wanneer hij rustig zou moeten zijn.'

Dat was de jonge stem weer en Simon verafschuwde die.

Hij was niet bang, maar hij vermoedde een gevaar en hij kreeg gelegenheid om na te denken, want de stemmen verwijderden zich. Ik moet stand houden tegen de visioenen en niet langer zwichten, dacht Simon.

Het lange been voorzetten.

Meteen daarna werd hij zich bewust van het feit dat zijn andere been in het gips zat en in de verte kon hij zich nog herinneren dat hij het gebroken had toen hij van de muur viel.

Hij probeerde te slapen. De beelden kwamen op hem af, maar hij verjoeg ze en werd wakker voordat hij erdoor werd meegesleurd. Er zat een belletje naast zijn bed; hij belde en de nachtzuster kwam.

'Zou ik een slaaptablet kunnen krijgen?' vroeg hij. 'Ik heb moeite met slapen.'

Hij zag haar verbazing. Daarna kwam de dienstdoende arts, die erg gejaagd was. Zijn pols werd opgenomen en de arts gaf opdracht het infuus uit zijn arm te verwijderen en de patiënt een beker pap te geven.

'Welkom terug in de werkelijkheid', zei de dokter en hij was alweer verdwenen. Simon glimlachte.

En hij at zijn pap en slikte zijn tablet, waarna hij een droomloze nacht had van een diepe, zwarte rust.

De volgende ochtend kwam de afdelingsarts bij hem, degene met de jonge stem, en Simon ontdekte dat ze elkaar kenden; ze waren van hetzelfde jaar.

'Hallo, hoe is het met jou?'

'Ja, het gaat wel. Een beetje moe alleen nog.'

Per Andersson keek naar de koortscurve die daalde, nam

zijn pols op en luisterde naar zijn hart en Simon begreep wel dat dat allemaal bedoeld was om te verbergen dat hij nieuwsgierig was.

Hij praatte een ogenblik over de malaria; het herstel zou nu snel gaan en zijn been heelde zonder problemen.

'Je moet eigenlijk het bed uit om te oefenen; het liefst vandaag al', zei hij.

Daarna moest hij weg. Maar in de deuropening keerde hij zich om; hij kon zijn nieuwsgierigheid niet langer bedwingen: 'Wie is Gudea?'

'Een Soemerische koning, een van de laatste.'

'Wat is er zo bijzonder aan hem?'

'Tja, hij bouwde een grote tempel en probeerde de Soemerische taal, die bijna vergeten was, weer nieuw leven in te blazen. Zijn naam betekent De Geroepene. Maar waarom ben jij verdorie zo geïnteresseerd in hem?'

'Je ligt al bijna veertien dagen over hem te ijlen.'

'O', zei Simon met gespeelde verbazing.

'Maar dat is misschien niet zo gek', zei hij. 'Ik ben bezig aan een doctoraalscriptie over hem en ik heb immers hoge koorts gehad.'

'Wij vonden het wel gek; langdurige hallucinaties passen niet bij het ziektebeeld.'

'O', zei Simon weer.

'Ik heb zelfs even gedacht dat je bezeten was', zei Per Andersson.

'Bezeten?' zei Simon en nu was zijn verbazing echt. 'Gelooft de artsenij daar dan in?'

'Er is veel tussen hemel en aarde', zei de dokter voordat hij verdween. Hij leek wel teleurgesteld.

Simon bleef in bed liggen en dacht: dit heb ik gered. Ik zal me in het vervolg ook wel redden. Maar hij voelde geen genoegen over zijn overwinning; er heerste geen blijdschap binnen in hem.

Klara kwam en ja, natuurlijk was hij blij haar te zien.

'Jij weet iemand wel aan het schrikken te maken, Simon', zei ze stilletjes.

'Dat was niet mijn bedoeling', zei hij.

'Heb je hem ontmoet, Gudea?'

'Ja, tenminste in mijn dromen', zei Simon. Hij was bang dat ze nu over jungiaanse archetypen zou beginnen of iets anders vermoeiends, waartegen hij niet in staat zou zijn zich te verdedigen.

Maar ze zat alleen maar bij hem en hield zijn hand vast terwijl hij in slaap viel.

Op de derde dag kon ze zich niet langer inhouden: 'Hij heeft je toch niet je levenslust ontnomen, Simon?'

Ze zag dat hij moest huilen, maar hij kon haar niet vertellen dat het niet om Gudea was, maar om Karin, die hem uit haar keuken had laten wegrennen.

Erik kwam ook even, maar hij zag wel dat Simon moe was en geen zin had om te praten, dus hij bleef gewoon zwijgend bij hem zitten terwijl de tranen hem in de ogen stonden. 'Ik ben zo ongerust over je geweest.'

'Dat was niet nodig, vader. Je hebt me immers leren vechten.'

Daar lachten ze een beetje om.

Ruben kwam langs met bloemen en boeken. Hij had ook zijn kleindochter, Malin, bij zich en het was goed om haar te zien.

In de gang werd erover gesproken of ze antidepressiva zouden gaan inzetten, maar Klara hield dat tegen.

'Hij redt zich wel zonder die middelen; hij heeft alleen

tijd nodig', zei ze, maar Simon wist dat ze ongerust was.

Een dag of wat later zei Per Andersson, de afdelingsarts: 'We krijgen hier een Engelsman, een of andere lord, die deskundig is op het gebied van malaria.'

De volgende dag waren er meer mensen dan anders bij het visite lopen; het wemelde van de witte jassen. Naast de hoofdarts stond een mannetje dat *the Queen's English* sprak.

Per Andersson legde Simons situatie in onhandig Engels uit: 'We zijn een tijdje ongerust geweest over de patiënt omdat hij dagenlang bijna onafgebroken aan het hallucineren was.'

'Dat komt wel eens voor', zei de lord. *'Excuse me.'* Met een geroutineerd gebaar trok hij Simons oogleden omhoog om met zijn lampje in de pupillen te schijnen.

'Er zijn geen tekenen van blijvend letsel', zei hij terwijl hij in het dossier keek. 'Er was ook sprake van een val; waarschijnlijk een hersenschudding gecombineerd met de koorts.'

Er ging een schok door Simon heen; heel zijn wezen kwam op scherp te staan toen hij de hand, het gebaar herkende. Hij staarde naar de korte vingers en durfde ten slotte zijn ogen op te slaan naar het gezicht van de man. Toen hij in diens ogen keek, zag hij de geheimzinnige glimlach.

Ik ben gek, dacht Simon.

Alle alarmbellen gingen af: pas op, pas verdorie op.

Maar toen ze weg zouden gaan, heel die lange rij, won toch de behoefte om te weten het van zijn angst en hij vroeg: 'Neemt u me niet kwalijk, meneer, maar hebben wij elkaar niet eerder ontmoet?'

Zijn Engels was bijna net zo nasaal als dat van de lord; hij had niet voor niets vier jaar aan de University of London doorgebracht. Hij wist dat zijn stem vast klonk.

De Engelsman draaide zich om en keerde terug naar het bed. Hij keek naar Simon, naar de koortscurve met zijn naam erop en sprak toen bijzonder verbaasd en haast vrolijk: 'Simon Larsson, jazeker. Ik herinner me die ochtend op de Omberg nog heel goed.'

Hij sprak het uit als Oemburk en het was niet waarschijnlijk dat de omstanders die naam geografisch konden plaatsen, maar iedereen keek verrast en de hoofdarts zei wat mensen meestal plegen te zeggen: de wereld is klein.

Simon voelde een lach binnen in zich opborrelen, in zijn buik, en hij vroeg: 'Gelooft u nog steeds dat de reuzen hun onderbroeken in het Vätternmeer wassen, meneer?'

'*Of course*', zei de lord met glinsterende ogen en Simon kon zich nu niet langer bedwingen en barstte in lachen uit. Het was zo'n immense lach dat Simon dacht dat de echo ervan vast in het kasteel van koningin Omma te horen moest zijn, net zoals ooit in het verleden.

Iedereen moest lachen, de meesten wat schaapachtig, en er waren erbij die dachten dat die typisch Engelse humor in al zijn onbegrijpelijkheid knap vermoeiend was.

Maar de lord wendde zich tot zijn collega's en zei op verontschuldigende toon: 'Weet u, ik heb met deze jonge archeoloog een hele dag doorgebracht om hem op alle mogelijke manieren aan het verstand te brengen waar hij ergens moest zoeken naar de zaal van de bergkoning. Maar denkt u dat hij wilde luisteren? Nee, hij moest en hij zou direct naar het malariamoeras in Irak en de ruïneheuvels in Lagash.'

Iedereen knikte, niemand snapte er wat van en het geglimlach werd steeds geforceerder, maar Simon ging door: 'Hoe gaat het met uw kinderen, meneer?'

'Ik heb me over één zoon wat zorgen gemaakt, maar nu gaat het beter', zei de lord. 'En ik heb een dochtertje gekregen.'

'Van harte gefeliciteerd.'

'Dank u wel.'

De lord legde zijn korte hand op Simons schouder. Daar ging kracht van uit en hij zei: 'We zien elkaar nog wel, Simon Larsson.'

En weg was hij. Maar zijn blijdschap bleef in de kamer hangen en Simon voelde in zijn hart, midden in de zaal van de bergkoning, een enorme geborgenheid.

Hij werd weer gezond; dat ging verbazingwekkend snel. Hij at als een paard en sliep als een onschuldig kind met zachte, vriendelijke dromen.

Op de dag dat hij uit het ziekenhuis ontslagen werd haalde Klara hem op.

'Buiten heb ik een verrassing voor je', zei ze.

En daar stond zijn auto; de rode Kever was uit Londen verscheept.

'Ik rij wel, als jij het nog lastig vindt met je been', zei ze.

'Doe dat maar.'

Het was leuk om de wereld weer te zien, waar van alles te beleven viel en waar echte dingen waren om van te genieten. In het huis bij de riviermonding wachtten de anderen hem op. Hij tilde Malin op en fluisterde: 'Ik moet je de groeten doen van Karin.'

Ze knikte en was helemaal niet verbaasd.

Bij Mona en Isak stond de tafel gedekt. Simon hinkte door de grote tuin en zag dat het voorjaar met zijn werk begonnen was. In het klein, met de leverbloempjes die uitgekomen waren en die in hun blauwheid wedijverden met de hyacinten die onder de essen stonden.

Toen ze aan tafel waren gegaan en hun glas hieven, zei Simon: 'We drinken op Karin, om haar te herdenken.'

Dat deden ze en Simon voelde dat nu de scherpe kantjes van het verdriet af waren, bij iedereen.

In de schemering liep Simon de heuvel op en het veld over naar de eiken in het land van zijn jeugd – om het verbond in ere te herstellen.

Marianne Fredriksson bij De Geus

Als vrouwen wijs waren

Marianne Fredriksson geeft in dertien beschouwingen haar visie op hoe overeenkomsten en verschillen tussen de seksen het (dagelijks) leven beïnvloeden.

De elf samenzweerders

Met haar dochter Ann, die psychologe is, schreef Marianne Fredriksson een gedramatiseerde documentaire over de groepsprocessen die Afdeling Vijf van een groot bedrijf doormaakt. Tot wat voor prestaties is zo'n groep in staat? Als de groep in een crisis belandt, is het tij dan nog te keren?

Elisabeths dochter

Katarina en haar moeder Elisabeth gaan wat afstandelijk met elkaar om. Wanneer Katharina zwanger is groeit er langzaam een vertrouwelijke band. Beide vrouwen ontdekken hoe zij elkaars levens wederzijds beïnvloed hebben.

Inge en Mira

Twee vrouwen van achter in de veertig ontmoeten elkaar in een tuincentrum. De levens van Inge, een gescheiden Zweedse vrouw en Mira, een Chileense vluchtelinge, komen samen als er tussen hen gaandeweg een diepe verbondenheid ontstaat. Verschenen i.s.m. Rainbow Pocket.

De nachtwandelaar

De Romeinse jongen Marcus wordt grootgebracht door een van de slavinnen van zijn moeder, Seleme. Als zij aan een bordeel wordt verkocht doet dat Marcus zoveel verdriet dat hij blind wordt. De mysticus Anjalis bekommert zich om de in zichzelf gekeerde jongen en probeert hem te leren hoe hij liefde moet geven en ontvangen.

Volgens Maria Magdalena

Marianne Fredriksson geeft in deze roman een stem aan de vrouw die het aanzien van de wereld had kunnen veranderen. Maria Magdalena vertelt op indringende wijze over haar leven en haar ontmoetingen met Jezus. Verschenen i.s.m. Rainbow Pocket.

Het zesde zintuig

Sofia en Anders zijn kinderen met een bijzondere gave. Als ze in een gezamenlijke droom tijdens de adventsmis de dorpskerk uit zweven, is het Zweedse plaatsje Östmora in rep en roer.

Mijn leven in Zweden

Marianne Fredriksson neemt de lezer mee naar de verlatenheid van het Zweedse landschap, naar kleine dorpjes waar iedereen elkaar kent, naar de heldere meren en de weidse zee. We ontdekken dit prachtige, indrukwekkende land en duiken in de wereld die Marianne Fredriksson zo beeldend in haar romans beschrijft.

Het boek Eva

Eerste deel van de trilogie *De kinderen van het paradijs*. Nadat haar zoon Kaïn zijn jongere broer Abel heeft vermoord, trekt Eva de bergen in. Daar komen de herinneringen aan haar moeder weer boven. Door die opnieuw beleefde ontmoetingen gaat Eva steeds beter begrijpen wie ze is en dat ze op haar gevoel moet vertrouwen.

Het boek Kaïn

Tweede deel van de trilogie *De kinderen van het paradijs*. Kaïn heeft een avontuurlijk leven. Hij lijkt een krachtige, verstandige man. Maar omdat hij niet in staat is het met iemand te delen, kan hij zich niet bevrijden van het schuldgevoel dat diep vanbinnen aan hem knaagt.

Norea, dochter van Eva

Derde deel van de trilogie *De kinderen van het paradijs*.
Norea, dochter van Eva en Adam, kan in het verborgene
kijken, in dat wat achter de wereld ligt die we allemaal als
werkelijkheid ervaren. Eva, de oermoeder, ziet zichzelf
weerspiegeld in het meisje. Ze wil het liefst dat haar dochter
een normale jeugd heeft. Maar Norea is nu eenmaal anders.
Ze kan gedachten lezen en ziet de toekomst in haar dromen
en fantasieën. Het meisje heeft het in zich om de mensheid
te redden.